Titanenstrijd

Fred Vogelstein

Titanenstrijd

Apple vs. Google en de revolutie in de mediatechnologie

Vertaald door
Rob de Ridder

Spectrum

Uitgeverij Unieboek | Het Spectrum bv, Houten-Antwerpen

Spectrum maakt deel uit van Uitgeverij Unieboek | Het Spectrum bv,
Postbus 97
3990 DB Houten

Oorspronkelijke uitgave: Farrar, Straus and Giroux, LLC
Published by arrangement with Sarah Crichton Books, an imprint of Farrar, Straus and Giroux, LLC, New York

Eerste druk 2013

Oorspronkelijke titel: *Dogfight*
Vertaling: Rob de Ridder
Omslagontwerp: Studio Jan de Boer
Opmaak: Elgraphic bv, Schiedam

ISBN 978 90 00 32159 9
NUR 801

www.unieboekspectrum.nl

Voor Evelyn, Sam en Beatrice

Inhoudsopgave

Inleiding

Toen Steve Jobs begin 2007 de wereld liet weten dat hij de mobiele telefoon opnieuw had uitgevonden, waren de verwachtingen op zijn hoogst bescheiden. Jobs had de muziekwereld op z'n kop gezet met de iPod en iTunes. Maar de aanval openen op de industrie van mobieltjes? Dat leek een belachelijk idee. De providers, die de markt beheersten, hielden al jaren vernieuwingen van mobieltjes tegen. En de iPhone, hoe cool die er ook uitzag, leek geen partij voor hun ijzeren greep op de industrie. Hij was duurder dan de meeste andere en hij kon beslist minder. Hij gebruikte een langzamer zender-ontvanger. En gebruikers moesten een virtueel, geen tastbaar toetsenbordje bedienen. Voor sommige criticasters betekende dit dat de iPhone doodgeboren was.

Maar Jobs had de iPhone die dag iets te bescheiden voorgesteld. De mobiel zou een doorbraak blijken te zijn. De iPhone was eigenlijk geen telefoon, maar de eerste, nu heel gewone zakcomputer die kon telefoneren. En met zijn touchscreen deed hij zo veel dingen die andere mobieltjes nooit konden, dat de gebruikers hem zijn tekortkomingen gauw vergaven. Ze raakten gewend aan dat virtuele toetsenbord en Apple bleef het constant verbeteren. De prijs werd verlaagd tot die van andere mobieltjes. De langzamere zender-ontvangers werden gauw verbeterd om met de andere merken te kunnen wedijveren. Er werden schermpjes ontwikkeld met een ongekende resolutie. Apple kocht een chipfabrikant om zich ervan te verzekeren dat de iPhone altijd de snelste mobiel zou zijn en blijven. Ieder jaar verscheen er een totaal nieuwe versie. En er kwamen iconische tv-reclames – zoals Apple ook voor de iPod had gemaakt – waardoor klanten die er een kochten, zich speciaal gingen voelen.

De daaropvolgende verkooprage gaf Apple en Jobs de macht om providers te dicteren wat *zij* moesten doen, in plaats van andersom. Belangrijker is echter dat de iPhone een technologische revolutie ontketende die invloed heeft op bijna iedere uithoek van onze beschaving. Hij is de populairste mobiele telefoon aller tijden met alleen al in 2012 meer dan 125 miljoen verkochte exemplaren.[1] Hij is het platform geworden voor een nieuwe en enorm winstgevende software-industrie – die van apps – die vanaf de aanvang in 2008 al meer dan 9 miljard dollar aan inkomsten heeft gegenereerd. En de iPhone is de oorzaak geworden van een complete herziening van hoe mensen omgaan met apparaten: met hun vingers in plaats van toetsen of een muis. De iPhone en zijn nakomelingen – de iPod Touch en de iPad – hebben niet alleen de manier veranderd waarop de wereld over mobiele telefoons denkt, ze hebben voor de eerste keer in een generatie, dat wil zeggen sinds de introductie van de Macintosh in 1984, de manier veranderd waarop de wereld over computers denkt.

Sinds 2010, toen Jobs de iPhone liet volgen door de iPad, zijn vragen opgekomen die daarvoor uitzinnig waren. Wie zei dat onze computer onder ons bureau moest staan of op schoot?

Kan het niet gewoon een scherm zijn dat in onze zak of tas past of iets dat we overal in huis kunnen laten rondslingeren? Zeker, als je de verkoopcijfers van de iPad vergelijkt met die van desktops en laptops, dan is Apple nu absoluut de grootste computermaker ter wereld.[2] Er worden per kwartaal meer iPads verkocht dan Dell en HP laptops en desktops verkopen. Apple's verkoop van iPhones, iPads en iPod Touches samen overstijgt de 200 miljoen exemplaren per jaar. Dat is ongeveer net zo veel als het totaal aantal verkochte tv's van alle producenten samen en ongeveer vier keer zoveel als het aantal verkochte auto's wereldwijd. Dit heeft van het bedrijf Apple een kolos gemaakt die groter is dan Jobs' toch al niet geringe ambitie. Van bijna bankroet in 1997 is Apple nu een van de waardevolste en winstgevendste bedrijven ter wereld.

En toch gedraagt Apple zich alsof het bedreigd wordt – omdat dat, ondanks het grote succes, ook zo is. Vanaf het moment in november 2007 toen Google Android onthulde – Google's besturingssysteem waarmee het de wereld van de mobiele telefoons en andere mobiele apparaten wil domineren – heeft het niet alleen geprobeerd Apple voorbij te streven, het is daar ook in *geslaagd*. Android sloeg in 2010 aan bij het grote publiek en sindsdien is zijn populariteit geëxplodeerd. Tot Apple's verbijstering zijn er nu meer smartphones en tablets voorzien van Android dan er iPhones, iPads en iPod Touches op Apple's besturingssysteem iOS draaien.[3] In 2012 ontstond er discussie over of de iPhone nog wel de populairste smartphone was. In het derde kwartaal van dat jaar verkocht Samsung volgens sommige onderzoeken meer Galaxy's met Android dan Apple iPhones.[4]

Met de onthulling van de iPhone 5 maakte Apple eind 2012 een einde aan de discussie over wie de populairste smartphone heeft. Maar steeds meer mensen vragen zich af of dit nog relevant is. De verschillen tussen de twee platforms worden met de dag kleiner. Zeker, ze verschillen structureel van elkaar. Apple maakt alles van de iPhone, hardware én software (al wordt het apparaat in China geassembleerd). Google maakt alleen de software voor Android-telefoons. Het laat producenten van mobieltjes, zoals Samsung, de hardware maken. Maar beide platforms hebben net zo veel plussen als minnen: dat van Apple is iets makkelijker te gebruiken, maar het biedt slechts drie modellen: de iPhone, de iPad en de iPod Touch. Google's platform biedt veel meer keuze waar het mobieltjes betreft, omdat nu eenmaal meer merken smartphones met Android maken, en bovendien hebben die de nieuwste telefoonsnufjes vaak eerder dan Apple. Maar wat ontbreekt, is zoiets als Apple's *ecosysteem*, de manier waarop alle Apple-apparatuur samenwerkt. Beide platforms zijn echter bij de grote providers overal ter wereld even makkelijk te gebruiken en behalve in de Apple Stores kun je de apparaten in dezelfde winkels krijgen.

Dat Apple's marktdominantie zo snel en zo algemeen werd aangevallen, was pijnlijk voor Jobs en is dat nog steeds voor de tegenwoordige Apple-executives. Jobs dacht, en Apple's topmannen denken dat nog steeds, dat Google en de Android-gemeenschap vals hebben gespeeld. Zij denken dat Google-executives Apple's software hebben gestolen om Android te bouwen en dat Samsung, de grootste producent van mobieltjes met Android, Apple's ontwerp heeft gekopieerd voor de supersuccesvolle Galaxy. Ze voelen zich verraden. Dat komt doordat Apple en Google niet zomaar zakenpartners waren toen de iPhone in 2007 werd onthuld: ze waren ook spirituele bondgenoten, de yin en yang van de technologische revolutie. Het was een van de hechtste bondgenootschappen in de

Amerikaanse zakenwereld. Apple maakte geweldige apparaten, Google maakte geweldige software. Google's oprichters beschouwden Jobs als hun mentor. Google's toenmalige CEO Eric Schmidt zat in Apple's raad van bestuur. En ze hadden een gemeenschappelijke vijand: Microsoft. Samen planden ze een lang en gelukkig huwelijk.

Maar, zoals dat gaat in een huwelijk, de relatie bekoelde. Er kwamen geheimen, beloften werden gebroken en ze verklaarden elkaar de oorlog. Toen Jobs in oktober 2011 overleed, ontstond er hoop dat de ruzie minder als persoonlijk verraad zou worden opgevat en wel zou betijen, dat Apple's nieuwe CEO Tim Cook de emotie uit de onenigheid zou halen en een manier zou vinden om de ruzie te beslechten. Maar Apple is sindsdien tegenover Google juist agressiever geworden. Het heeft nog altijd tientallen rechtszaken tegen de Android-gemeenschap lopen in minstens zeven landen, vooral tegen Motorola (eigendom van Google) en Samsung. Het nam in de zomer van 2012 de nog niet eerder vertoonde stap om de onenigheid met Samsung, de grootste verspreider van Android-mobiels, voor te leggen aan een jury in San Jose, Californië. Apple kreeg een vergoeding van 1 miljard dollar toegewezen, maar Samsung ging in beroep. In september 2012 schopte Apple Google Maps van de iPhone en verving het door een eigen kaartenapp, die volgens de gebruikers veel slechter was en sindsdien continu verbeterd wordt. [Inmiddels is er een nieuwe Google Maps voor de iPhone beschikbaar.] Het werkt aan een videodienst om te concurreren met YouTube, eigendom van Google.

Apple is zelfs begonnen met het vervangen van delen van Google's zoektechnologie in de iPhone door die van een oude vijand, Microsoft.[5] Als je nu Siri gebruikt, de functie stemherkenning op de iPhone, dan is het niet meer Google die daarvoor wordt gebruikt. In plaats daarvan is het Microsofts zoekmachine Bing, die al een decennium lang een deel van de markt van Google probeert af te snoepen. Als je wilt dat Siri toch Google gebruikt, moet je eerst nadrukkelijk 'zoek Google' zeggen voor iedere zoekopdracht. Google is nog wel standaard de zoekmachine in de internetbrowser van de iPhone. Maar voor wie een goed geheugen heeft: het idee dat Apple Google zou laten vallen voor Microsoft, terwijl de laatste zo lang beider fervente vijand is geweest, is op zich al een verbijsterende ontwikkeling.

Google's houding naar de buitenwereld in het gevecht met Apple is er een van: 'Wie? Wij? Wij zijn alleen maar een stelletje nerds die de wereld willen veranderen.' Maar op zijn stille, *nerdy* manier heeft het op woeste wijze teruggevochten. Het trotseerde Apple's eis dat de software waarvan Apple beweert dat het zijn eigendom is, uit Android wordt gehaald. Het heeft een tactiek gebruikt om Jobs te doen voorkomen als een doorgeslagen tiran. En het kocht eind 2011 de producent van mobiele telefoons Motorola voor 12,5 miljard dollar, verreweg Google's grootste acquisitie tot nu toe. Het enige doel van die aankoop was om Motorola's octrooien in bezit te krijgen. Het zou immers makkelijker zijn om een twistzieke tegenstander als Apple te bestrijden als eigenaar van het bedrijf dat de mobiel heeft uitgevonden, met de bijbehorende octrooien. Dat is zo, maar het betekent ook dat Google altijd in staat zal zijn mobieltjes te maken om met Apple te concurreren, ongeacht hoe succesvol Apple is in rechtszaken tegen andere producenten van smartphones en tablets. Ook heeft Google nu die macht voor het geval nieuwe concurrenten komen opdagen.

Kort geleden is Google ook iets gaan doen waarvan de meeste mensen dachten dat het nooit zou gaan gebeuren: het is uit het niets consumentenelektronica gaan maken, om ook in de huiskamer met Apple-apparaten te concurreren. Nu heeft Google alle stukken in handen om gebruikers niet alleen te binden aan hun mobieltje met Android, maar hen overal te kunnen bereiken, buitenshuis én binnenshuis.

Het verhaal van twee bedrijven en hun machtige leiders die ruziemaken, is meestal goed voor een fantastisch tijdschriftartikel – en dat is het dan. Bedrijf X valt bedrijf Y aan en bedrijf Y slaat terug. De een verliest, de ander wint. Maar dit is een veel groter verhaal. Je kunt je moeilijk een revolutionairder voorwerp voorstellen dan dat waarover de twee bedrijven zijn gaan ruziën: de smartphone. De smartphone heeft de manier waarop mensen informatie verkrijgen en verwerken fundamenteel veranderd, en precies dat verandert de wereld op manieren die bijna te groot zijn om te bevatten. Denk eens na over de afzonderlijke invloed van een boek, krant, telefoon, radio, taperecorder, fotocamera, videocamera, kompas, tv, videorecorder en dvd-speler, PC, mobiel, videospelletjes en iPod. De smartphone is dat allemaal in één toestel dat in je broekzak past. Hij zal de manier waarop we op school leren, de manier waarop artsen hun patiënten behandelen, de manier waarop we trekken en reizen, radicaal veranderen. Amusement en alle media worden op een totaal nieuwe manier toegankelijk. Dat lijkt op iets wat Jobs gezegd zou kunnen hebben tijdens een van zijn befaamde productlanceringen. Maar overdreven is het niet.

Wat dit betekent, is dat Apple vs. Google niet zomaar een ruzietje is tussen twee grote bedrijven. Het is de beslissende zakenveldslag van deze tijd. Het is een keerpunt, zoals toen de PC werd uitgevonden, toen de internetbrowser aansloeg, toen Google de zoekmachine voor internet opnieuw uitvond, en toen Facebook het sociale netwerk schiep. Er is een gigantische herbezinning aan de gang op hoe technologie, media en communicatie bij elkaar komen en er wordt openlijk oorlog gevoerd tussen twee van de machtigste bedrijven ter wereld om de dominantie van het nieuwe landschap.

Ja, dit moet je doen denken aan eerdere gevechten tussen ondernemers in Silicon Valley, zoals Apple vs. Microsoft in de jaren 1980 en Microsoft vs. Netscape in de jaren 1990. Maar nu staat er onvergelijkbaar veel meer op het spel. In de jaren tachtig was PC-gebruik een opkomende markt en waren Apple en Microsoft nog jonge bedrijven. In de jaren negentig begonnen mensen de mogelijkheden van internet in te zien, vooral als dat bereikbaar was via een apparaatje dat in je broekzak past. Maar draadloos internet was toen nog te langzaam en te duur. Nu worden jaarlijks wereldwijd 1,8 miljard mobiele telefoons verkocht en binnen vijf tot tien jaar zullen de meeste daarvan smartphones zijn.[6] Niemand weet nog hoe groot de tabletmarkt zal worden, maar het is nu al een belangrijke nieuwe manier om boeken, kranten en tijdschriften te lezen, om het nog maar niet te hebben over televisiekijken en computerspelletjes spelen. Met andere woorden, de inzet van deze strijd is oneindig veel groter dan die van al die eerdere onenigheden.

Het gaat er niet alleen om dat er veel meer geld te winnen én te verliezen valt in de strijd tussen Apple en Google dan in eerdere ruzies in Silicon Valley. Maar ook lijkt het dit keer – voor de spelers tenminste – op een strijd waar slechts één winnaar uit kan komen. Waarom? Omdat ze niet alleen maar vechten om wie de hotste apparaten maakt, maar ook om de onlinewinkels en gemeenschappen waarmee deze apparaten verbonden zijn – de zogenaamde cloud. Veel van wat we kopen via Apple's iTunes Store – apps, muziek, films, tv-programma's, boeken enzovoorts – werkt met moeite of helemaal niet op Android-apparaten, en andersom. En beide bedrijven weten: hoe meer geld we uitgeven aan apps en andere media uit dezelfde winkel, hoe onwaarschijnlijker het wordt dat we overstappen naar de ander. Ze weten dat wij ons zullen afvragen: 'Waarom al die content opnieuw kopen, alleen maar omdat we een Android-mobiel willen hebben in plaats van een iPhone?' Veel bedrijven produceren vrije apps die op beide platforms werken, maar alleen al het feit dat je ze allemaal opnieuw moet downloaden en instellen is voldoende om veel gebruikers van die overstap te weerhouden. In het taalgebruik van Silicon Valley is dit een *platform war*, een oorlog om het besturingssysteem. Of je nu kijkt naar Microsoft met Windows en Office, eBay met veilingen, Apple met de iPod, Amazon met boeken, Google's zoekmachine of Facebook onder de sociale netwerken, de geschiedenis suggereert dat de winnaar van een strijd als deze waarschijnlijk 75 procent marktaandeel krijgt, terwijl de verliezer met moeite zijn hoofd boven water zal kunnen houden.

Het gaat dus om veel. De komende jaren zal het grootste deel van wat we als informatie beschouwen – nieuws, amusement, communicatie – via Apple's of Google's platform binnenkomen. Twijfel je daaraan? Het gebeurt al. We brengen al net zo veel tijd door met internet als met tv kijken, en meer en meer van de tijd die we online zijn, zijn we met smartphones en met tablets in de weer. Denk maar eens na over hoeveel tijd je zelf naar het scherm van een smartphone of tablet staart –

niet alleen de minuten waarin je je e-mail beantwoordt, het nieuws leest, twittert, facebookt, een filmpje kijkt, een spelletje speelt of over het web surft. Tel de seconden daarbij op die je kijkend op je smartphone of tablet in de lift staat, wacht in een rij of voor een stoplicht, of zelfs op de wc zit. En vraag je nu het volgende af: wie bepaalt wat jij op je tv ziet? Het kabel- of satellietbedrijf. Wie bepaalt wat jij op je smartphone ziet? Apple en Google, uiteindelijk.

Ik herinner me dat ik als schrijvend redacteur van *Wired* begon na te denken over de mobiele revolutie. Op dat moment kwamen de bestverkochte mobiels van Nokia, RIM (de producent van de BlackBerry), Sony Ericsson en Motorola. En toen werd de iPhone aangekondigd. Al snel leek het me onvermijdelijk dat Apple en Google met elkaar in botsing zouden gaan komen. Weinigen waren het met me eens. Een bevriende redacteur noemde het een belachelijk idee. Hoe konden Apple en Google nu met elkaar concurreren als ze in twee compleet verschillende bedrijfstakken zaten, vroeg hij. Technisch gezien had hij gelijk. Apple verdient geld met de apparaten die het maakt. Google verdient geld met de verkoop van onlineadvertenties. Wat hij en anderen niet zagen, was dat dat nu nog slechts middelen zijn naar een veel groter doel. Beide bedrijven zien zichzelf als exponenten van een nieuw soort uitzendmachines van content – tv-maatschappijen van de 21ste eeuw, zo je wilt. Ze zullen geen content maken zoals de tv-maatschappijen op dit moment doen, maar omdat ze grote massa's toeschouwers wereldwijd beheersen en een enorme financiële omvang hebben, zullen ze een grote invloed krijgen op wat er gemaakt gaat worden en wie het te zien krijgt.

Dit lijkt misschien contra-intuïtief. Het is moeilijk voorstelbaar dat Apple of Google *Mad Men* gaat produceren. Maar makers van films en tv-programma's gaat het uiteindelijk om maar twee dingen: hoeveel gaat hun project kosten, en hoeveel mensen zullen het zien? Er zijn geen twee bedrijven die zo veel macht hebben als Apple en Google, noch zo veel geld. Samen beschikten zij midden 2013 over 200 miljard dollar cash. Dat is niet alleen voldoende om een onbeperkte hoeveelheid content voor hun publiek te kopen en/of te financieren: het is voldoende om bijna heel Hollywood aan te schaffen. De totale waarde van News Corp., Time Warner, Viacom en CBS is ongeveer 200 miljard dollar. Hoewel de meeste mensen Apple en Google niet zo gauw zullen zien als reuzen in amusement, beheerst Apple via iTunes ruwweg 25 procent van alle muziek die wordt verkocht en ongeveer een derde van alle films die buiten de bioscoop worden bekeken.[7] Google investeert intussen honderden miljoenen in oorspronkelijke programma's voor YouTube, de site met filmpjes waar nu al tientallen miljoenen mensen over de hele wereld naar kijken.

Hiermee is niet gezegd dat er niet nog heel veel ruimte is voor nieuwe en oude bedrijven die in deze nieuwe wereld hun eigen business willen opbouwen. Netflix, een filmverhuurder *on demand*, heeft bekendgemaakt dat het 30 miljoen abonnees heeft, net zo veel als HBO, de kabel-tv-zender van Time Warner. Twee jaar geleden leek het nog alsof het bedrijf het niet zou halen. Studio's dreven de prijzen van hun content tot grote hoogten op. Er kwam steeds minder aanbod bij en klanten vertrokken. Daarop begon Netflix – een hightechbedrijf in San Jose, geen Hollywood-studio – zijn eigen programma's te financieren. De eerste poging, een remake van de Engelse serie *House of Cards* met Kevin Spacey, werd een enorm succes. Ook Amazon en Microsoft zijn bezig met de opbouw van eigen productiefaciliteiten. Intussen is Facebook, met meer dan een miljard leden – het halve internet – een favoriete stop geworden voor Hollywood-agenten, die dit gigantische wereldwijde publiek willen gebruiken als een manier om het werk van hun cliënten, de studio's, te financieren en uit te zenden.

Maar hoe machtig Facebook, Amazon, Netflix en Microsoft ook zijn, op dit moment moeten ze allemaal nog voor een groot deel gebruikmaken van twee bedrijven – Apple en Google – om het toenemende aantal mensen te bedienen dat smartphones en tablets gebruikt voor nieuws, amusement en communicatie. Wat dit betekent, is dat de strijd tussen Apple en Google niet alleen een verhaal is over de toekomst van Silicon Valley, maar evengoed gaat over de toekomst van de media en de communicatie in New York en Hollywood. Honderden miljarden dollars aan opbrengsten staan op het spel en voor ten minste de komende twee jaar, en vermoedelijk de komende vijf, zullen deze bedrijven er met hun bondgenoten en volgelingen vol ingaan.

Wat er nu gebeurt, wordt al een generatie lang op allerlei manieren voorspeld door de bonzen van media, communicatie en software: de vruchten van de arbeid van Silicon Valley en die van New York en Hollywood worden bij elkaar gebracht. Dichter bij tragische ironie in deze wereld zul je niet komen. Twee decennia lang – de jaren tachtig en negentig – gaven deze bazen leiding aan de beste technologie en de beste fusies en partnerschappen om zich voor te bereiden op de nieuwe wereld zoals ze die voor zich zagen. Voor honderden miljarden dollars kochten ze elkaar, alleen om groter te worden. Maar hun timing was zo slecht, de vernieuwingen waren zo beroerd en hun fusies soms zo rampzalig (zoals AOL's aankoop van Time Warner in 2001) dat 'samenvoegen' in zo'n slecht daglicht was komen te staan dat slechts weinigen het woord maar durfden te bezigen.

Waar zaten al deze heel slimme en heel rijke mensen ernaast? Ze dachten aan de verkeerde apparaten. De media- en communicatiemagnaten voorspelden allemaal dat dat samenvoegen op de personal computer plaats zou vinden, dat hun apparaten voor televisieprogrammering, zoals decoders, uiteindelijk ook onze PC zouden gaan beheersen. De softwaremagnaten – vooral Microsofts Bill Gates – voorspelden juist dat het PC's zouden zijn die onze tv's zouden gaan beheersen. Maar in plaats daarvan zijn het de smartphone en de tablet met touchscreen die alle veranderingen in gang hebben gezet, twee apparaten die pas net zijn uitgevonden. Het probleem met de televisie is dat het een beroerd apparaat is om wat voor werk dan ook mee te verrichten. Het probleem met de PC is dat het een beroerd apparaat is om amusement op te volgen. Omdat ze draagbaar zijn en zo makkelijk in gebruik, blijken de smartphone en de tablet de beste combinatie van die twee. Je zou nooit je laptop tevoorschijn halen om een spelletje te spelen of een film te zien als je in een rij moet wachten of in een taxi zit. Maar met onze smartphone doen we dat aan de lopende band. We accepteren dat het scherm veel kleiner is vanwege de draagbaarheid omdat we, in tegenstelling tot bij eerdere draagbare apparaten, geen enkele andere concessie hoeven te doen. Het scherm is klein, maar scherper dan de meeste tv-schermen, de batterijen gaan de hele dag mee, ze zijn direct aan als je op de knop drukt en ze zijn verbonden met draadloze netwerken die snel genoeg zijn om films te streamen. En ze zijn krachtig genoeg om dezelfde applicaties te draaien als al die andere apparaten die we hebben.

Tegen het einde van het boek zul je een aardig idee hebben van wie *ik* denk dat de strijd tussen Apple en Google zal winnen. Maar je zult dan ook zo veel respect hebben gekregen voor wat iedere partij heeft gedaan om in het spel te blijven, dat je niet graag voor een van beide kanten kiest. Een van de dingen die ik niet had verwacht toen ik aan dit project begon, was hoe moeilijk het is om de producten te verzinnen en te bouwen die Steve Jobs op het podium, als ware het toevallig, uit zijn broekzak haalde. Of je nu softwareontwikkelaar bent bij Apple of bij Google of bij wie dan ook, het maken van producten die de wereld veranderen is niet gewoon werk, het is een zoektocht. Wie hieraan meedoet, is niet alleen moe zoals je van ieder werk weleens moe kunt zijn, maar na afloop ben je geestelijk en lichamelijk kapot – en zelfs getraumatiseerd. Jobs' aantrekkingskracht als leider en beroemdheid was dat hij dat verborg voor de buitenwereld. Bij hem leek innovatie een peulenschil. Nu is hij overleden. Zoals je op de volgende bladzijden zult lezen, zijn er veel ontwikkelaars bij beide bedrijven die de rest van de wereld willen laten weten hoe het veranderen van die wereld nu *echt* was. Voordat er smartphones en tablets waren die wij nu gewoon kunnen kopen, werd er geroepen en geschreeuwd, heersten achterbaksheid en afwijzing en paniek en angst voor wat er voor nodig was om die grote projecten van de grond te tillen en in handen van de consument te krijgen. Zij willen dat je begrijpt hoe het iPhone-project en het Android-project er in het begin uitzagen – en daar begint dit boek dan ook mee.

1
Maanmissie

De 88,5 kilometer tussen Campbell en San Francisco is een prachtige forensenroute. Het grootste deel van de tocht gaat over de Junipero Serra Freeway, een brede en opvallend lege snelweg die langs de oostelijke hellingen van de Santa Cruz Mountains loopt. De weg, plaatselijk bekend als de 280, is voor de magnaat van een start-up een van de beste plaatsen in Silicon Valley om uit te proberen hoe hard zijn Ferrari rijdt en een van de slechtste plaatsen voor ontvangst van je mobiele telefoon. Daarom was het in de vroege ochtend van 8 januari 2007 voor Andy Grignon in zijn Porsche 911 een geweldige plaats om even alleen te zijn en rustig te kunnen nadenken.

Dit was niet de route die Grignon gewoonlijk naar zijn werk nam. Hij was senior-softwareontwikkelaar bij Apple in Cupertino, een stadje dat aan de westkant van Campbell grenst. Zijn ritje iedere morgen was ruim elf kilometer lang en hij deed er precies een kwartier over. Maar vandaag was anders. Hij was op weg naar de Macworld-handelsshow in San Francisco, waar zijn baas Steve Jobs geschiedenis zou schrijven. Apple-fans smeekten Jobs al jaren om het inbouwen van een mobiele telefoon in hun iPod, zodat ze niet langer twee apparaten mee hoefden te sjouwen. Jobs stond op het punt aan die wens te voldoen. Grignon zou met enkele collega's de nacht doorbrengen in een nabijgelegen hotel om de volgende dag om 10 uur 's morgens – net als de rest van de wereld – te zien hoe Jobs de eerste iPhone onthulde.

Uitgenodigd worden voor een van Jobs' befaamde productaankondigingen werd als een grote eer beschouwd. Je werd er als speler door gezalfd. Niet meer dan enkele tientallen medewerkers van Apple, inclusief topexecutives, kregen een uitnodiging. De rest van de stoelen was gereserveerd voor de leden van de raad van bestuur, CEO's van partners – zoals Eric Schmidt van Google en Stan Sigman van AT&T – en journalisten uit de hele wereld. Grignon had een uitnodiging gekregen omdat hij de senior-softwareontwikkelaar was van alle zender-ontvangers in de iPhone. Dat is een zware baan. Met smartphones kun je een heleboel nuttige dingen doen, maar eigenlijk zijn het niet meer dan leuke zender-ontvangers. Het betekende dat Grignon verantwoordelijk was voor de onderdelen die van de telefoon een telefoon maakten. Als de telefoon geen nummers kon bellen, geen verbinding wist te leggen met draadloze, op bluetooth werkende koptelefoons of met wifi-apparaten, dan was het Grignon die daarop aangesproken moest worden. Als een van de oudste softwareontwerpers van de iPhone had hij tweeënhalf jaar van zijn leven, en vaak zeven dagen per week, aan het project gewijd. Weinigen verdienden meer dan hij om erbij te zijn.

Maar terwijl Grignon in noordelijke richting reed, voelde hij zich helemaal niet zo enthousiast. Hij was doodsbang. De meeste openbare productdemonstraties in Silicon Valley zijn van tevoren opgenomen. Waarom zou je een slechte internetverbinding of mobiele telefoon een uitstekende presentatie laten verknoeien, was de algemene gedachte. Maar Jobs' presentaties waren altijd live. Dat zorgde ervoor dat zijn shows zo fascineerden. Voor de mensen op de achtergrond, zoals Grignon, waren er echter maar weinig aspecten van hun baan zo stressvol. Grignon kon zich niet herinneren wanneer de laatste keer was geweest dat een show van Jobs van deze omvang mis was gelopen. Jobs was mede zo legendarisch geworden doordat er zelden ongelukken waren gebeurd bij belangrijke productdemo's. Maar Grignon kon zich al evenmin herinneren wanneer de laatste keer was geweest dat Jobs zo onvoorbereid een show ging geven.

Grignon maakte deel uit van het team dat de lancering van de iPhone had voorbereid bij Apple en later in het Congrescentrum Moscone in San Francisco. Maar hij moest nog zien hoe Jobs de hele negentig minuten durende presentatie zonder kleerscheuren doorkwam. Jobs had vijf dagen geoefend, maar zelfs op de laatste dag was de iPhone nog willekeurig nummers gaan bellen, werd de internetverbinding verbroken, bleef hij hangen of ging hij gewoon uit.

'In het begin was het echt cool om alleen al bij die repetities aanwezig te zijn – een soort teken van geloofwaardigheid. "*Fuck yeah*, zat ik mooi bij Steve",' aldus Grignon. Net als alles in Jobs' omgeving waren de voorbereidingen net zo geheim als een Amerikaanse droneaanval in Afghanistan. Zij die er direct mee te maken hadden, hadden het gevoel dat ze in het centrum van het universum stonden. Van donderdag tot dinsdag hield Apple Moscone volledig bezet. Achter de coulissen werd een elektronicalab van 2,5 bij 2,5 meter gebouwd om de iPhones in onder te brengen en te testen. Daarnaast werd een rustkamer gebouwd met daarin een bank voor Jobs. Voor beide ruimtes en bij iedere deur van het gebouw stonden 24 uur per dag bewakers. Niemand kon naar buiten of naar binnen zonder dat zijn of haar ID gecontroleerd was, en vergeleken met de namen op een lijst die door Jobs persoonlijk was goedgekeurd. Jobs was zo bang voor lekken, dat hij probeerde iedereen die door Apple was ingehuurd voor de aankondiging – van de mensen die in de stalletjes demonstraties gaven tot degenen die verantwoordelijk waren voor licht en geluid – te verplichten de nacht voor de presentatie in het gebouw te slapen. Assistenten wisten dat uit zijn hoofd te praten.

'Het werd algauw heel vervelend,' aldus Grignon. 'Zelden heb ik hem zo compleet krankzinnig zien worden. Het gebeurde. Maar meestal keek hij je alleen maar aan en zei dan met een luide en scherpe stem: "Je bent mijn bedrijf naar de kloten aan het helpen," of: "Als we falen, dan komt dat door jou." Hij was gewoon heel intens. En je voelde je altijd nog maar een paar centimeter lang [als hij met je klaar was].' Grignon vertelde dat je je tijdens een van die tirades twee dingen moest afvragen: '"Was ik het die deze keer die scheet liet?" En: "Is het de n-de keer dat het gebeurde of de eerste keer?" – want dat was belangrijk. Door de n-de keer was hij gefrustreerd, maar tegen die tijd had hij er misschien wel een oplossing voor gevonden. Maar was het de eerste keer, dan voegde dat een heel nieuw niveau van instabiliteit aan het programma toe.' Grignon wist, net als iedereen die bij de repetities was, dat Jobs niet de schuld van de problemen bij zichzelf zou leggen als er iets mis ging tijdens de presentatie, maar bij iemand als Grignon. 'We hadden het gevoel dat we de demo al honderd keer hadden gedaan en dat er iedere keer iets mis was gegaan,' aldus Grignon. 'Dat was geen lekker gevoel.'

Er was een goede reden waarom de iPhone niet werkte: hij was nog lang niet klaar. Jobs probeerde indruk te maken met een prototype en hij wilde niet dat iemand dat wist. De lijst van dingen die nog gedaan moesten worden voordat de iPhone in de winkel lag, was enorm. Zo moest er nog een hele productielijn worden opgezet. Op dat moment bestonden er in totaal niet meer dan honderd iPhones, kwalitatief allemaal verschillend. Bij sommige bevond zich een merkbare ruimte tussen scherm en plastic behuizing, bij andere zaten krassen op het glas. Daarom mocht niemand van het publiek er een aanraken nadat Jobs hem had onthuld – ondanks een dag vol persconferenties en een hele tentoonstelling voor de media in het congrescentrum. Maar zelfs de beste prototypes zouden bij zorgvuldige bestudering door de mand vallen, aldus Grignon. Van een afstandje en voor Jobs' demo zagen ze er prima uit, maar als je er een in je hand had, 'zou je in de lach schieten en opmerken: "Wauw, dit ding is echt nog niet klaar".'

Met de software van de mobiel was het nog erger gesteld. Een groot deel van de voorgaande vier maanden was gaan zitten in het uitknobbelen van het probleem waarom de processor van de iPhone en de zender-ontvanger niet betrouwbaar met elkaar konden communiceren. Dit was een gigantisch probleem, vergelijkbaar met een automotor die af en toe niet op de versnelling reageert, of wielen die af en toe niet op het rempedaal reageren. 'Het betekende bijna het einde van het iPhone-programma,' aldus Grignon. 'We hadden nog nooit voor een zo ingewikkelde opgave gestaan.' Dat was normaal gesproken geen probleem voor telefoonmakers, maar Apple's obsessie met geheimhouding had tot gevolg dat Samsung, de producent van de processor, en Infineon, de producent van de zender-ontvanger, niet samen hadden mogen werken totdat Apple wanhopig teams softwareontwerpers van beide bedrijven naar Cupertino haalde om het probleem te helpen oplossen.

Jobs gaf zelden een nederlaag toe zoals deze keer. Hij stond bekend als slavendrijver die altijd precies leek te weten hoever hij zijn mensen op kon jagen om het onmogelijke te verrichten. Maar hij had altijd een back-up, een plan B waar hij naar kon uitwijken als zijn tijdschema niet haalbaar bleek. Zes maanden eerder had hij Apple's laatste besturingssysteem, Leopard, gedemonstreerd. Maar dat was nadat de datum voor de onthulling al twee keer was verschoven.

Maar deze keer had Jobs geen keus: hij moest de iPhone laten zien.[1] Hij had sinds zijn terugkeer bij Apple als CEO in 1997 bij iedere Macworld de keynote gehouden, de belangrijkste toespraak, en omdat hij maar één of twee keer per jaar een presentatie voor publiek gaf, had hij de Apple-fans helemaal geconditioneerd om iedere keer grote dingen te verwachten. Hij had iTunes hier geïntroduceerd, de iMac die op een modieuze bureaulamp leek, de internetbrowser Safari, de Mac mini en de iPod Shuffle.

En het was deze keer niet alleen het eigen bedrijf dat Jobs niet teleur wilde stellen. Ook AT&T verwachtte dat Jobs de iPhone op Macworld zou introduceren. In ruil voor de exclusieve rechten als provider bij de iPhone in de VS had het bedrijf Jobs de totale controle gegeven over ontwerp, fabricage en marketing. Zoiets hadden ze nog nooit gedaan. Als Jobs niet op tijd was met de lancering, zou AT&T zich uit de overeenkomst kunnen terugtrekken. Dat de verkoop van een product genaamd iPhone waarmee je niet kunt telefoneren, niet al te vlot zou verlopen, is niet moeilijk uit te leggen. Enkele dagen eerder was Jobs naar Las Vegas gevlogen om AT&T's topbestuurders mobiele telefonie een verkorte demonstratie van de iPhone te geven. Maar ze verwachtten op de Macworld wel de volledige demo.[2]

En ten slotte was de iPhone het enige nieuwe coole ding waar Apple op dat moment aan werkte. De iPhone was een dusdanig veelomvattend project bij Apple dat er deze keer niet eens een plan B *was*. 'Het was Apple TV of de iPhone,' zei Grignon. 'En als hij alleen met Apple TV [toen nog een experimenteel product] naar Macworld was gegaan, zou de hele wereld gezegd hebben: "Wat was dat nou helemaal?"'

De problemen met de iPhone waren maar al te duidelijk: hij kon een stukje van een nummer of filmpje afspelen, maar niet de hele clip zonder te crashen. Hij deed het prima als je een e-mail verstuurde en dan over het web surfte. Maar wilde je die dingen doen in tegengestelde volgorde, dan deed hij het niet. Uren *trial and error* door het iPhone-team hadden ervoor gezorgd dat de softwareontwerpers 'het gouden pad' hadden ontwikkeld, een specifieke set taken die op een specifieke wijze en in een specifieke volgorde moest worden afgehandeld, waardoor het leek alsof de mobiel echt werkte.

Maar zelfs als Jobs op het gouden pad bleef, was er nog allerlei werk op het allerlaatste moment voor nodig om de iPhone functioneel te maken. Op de dag van de aankondiging zaten er nog steeds bugs in de software van Grignons zender-ontvanger. Dat gold ook voor de software die het geheugen van de iPhone aanstuurde. En niemand wist of door de extra elektronica die Jobs per se in de demonstratie-exemplaren wilde hebben, deze problemen niet zouden verergeren.

Jobs had namelijk geëist dat de demo-iPhones die hij op het toneel zou gebruiken, op een groot scherm achter hem geprojecteerd zouden worden. Om een toestel op een groot scherm te tonen, richtten de meeste bedrijven een videocamera op het toestel, die verbonden was met een projector. Voor Jobs was dat onacceptabel. Het publiek zou dan zijn vinger over het scherm van de iPhone zien gaan en dat zou zijn presentatie ontsieren. Hij had daarom Apple-softwareontwerpers wekenlang laten werken aan het inbouwen van extra printplaten met daaraan videokabels tegen de achterkant van de iPhones die hij op het podium zou laten zien. De videokabels werden verbonden met een projector die alleen het scherm van de iPhone projecteerde. Als Jobs bijvoorbeeld het icoontje van de app van de kalender aanraakte, dan zou zijn vinger niet op het grote scherm achter hem verschijnen, maar wel de projectie van het iPhone-schermpje. Het effect was betoverend. Voor de mensen in de zaal leek het alsof zij zelf een iPhone in de hand hadden. Maar het foutloos laten werken van deze set-up, gezien de andere grote problemen waarmee de iPhone kampte, leek op dat moment moeilijk te rechtvaardigen. 'Het was allemaal zo in elkaar geflanst, met een paar van de lelijkste oplossingen die je je kunt voorstellen,' aldus Grignon.

De software van de wifi-zender-ontvanger was zo instabiel, dat Grignon en zijn team uiteindelijk antennedraden aan de demo-iPhones soldeerden en die achter het toneel langs de kabels lieten lopen naar de projector. De iPhone was dan nog steeds draadloos met het netwerk verbonden, maar het signaal hoefde zo een minder grote afstand te overbruggen. Nu moesten Grignon en zijn team er echter wel voor zorgen dat niemand van het publiek de frequentie kon oppikken die zij gebruikten. 'Zelfs als de ID van het basisstation verborgen was [en dus niet zichtbaar werd als laptops wifi-signalen probeerden op te vangen], zaten er altijd nog vijfduizend nerds in de zaal. En zij zouden er wel achter komen hoe ze dat signaal moesten hacken.' De oplossing, zei Grignon, was de AirPort-software zo aan te passen, dat die dacht dat ze in Japan zaten in plaats van de VS. Japanse wifi gebruikt totaal andere frequenties dan Amerikaanse wifi.

Nog minder konden ze doen om ervoor te zorgen dat het telefoongesprek door zou komen dat Jobs op het podium wilde gaan voeren. Het enige wat Grignon en zijn team konden doen, was ervoor zorgen dat het signaal sterk genoeg was en bidden. Ze lieten AT&T een draagbare zendmast neerzetten zodat de ontvangst in ieder geval voldoende sterk zou zijn. Toen programmeerden ze de iPhone zo, met Jobs' instemming, dat op het scherm altijd vijf balkjes zouden staan bij de sterkte van het signaal, hoe sterk dat in werkelijkheid ook was. De kans was maar klein dat de zender-ontvanger kapot zou gaan in de vijf minuten waarin Jobs dat gesprek zou voeren, maar de kans dat er op enig moment in die negentig minuten van de presentatie iets fout zou gaan, was levensgroot. 'Als de zender-ontvanger geen ontvangst meer zou hebben en weer zou opstarten, zoals we dachten dat zou gebeuren, wilden we niet dat iemand in het publiek dat zag. En daarom programmeerden we dus die vijf balkjes,' aldus Grignon.

Maar er was geen houtje-touwtjeoplossing voor het grootste probleem van de iPhone: het geheugen was vaak vol en de iPhone moest dan opnieuw opgestart worden als hij meer dan een paar taken tegelijk te verwerken kreeg. Jobs had voor dit probleem op het toneel een handjevol demo-exemplaren bij zich. Als het geheugen in de ene op begon te raken, nam hij de volgende en kon de eerste opnieuw opstarten. Maar gezien het grote aantal demo's dat Jobs van plan was te geven, was

Grignon bang dat er veel te veel dingen waren die fout konden gaan. Als de rampspoed zich niet tijdens een van die twaalf demonstraties voltrok, zou het zeker gebeuren tijdens Jobs' grootse afsluiting waarin hij wilde laten zien hoe al die geweldige features van de iPhone allemaal op hetzelfde moment op hetzelfde toestel draaiden. Hij speelde een muziekje, nam de telefoon op, zette dat gesprek in de wacht terwijl hij de volgende beller opnam, zocht een foto en e-mailde die naar de tweede beller, zocht iets op internet op voor de eerste beller en ging terug naar zijn muziek. 'Mijn jongens en ik werden hier zo zenuwachtig van. We hadden maar 120 megabyte geheugen in die telefoons en de apps waren, omdat ze nog niet klaar waren, nog veel te groot en opgeblazen,' vertelde Grignon.

Het idee dat wat een van de mooiste momenten in zijn carrière zou moeten worden, uit kon lopen op een totale mislukking, bezorgde Grignon buikpijn. Met zijn veertig jaar lijkt Grignon zo'n soort man waarmee je wel een wijntje zou kunnen drinken – en dat is hij ook. Toen hij in 2010 van Campbell naar Half Moon Bay verhuisde, raakte hij algauw bevriend met de sommelier van het Ritz-Carlton Hotel. Hij had zelfs een wijnkoelkast in zijn kantoor. Maar achter het uiterlijk van een smulpaap schuilt een intelligente geest met een bijzonder competitief trekje. Toen hij eens het verschijnen van een hele berg softwarebugs in iPhone-onderdelen van een onderaannemer tot op de bodem wilde uitzoeken, zette hij de airco in de vergaderzaal waar hij zijn gesprekspartners zou ontmoeten op 'hoog', zodat ze het onaangenaam koud zouden krijgen. Toen dat niet snel genoeg hielp, probeerde hij een agressievere benadering: hij beschuldigde hen ervan dat ze iets voor hem achterhielden en smeet zogenaamd kwaad zijn laptop tegen de muur.

In 2007 had hij zo goed als zijn hele werkzame leven van vijftien jaar bij Apple en dergelijke bedrijven gezeten. In 1993, toen hij aan de universiteit van Iowa studeerde, herprogrammeerden hij en zijn vriend Jeremy Wyld – nu met Grignon medeoprichter van Quake Labs – de MessagePad van de Apple Newton zodat het draadloos verbinding zocht met internet. Dat was in die tijd een enorme prestatie en beiden konden direct na de universiteit bij Apple aan de slag. Wyld werd daadwerkelijk opgenomen in het Newton-team en Grignon kwam in Apple's befaamde R & D Lab bij de Advanced Technology Group om te werken aan de technologie van het videovergaderen. Hoewel de Newton als product geen succes werd, was het volgens velen wel de eerste handcomputer voor algemeen gebruik. In 2000 kwam Grignon terecht bij Pixo, een bedrijf dat uit Apple was voortgekomen en besturingssystemen bouwde voor mobiele telefoons en andere kleine apparaten. Toen Pixo's software in 2002 gebruikt ging worden in de eerste iPods, was Grignon weer terug bij Apple.

Inmiddels was hij dankzij zijn werk bij Pixo bekend geworden op twee andere technologische gebieden buiten het videovergaderen: zender-ontvangers voor computers (wat we nu met 'draadloos' aanduiden) en de werking van software in heel kleine handzame toestellen zoals mobieltjes. Dit is een heel andere wereld dan die waarin de meeste softwareontwikkelaars van de Valley leefden. De meesten hoeven er zelden over na te denken of hun programmaregels te veel ruimte in beslag nemen op een harde schijf, of het vermogen van een chip overstijgen. Hardware op desktops en laptops is krachtig, aanpasbaar en goedkoop. Geheugen, harde schijven, zelfs processors kunnen goedkoop geüpgraded worden en computers zijn of verbonden met het elektriciteitsnet, of met enorme accu's. In Grignons wereld van ingebouwde software is de hardware onveranderlijk. Code – dat wil zeggen het programma in programmaregels – die te groot is, doet het gewoon niet. Intussen moet een kleine batterij, die een laptop maar enkele minuten aan de gang zou kunnen houden, voldoende stroom bevatten om een hele dag mee te kunnen. Toen Jobs eind 2004 besloot om de iPhone te gaan maken, had Grignon de juiste kwaliteiten in huis om een van de eerste softwareontwerpers van het project te worden.

Nu, in 2007, was hij emotioneel op. Hij was bijna vijfentwintig kilo aangekomen, hij had huwelijksproblemen, het waren twee slopende jaren geweest. Apple had nog nooit een telefoon gemaakt en het iPhone-team kwam er algauw achter dat het proces totaal niet leek op het bouwen van computers of iPods. 'Het was heel erg dramatisch,' aldus Grignon. 'Iedereen was op het hart gedrukt dat dit het volgende grote ding zou worden van Apple. Dus je stopt al die superslimme mensen met die enorme ego's in een veel te kleine, afgesloten ruimte en legt er dan zo veel druk op – dan gebeuren er rare dingen.'

De iPhone begon niet als 'het volgende grote ding van Apple'. Sterker nog, Jobs moest eerst worden overgehaald om zelfs maar een mobiele telefoon te bouwen. Het was binnen zijn kleine kringetje gespreksonderwerp sinds de lancering van de iPod in 2001. Theoretisch lag het voor de hand: waarom zouden gebruikers twee of drie apparaten voor e-mail, telefoneren en muziek bij zich hebben als het ook met één kon?

Het probleem was dat het, iedere keer als Jobs en zijn staf het idee in detail bekeken, op een zelfmoordmissie leek. Telefoonchips en bandbreedte waren gewoon te langzaam voor wie op het internet wilde surfen en muziek of video wilde downloaden via een draadloze telefoonverbinding. E-mail was een mooie functie om aan de telefoon toe te voegen. Maar Apple kon niet net zo veel arbeid in een mobiel stoppen als het in een muziekspeler als de iPod had gedaan. De BlackBerry van Research in Motion (RIM) was die markt trouwens al snel van deze smartphones aan het voorzien. In 2003 overwoog Apple zelfs om Motorola te kopen, maar executives kwamen al snel tot de conclusie dat die aankoop op dat moment te groot was voor het bedrijf.

En het ergste was nog dat Apple, als het mobiels ging maken en in de VS zou gaan verkopen, volledig afhankelijk zou worden van de Amerikaanse providers.[3] Fabrikanten van mobiele telefoons als Motorola waren toen in de VS de slaven van de hightech. Ze waren afhankelijk van de marketingdollars van de providers om de consument de winkel in te krijgen, en daarna waren ze van dezelfde providers afhankelijk voor het geven van kortingen op hun telefoons om ze betaalbaar te maken. Dat maakte de producenten machteloos; ze konden niet de bemoeienis negeren van de providers met hoe iedere nieuwe telefoon eruit moest zien. Producenten verzetten zich weleens tegen die dominantie, maar kregen dan altijd hetzelfde antwoord van de providers: 'Je kunt die mobiel bouwen zoals je wilt, maar mogelijk geven wij dan die korting niet, maken er geen reclame voor en laten hem niet op ons netwerk toe.' En altijd weer bezweken de producenten voor dit dreigement.

Jobs zou zich persoonlijk beledigd voelen door deze manier van zakendoen en wilde er niets mee te maken hebben. 'We zijn niet op ons best in de verkoop aan de Fortune 500, en dat zijn er ook echt vijfhonderd – vijfhonderd CIO's [*chief information officers*], allemaal een soort poortwachters waar je langs moet' om die telefoonbusiness te krijgen. 'In de business van mobieltjes zijn het er vijf. We houden er ook niet van om met vijfhonderd bedrijven zaken te doen. Liever steken we miljoenen in een reclamecampagne om iedereen zelf te laten beslissen. Je kunt je voorstellen wat wij dachten over onderhandelingen met vijf,' zei hij in mei 2003 tijdens een openbaar interview op de All Things D Conference.[4] Vertaald: ik ga geen honderden miljoenen dollars uitgeven om me door een stelletje grijze pakken te laten vertellen hoe ik mijn mobiele telefoon moet maken en verkopen.

Dat klonk stoer en principieel. Maar tegen het einde van 2003, toen de iPod Apple's belangrijkste product was geworden sinds de Macintosh, leek het al een misrekening. De producenten stopten nu audiospelers in hun mobiele telefoon. En bedrijven als Amazon, Yahoo! en Walmart begonnen met het verkopen van de muziek die erop gedownload kon worden. Executives als Tony Fadell, projectleider van de iPod, gingen zich zorgen maken: wat als de consumenten plotseling besloten hun iPods op te geven in ruil voor muzikale mobieltjes? Dan zou Apple's business, niet meer dan vijf jaar na het eerste bijna-faillissement, totaal kapot zijn. 'We hadden geen echte hit in handen [met de iPod] tot eind 2003, begin 2004, en dus zeiden we tegen elkaar: misschien domineren we de markt – de winkels – onvoldoende om de verkoop van iPods verder uit te breiden,' aldus Fadell.

Het is moeilijk voorstelbaar dat er een tijd is geweest waarin de iPod geen iconisch product was, met een verkoop nu van meer dan vijftig miljoen per jaar; maar toen had Apple binnen twee jaar pas 1,3 miljoen apparaatjes verkocht en had het problemen met het overhalen van winkelketens als Best Buy om het in de schappen te leggen.[5] 'En dus dachten we:

Hoe komen we boven de herrie uit? Hoe kunnen we ervoor zorgen dat we op z'n minst concurrerend zijn zodat iedereen die een mobiele telefoon heeft, muziek van iTunes kan krijgen? Omdat we, als we iTunes kwijt zouden raken, de hele formule kwijt zouden zijn,' aldus Fadell.

In het openbaar ging Jobs door met zijn tirade tegen de providers.[6] Op de All Things D Conference van 2004 smeekte Stewart Alsop, durfinvesteerder en voormalig journalist, hem zelfs om een smartphone te maken die beter zou zijn dan de toen in de VS populaire Treo. 'Kun je niet op een of andere manier opzij schuiven wat je van providers vindt?' vroeg hij, en hij bood aan hem in contact te brengen met Verizons CEO Ivan Seidenberg, die in het publiek zat. Geen kans op, zei Jobs. 'We hebben de producenten van mobieltjes bezocht en zelfs met de mannen van Treo gepraat. Ze vertellen ons horrorverhalen.' Maar persoonlijk dacht Jobs al diep na over Alsops voorzet.

Jobs' eerste antwoord op de toenemende concurrentie was niet de iPhone, maar iets veel bescheideners – een muziekmobiel genaamd de Rokr die gebouwd zou gaan worden samen met Motorola en Cingular, het grote telecommunicatieconcern dat later AT&T zou worden. De deal, waarover begin 2004 overeenstemming werd bereikt, leek voor Apple het beste uit alles te halen. Motorola zou toestemming krijgen om software van iTunes op hun bijzonder succesvolle mobiel Razr op te nemen en Motorola zou voor de rest zorgen. Apple zou van Motorola een vergoeding krijgen voor het gebruik van de software en Jobs zou niet hoeven te onderhandelen met de providers. Met iTunes zou Motorola meer mobieltjes verkopen, zou Cingular meer klanten voor draadloze telefonie krijgen en kon Apple concurreren met de muziekmobieltjes waar het zo bang voor was. 'We vonden dat, als consumenten kozen voor een mobiel met muziek in plaats van een iPod, ze dan tenminste iTunes zouden moeten gebruiken,' aldus Fadell.

Maar de Rokr was beschamend. Toen Jobs hem in september 2005 onthulde, bijna achttien maanden later, kon het ding niet draadloos muziek downloaden, het belangrijkste pluspunt van zo'n toestel. Het was groot en hoekig en leek in niets op de slanke, gladde Razr waarmee Motorola beroemd was geworden. En de capaciteit was kunstmatig beperkt tot honderd nummers.

De spanning tussen de partners, vooral tussen Apple en Motorola, werd duidelijk zodra Jobs klaar was met het demonstreren van het ding op een podium in het Moscone Center in San Francisco. Jobs had bij dezelfde bijeenkomst de iPod Nano geïntroduceerd en toen een verslaggever aan de CEO van Motorola, Ed Zander, vroeg of hij zich weggeduwd voelde door de andere producten die Jobs onthuld had, was zijn antwoord afdoende: *'Screw the Nano,'* zei hij. *Wired Magazine* zette meteen een verhaal over de mislukking op de cover met de kop 'Noem je DIT de mobiel van de toekomst?'[7]

Jobs slaagde erin de schuld van de blunder met de Rokr helemaal in Motorola's schoenen te schuiven, maar het fiasco was grotendeels Apple's schuld. Ja, Motorola had een lelijke mobiel gemaakt en bleef mobiels produceren die nauwelijks verkochten, tot Zander vier jaar later ontslag nam. Maar het echte probleem met het Rokr-project was dat Jobs' reden om de overeenkomst aan te gaan zo ongeveer verdampte op het moment dat hij werd gesloten, aldus Fadell. De deal was ontwikkeld als verdedigingsmechanisme, een muur tegen bedrijven die probeerden muziekmobiels te produceren zonder dat Apple de providers zelf langs moest. Maar in iedere maand van 2004 die voorbijging, bleek meer en meer dat in de verdediging gaan het laatste was wat Apple met iTunes en de iPod moest doen. Het had de Rokr helemaal niet nodig om iTunes verder te verspreiden. Het hoefde, terwijl de verkoop van de iPod als een raket omhoog vloog. alleen maar bij te blijven. In de zomer van 2003 verkocht Apple slechts driehonderdduizend iPods per kwartaal. Begin 2004 verkocht het slechts achthonderdduizend iPods per kwartaal. Maar in de zomer van 2004 schoot de verkoop omhoog. In het kwartaal dat eindigde op 30 september 2004 werden er twee miljoen verkocht en in het laatste kwartaal van dat jaar nog eens vierenhalf miljoen. Tegen de tijd dat prototypes van die lelijke Rokr in de herfst van 2004 verschenen, begrepen veel executives bij Apple al dat ze op de verkeerde weg zaten en aan het einde van het jaar haalde Jobs de stekker uit het project. Hij bleef het iTunes-team nog wel aansporen om de software te leveren voor de Rokr, maar hij luisterde nu ook beter naar andere bonzen die zeiden dat het Rokr-project van begin af aan dwaasheid was geweest.[8]

Het was echter niet alleen het succes van de iPod in 2004 waardoor Apple's enthousiasme voor de Rokr afnam. Tegen het einde van dat jaar leek het maken van een eigen mobiele telefoon helemaal niet meer zo'n slecht idee. Op dat moment hadden de meeste woningen en mobieltjes wifi, met een grote, betrouwbare bandbreedte via een DSL-modem of de kabel. En buitenshuis was de bandbreedte voor mobiels eindelijk snel genoeg en op voldoende plaatsen aanwezig voor streaming video en een goed functionerende internetbrowser. De processors waren eindelijk ook snel genoeg om cool uitziende telefoonsoftware te draaien. En het belangrijkste was nog dat zakendoen met de providers steeds makkelijker leek te worden. In de herfst van 2004 was Sprint begonnen om zijn draadloze bandbreedte in het groot aan te bieden. Dat betekende dat Apple, door Sprint-bandbreedte te kopen en door te verkopen, zijn eigen provider kon worden – een MVNO, Mobile Virtual Network Operator. Nu kon Apple een telefoon gaan bouwen zonder zich veel te hoeven aantrekken van de providers. Disney, waar Jobs in de raad van bestuur zat, voerde al gesprekken over een MVNO-deal en Jobs stelde heel veel vragen over of Apple daar ook aan zou moeten beginnen.[9]

Directieleden van Cingular die bij het Rokr-project betrokken waren, zoals Jim Ryan, zagen hoe Jobs' belangstelling voor een MVNO-deal met Sprinter groeide, en kregen het er benauwd van. Zij maakten zich zorgen dat als Apple zelf provider zou worden, het de prijzen zou laten dalen om klanten te winnen en dat de winst in de industrie onder druk zou komen te staan omdat andere providers ook hun prijzen zouden laten zakken om concurrerend te blijven. En omdat ze rechtstreeks toegang hadden tot Jobs en zijn team, lobbyden ze vriendelijk om met Cingular een deal te sluiten in plaats van met Sprinter. Als Jobs in zou stemmen met een exclusieve deal met Cingular, zeiden ze, dan waren zij bereid om de regels over de relatie tussen provider en producent overboord te gooien en Jobs de controle te geven die hij nodig had om een revolutionair toestel te bouwen.

Ryan, die tot nu toe nooit in het openbaar over die tijd heeft willen praten, zei dat die ervaring ieder onsje van zijn vaardigheden als onderhandelaar had gevergd. Al bijna tien jaar sloot hij complexe overeenkomsten namens de provider en hij stond in de industrie bekend als een van de eersten die aan de toekomst van draadloos dachten. Hij was verantwoordelijk voor Cingulars ontwikkeling in draadloos van zo goed als niets tot een omzet van 4 miljard dollar in drie jaar. 'Eerst haatte Jobs het om met ons te onderhandelen. *Haatte* het,' vertelde Ryan. 'Hij dacht dat hij geen provider zoals wij zelfs maar in de buurt van zijn producten wilde hebben. Wat hij niet voldoende had doordacht, was dat het zo moeilijk was om mobiele diensten te leveren.' In heel 2004, gedurende al die tientallen uren die hij in vergaderingen met de Apple-top in Cupertino doorbracht, bleef Ryan Jobs en zijn team eraan herinneren dat Apple, als het zelf provider zou worden, verstrikt zou raken in al het gedoe van het leiden van een per definitie onvoorspelbaar bezit – een mobiel netwerk. Door een deal met Cingular zou Apple daar allemaal van verschoond blijven. 'Hoe vreemd het ook klinkt, dat was een van onze grote pluspunten voor hen,' aldus Ryan. 'Iedere keer als een telefoontje onverwacht wordt afgebroken, geef je de provider de schuld. Iedere keer als er iets goed gaat, bedank je Apple.'

Cingular was niet alleen in de verdediging. Executives als Ryan dachten dat een partnerschap met de uitvinder van de iPod invloed zou hebben op de manier waarop klanten over hun eigen bedrijf dachten. Apple's explosieve succes met de iPod – waarvan het er 4,4 miljoen verkocht in 2004 en 22,5 miljoen in 2005 – had Jobs' status als zaken- en cultureel icoon naar ongeëvenaarde hoogte doen stijgen.[10] De verwachte toeloop van nieuwe klanten voor Cingular omdat dat de provider was van een mobiel die net zo revolutionair zou zijn als de iPod, deed hen watertanden.

Een andere executive van Cingular die aan de overeenkomst werkte maar niet genoemd wil worden, drukte het, toen ik in

2008 aan een artikel voor *Wired* werkte, als volgt uit: 'Jobs was cool. Hij was hip. Er zijn onderzoeken op colleges gedaan waarin gevraagd werd: wat is dat ene dat je echt niet kunt missen? Twintig jaar lang was dat bier. Nu is het de iPod. Het waren dat soort dingen waardoor wij zeiden: die man heeft wat. En dat verschafte ons vermoedelijk dat beetje extra energie om ervoor te zorgen dat deze deal door zou gaan.'

Terwijl Cingular van buitenaf bij Jobs lobbyde, probeerde een handjevol Apple-executives, zoals Mike Bell en Steve Sakoman, Jobs ertoe te brengen een eigen mobiel te gaan bouwen. 'We waren al die tijd bezig features van de iPod in Motorola-mobiels te stoppen. Dat leek mij de omgekeerde volgorde,' aldus Bell, nu hoofd van Intels afdeling onderdelen voor mobiele apparaten. Hij zei tegen Jobs dat de mobiel zelf op het punt stond het belangrijkste stukje consumentenelektronica aller tijden te worden, dat niemand ze goed kon produceren, en dat 'we de markt in handen konden krijgen als we [Apple] nou eens de ervaring van iPod-gebruikers namen, en nog wat dingen waarmee we bezig waren'.

Bell was de juiste man om hem over te halen. Hij werkte vijftien jaar bij Apple en had bijgedragen aan de ontwikkeling van verschillende producten, zoals de iMac, waardoor Apple in 1997 een dreigend bankroet had kunnen voorkomen. Het belangrijkste was dat hij niet alleen aan het hoofd stond van een deel van de Mac-softwareafdeling, maar ook van de software die gebruikt werd in Apple's AirPort wifi-apparaten, en hij wist dus meer van de industrie van draadloze apparatuur dan de meeste executives binnen Apple. Hij eist niet de eer op dat hij de vader is van de iPhone – uiteindelijk nam hij niet de leiding op zich van het project en zou hij er niet eens aan werken. Fadell kwam aan het hoofd voordat

Scott Forstall het overnam. Maar ook nu nog zeggen de meesten dat Bell een belangrijke katalysator is geweest.

'Dus ik pleitte een paar maanden bij Steve en stuurde hem op 7 november 2004 uiteindelijk een e-mail,' aldus Bell. 'Ik schreef: "Steve, ik weet dat je geen mobiel wilt maken, maar dit is waarom we het wel zouden moeten doen: [hoofdontwerper Jony Ive] heeft een paar echt coole ontwerpen gemaakt voor toekomstige iPods die nog niemand gezien heeft. Daarvan moeten we er een kiezen, er wat Apple-software in stoppen en er zelf een telefoon van maken in plaats van onze dingen in andermans telefoons te stoppen." Hij belde me ongeveer een uur later en we praatten twee uur lang en ten slotte zei hij: "Oké, ik geloof dat we het zouden moeten doen".'

'Dus Steve en ik en Jony [Ive] en [Steve] Sakoman lunchten drie of vier dagen later samen en lanceerden het iPhone-project.'

Het waren niet alleen Bells vasthoudendheid en Ive's ontwerpen die Jobs hielpen te overtuigen. Sakoman kwam lunchen nadat hij al wat voorbereidend werk had gedaan om op een rijtje te zetten wat ervoor nodig was om een telefoon te bouwen. Hij was tot 2003 bij Palm in dienst geweest, waar hij onder andere had meegewerkt aan de software voor de Treo-smartphones. En als directeur softwaretechnologie bij Apple was hij de executive geworden die van alle executives het bekendst was met de software van de iPod. Als Apple een smartphone ging maken, was het logisch om te beginnen met de iPod. Dat is ook wat klanten van Apple zouden verwachten. Dus toen Sakoman aanschoof voor die lunch, hadden hij en zijn team al een manier uitgedokterd om een wifi-chip in een iPod te stoppen die verbinding legde met internet.

Ze waren zelfs al nieuwe software gaan maken voor de muziekspeler – een versie gebaseerd op Linux – zodat die de zwaardere eisen zou aankunnen om ook als telefoon en internetbrowser te werken. Linux, de opensourcesoftware die in de jaren 1990 was ontwikkeld door Linus Torvalds, had niet Microsoft Windows vervangen, zoals velen hadden verwacht, maar het was wel het favoriete besturingssysteem geworden voor minder krachtige en verfijnde elektronica. Sakoman lichtte Jobs in over wat zijn medewerkers hadden bereikt en zei later die middag tegen zijn team: 'Jullie moeten maar beginnen dit uit te werken, want dit [telefoonproject] gaat door.'

Volgens Bell is een van de redenen waarom hij zich deze ontmoeting herinnert, dat hij niemand ooit heeft zien eten als Jobs die dag. 'Je kent dat toch wel, dat je bepaalde dingen onthoudt omdat ze zo bizar zijn? Dus we hadden afgesproken voor de Apple-cafetaria en Steve kwam naar buiten met op zijn blad een glazen kom vol halve avocado's. Niet een of twee, maar vijftien of zo, vol saladedressing. Ik herinner me dus hoe ik daar met Jony en Sakoman zat te kijken hoe Steve zich door die berg avocado's heen kauwde. Nu ik Walter Isaacsons biografie [van Jobs] gelezen heb, denk ik dat hij in een van de voedselfases was om zijn kanker te bestrijden, maar op dat moment had ik geen idee.'

Het duurde nog een jaar voordat de deal was beklonken tussen Apple en AT&T, dat in 2006 Cingular had overgenomen. Maar die onderhandelingen waren eenvoudig, vergeleken met wat Apple aan technische problemen te wachten stond bij de bouw van het toestel. Veel executives en softwareontwerpers, nog dronken van hun succes met de iPod, dachten dat het net zoiets zou zijn als het maken van een heel kleine Macintosh. Maar in die twee jaar ontwikkelde en maakte Apple prototypes van niet één, maar van drie compleet verschillende apparaten. Het maakte zes volledig werkende prototypes, alleen al van de smartphone zoals die uiteindelijk in de winkel kwam – ieder bestaande uit zijn eigen unieke hardware, software en designtrekjes. Veel teamleden waren zo afgebrand dat ze het bedrijf de rug toekeerden zodra de eerste iPhone in de winkel lag. 'Het was net als de eerste maanmissie,' zei Fadell, een van de leidinggevenden van het project die Apple in 2010 verliet om een eigen bedrijf te beginnen, Nest. 'Ik ben gewend aan een bepaald aantal onbekendheden in een project, maar hier hadden we met zo veel nieuwe dingen te maken, het was gewoon overweldigend.'

Jobs wilde dat de iPhone liep op een aangepaste versie van OS X, het besturingssysteem dat in iedere Mac zit. Maar niemand had ooit zo'n enorm programma als OS X in een telefoonchip ondergebracht. De software moest teruggebracht worden tot een tiende van de omvang, maar in 2005 werd er nog geen enkele telefoonchip gemaakt waarmee die snel genoeg zou draaien, plus een batterij die voldoende stroom bezat. De chips in Apple's laptops werden meteen afgewezen omdat ze te veel hitte produceerden en de batterij binnen enkele minuten op was. Miljoenen programmaregels zouden uitgekleed moeten worden of herschreven, en tot 2006 zouden de softwareontwerpers de snelheid van de chip en de levensduur van de batterij moeten simuleren omdat de chips er toen gewoon nog niet waren. 'In het begin werkten we met moederboards van Gumstix [goedkope printplaten die vooral hobbyisten kochten],' aldus Nitin Ganatra, een van de eerste softwareontwerpers. 'We begonnen met het adresboek van de Mac – een rijtje namen – en bekeken of we dat [op het scherm] konden laten scrollen met dertig tot zestig beeldjes per seconde. We wilden alleen maar weten of er een manier was om dit [OS X op een telefoonchip] te laten werken – of we zelfs maar in de goede richting zaten. We wilden weten of we de bits zo snel konden krijgen dat we dat echte uiterlijk en gevoel van een iPhone kregen. Als we het op een Gumstix-board niet aan de gang kregen, wisten we dat we weleens met een probleem konden zitten.'

Ook had nog niemand ooit een *capacitief* touchscreen ingebouwd in een algemeen consumentenproduct. Capacitieve touchtechnologie – waar een 'touch' ontstaat als een vinger een circuit onder een scherm sluit – bestond al sinds de jaren 1960. De technologie wordt vaak gebruikt voor liftknopjes in kantoorgebouwen en voor geldautomaten. Sinds de jaren tachtig werd onderzoek gedaan naar multitouchtechnologie. Trackpads op laptops bevatten de ingewikkeldste uitvoering: zij konden het verschil herkennen tussen de input van één en van twee vingers. Maar er waren er maar weinigen die het geld of het lef hadden om het multitouchscreen te bouwen waarmee Apple de iPhone uitrustte en dat ook nog eens in grote aantallen te gaan produceren. Alle stappen – het onzichtbaar inbouwen van de technologie in een stukje glas, die technologie zo slim maken dat er een virtueel toetsenbord op verschijnt met autocorrectie, en dat dan zo verfijnen dat er content als foto's en internetpagina's goed op te zien zijn – maakte het enorm kostbaar om zelfs maar een werkend prototype te maken. Er waren maar weinig productielijnen die dat aankonden. Er zaten wel touchscreens in consumentenelektronica, maar dat waren apparaten met *drukgevoelige* touchscreens, waarbij je met een vinger of stylus op knoppen op het scherm moest drukken. De PalmPilot en zijn opvolgers als de Palm Treo waren populaire apparaten waarin deze technologie was toegepast. Zelfs als multitouchscreens voor de iPhone makkelijk te maken waren geweest, dan was het nog helemaal niet duidelijk voor Apple's directieteam dat de functies die erdoor mogelijk werden, zoals een virtueel toetsenbord en *'tap to zoom'*, extraatjes waren die de consument wilde.[11]

Al in 2003 had een handjevol Apple-ontwerpers, die geavanceerd theoretisch werk hadden gedaan aan touch-interfaces, uitgedokterd hoe je multitouchtechnologie op een tablet kon laten werken, maar het project was in de ijskast gezet. 'Het verhaal ging dat Steve een toestel wilde waarop hij zijn e-mail kon lezen op de wc. Dat was de hele productspecificatie,' aldus Josh Strickon, een van de eerste softwareontwerpers van het project. 'Maar je kon geen toestel bouwen met een batterij met voldoende levensduur om het mee op pad te nemen en je kon geen chip krijgen met voldoende grafische mogelijkheden om het nuttig te maken. We hebben heel veel tijd besteed aan alleen maar het uitvogelen van wat we moesten gaan doen.' Voordat Strickon in 2003 bij Apple kwam, had hij een decennium lang gestudeerd aan MIT [Massachusetts Institute of Technology] en daar zijn bachelor, master en PhD gehaald in de technologie. Hij was een groot voorstander van touchscreentechnologie en had voor zijn masterscriptie een van de eerste multitouchapparaten gebouwd. Maar volgens hem was er zo weinig overeenstemming bij Apple over wat er moest worden gedaan met de prototypes die hij en zijn collega's hadden gemaakt, dat hij Apple in 2004 verliet omdat hij dacht dat het toch niks zou gaan doen met multitouch.

Tim Bucher, op dat moment een van Apple's topmannen en in het bedrijf de grootste voorstander van multitouch, zei dat het probleem voor een deel kwam doordat de prototypes die ze bouwden als besturingssysteem gebruikmaakten van

OS X, dat ontworpen was om met een muis te worden bediend, niet met vingers. 'We gebruikten 10- of 12-inch schermen met Mac mini's als kern... en dan lanceerde je die demo's die de verschillende multitouchfeatures hadden. Eén demo had een toetsenbord dat van beneden naar boven op het scherm verscheen; het leek sterk op wat twee jaar later in de iPhone kwam. Maar elegant was het niet. Het was veel houtje-touwtje. Er werd te veel aan de verbeelding overgelaten.' Bucher had gehoopt door te kunnen gaan, maar volgens hem en anderen verloor hij de strijd om het beleid met andere topmannen en begin 2005 verliet hij het bedrijf.

Weinigen hadden er zelfs maar aan gedacht om touchscreentechnologie tot het middelpunt te bestempelen van een nieuw soort mobiel, totdat Jobs het idee midden 2005 naar voren begon te brengen. 'Hij zei: "Tony, kom hierheen. Dit is iets waar we aan werken. Denk je dat we hiermee een mobiele telefoon kunnen maken?"' aldus Fadell. 'Daar zaten we dan een tijdje te spelen met de demo [die hij me liet zien]. Die was enorm, hij vulde het hele vertrek. Aan het plafond was een projector opgehangen waarmee het scherm van de Mac op een vlak geprojecteerd werd van misschien wel bijna een halve vierkante meter. Je kon op dat vlak het scherm van de Mac aanraken en dingen verplaatsen en erop tekenen. Ik wist ervan [het touchscreenprototype], maar ik kende geen details omdat het een Macding was [Fadell was hoofd van de iPod-afdeling]. Dus daar zaten we dan en spraken hier serieus over, over wat we ermee konden doen.'

Fadell betwijfelde serieus of zo'n enorm prototype zo sterk kon worden ingekrompen. Maar hij wist ook wel beter dan 'nee' te zeggen tegen Steve Jobs. Hij was een van Apple's supersterren en hij was dat niet geworden door terug te schrikken voor technische problemen. Hij was in 2001 bij Apple gekomen als adviseur om mee te werken aan de ontwikkeling van de eerste iPod. In 2005 was hij, toen de verkoop van de iPod omhoog schoot, met zijn zesendertig jaar zonder meer de belangrijkste directeur van het bedrijf.

'Ik begreep hoe dat gemaakt kon worden,' aldus Fadell. 'Maar het is één ding om dat te denken, en een heel ander ding om een vertrek vol te zetten met uniek materiaal en dan een miljoen kopieën daarvan te maken ter grootte van een mobiel op een kosteneffectieve, betrouwbare manier.' De lijst met dingen die ervoor gedaan moesten worden, was eindeloos. 'Je moest dus langs lcd-verkopers [bedrijven die tv- en computerschermen maakten] die wisten hoe je een dergelijke technologie in glas kon onderbrengen, je moest tijd in hun productielijn vinden en dan moest je nog komen met compenserende en kalibrerende algoritmen om ervoor te zorgen dat de elektronica niet allerlei ruis [van de lcd] veroorzaakte in het touchscreen [dat erop gemonteerd was]. Alleen het touchscreen ontwerpen was al een heel project op zich. We hebben twee of drie manieren geprobeerd om het touchscreen te maken, totdat we er een hadden die werkte en waarvan we er voldoende konden maken.'

Het kleiner maken van OS X en het ontwerpen van een multitouchscreen waren innovatief en moeilijk, maar behoorden tenminste tot dat wat Apple als bedrijf zelf al onder de knie had. Niemand was beter uitgerust om OS X te herzien. Apple kende lcd-producenten omdat iedere laptop en iedere iPod zo'n scherm bezit. Maar de eigenschappen van de fysica van de mobiele telefoon waren een heel nieuw terrein en zij die aan de iPhone werkten, hadden er tot in 2006 voor nodig om te beseffen hoe weinig ze daarvan afwisten.

Om er verzekerd van te zijn dat de kleine antenne van de iPhone goed werkte, gaf Apple miljoenen uit aan het bouwen en samenstellen van speciale door robots bemande testruimtes. En om ervoor te zorgen dat de iPhone niet te veel straling uitzond, bouwde Apple modellen van mensenhoofden – compleet met een brij om de hersendichtheid na te bootsen – om de effecten te meten. Om de prestaties van de iPhone in een netwerk te voorspellen, kochten de Apple-ontwerpers een tiental enorme radiofrequentiesimulatoren voor miljoenen dollars per stuk. Volgens een van de hogere leidinggevenden heeft Apple aan het bouwen van de eerste iPhone meer dan 150 miljoen dollar uitgegeven.[12]

Het eerste prototype van de iPhone was niet erg ambitieus. Jobs hoopte dat hij in staat zou zijn een mobiel met touchscreen te ontwikkelen die op OS X draaide. Maar in 2005 had hij geen idee hoe lang dat nog ging duren. De eerste iPhone leek dan ook sterk op de cartoon die Jobs had getoond bij de introductie van de echte iPhone – een iPod met een ouderwetse draaischijf. Het prototype was een iPod met een zender-ontvanger die gebruikmaakte van het click-wheel van de iPod als draaischijf. Het was een vervolg op het werk van Steve Sakoman dat hij had gebruikt om Jobs over te halen om aan het telefoonproject te beginnen. 'Het was een eenvoudige manier om de markt op te gaan, maar het was niet cool zoals de apparaten die we vandaag de dag hebben,' aldus Grignon. Hij werkte toen voor Sakoman en zijn naam staat, met die van andere, onder het octrooi van de kiesschijf.

Het tweede prototype van de iPhone begin 2006 leek al veel meer op wat Jobs uiteindelijk zou onthullen. Het bezat een touchscreen en OS X, maar bestond helemaal uit geborsteld aluminium. Jobs en Ive waren er buitengewoon trots op. Maar aangezien geen van beiden specialisten waren in de fysica van radiogolven, beseften ze niet dat ze een prachtige blunder hadden gemaakt. Radiogolven gaan immers niet makkelijk door metaal. 'Ruben Caballero [Apple's antennespecialist] en ik moesten naar de bestuurskamer boven om Steve en Ive uit te leggen dat je radiogolven niet door metaal kunt sturen,' aldus Phil Kearney, een van Bells ondergeschikten die in 2008 vertrok. 'Maar eenvoudig was het niet. De meeste ontwerpers zijn kunstenaars. De laatste keer dat ze iets over natuurkunde hadden geleerd, was op de basisschool. Maar bij Apple hebben juist zij veel macht. En dus vragen ze: "Waarom maken we niet ergens een smalle kier zodat de radiogolven daardoor kunnen ontsnappen?" En dan moet je uitleggen waarom dat gewoon niet kan.'

Jon Rubinstein, destijds Apple's topman hardware en bij velen bekend als 'de Podfather' omdat hij zo gedreven de schepping en ontwikkeling van de iPod had gestimuleerd, vertelde dat er zelfs lange discussies werden gevoerd over hoe groot de mobiel moest worden. 'Ik drong erop aan om twee formaten te maken, een gewone iPhone en een iPhone mini, zoals dat bij de iPod was gebeurd. Volgens mij kon er dan één een smartphone zijn en de ander een dommere mobiel. Maar veel enthousiasme voor de kleine kregen we nooit en om een van deze twee projecten uit te voeren, moet je al je hele boog achter die ene pijl aanspannen.'

Dit alles maakte het telefoonproject zo ingewikkeld dat het af en toe het hele bedrijf leek te laten ontsporen. Alle topsoftwareontwerpers werden naar het project gehaald, waardoor bij andere projecten vertragingen ontstonden. Was de iPhone een prul geworden of helemaal niet van de grond gekomen, dan zou Apple lange tijd geen enkel belangrijk nieuw product hebben gehad om aan te kondigen. Erger nog: de beste softwareontwerpers zouden, gefrustreerd door de mislukking, Apple hebben verruild voor een ander bedrijf, althans volgens de getuigenverklaring uit 2012 van Scott Forstall, een van Apple's topmannen van het project en tot oktober van dat jaar Apple's hoofd van de iOS-software. Hij getuigde tijdens de octrooizaak Apple vs. Samsung in 2012.[13]

Zelfs Apple's ervaring in het maken van schermpjes voor de iPod hielp het bedrijf niet bij het ontwikkelen van een scherm voor de iPhone. Na veel discussie besloot Jobs dat het gemaakt moest zijn van hard plexiglas. Hij en de andere topmannen waren bang dat een glazen scherm uiteen zou spatten als je de iPhone liet vallen – totdat Jobs zag hoeveel krassen er op het plastic prototype zaten nadat hij het een tijdje met zijn sleutels in zijn broekzak met zich mee had gedragen. 'Jobs roept: "Kijk nou, kijk nou, wat is er met het scherm?"' vertelde een executive die het gesprek hoorde. 'En die man [leidinggevende op middenniveau] pakt het prototype en zegt: "Wel, Steve, we hebben een glazen prototype, maar dat slaagt honderd van de honderd keer niet voor de één-metertest en bla, bla, bla..." Jobs onderbreekt hem en zegt: "Ik wil alleen maar weten of jij dat *fucking* gedoe nog goed krijgt".'

Er was een goede reden waarom die man met Jobs in discussie ging. Het was september 2006. De iPhone zou vier maanden later onthuld worden. En Jobs wilde nogmaals nadenken over het opvallendste onderdeel van de mobiel.

Via zijn vriend John Seely Brown kwam Jobs in contact met Wendell Weeks, de CEO van de glasmaker Corning in de stad Corning, New York. Hij nodigde hem uit in Cupertino en vertelde hem dat hij voor de iPhone het hardste glas nodig had dat ooit was gemaakt. Weeks vertelde hem over een productieproces dat in de jaren zestig was ontwikkeld voor de cockpits van gevechtsvliegtuigen. Maar hij zei dat het ministerie van Defensie het materiaal, bekend als gorillaglas, nooit had gebruikt en dat ze er dus nooit een markt voor hadden kunnen vinden. Corning, zei hij, was al tientallen jaren geleden gestopt met het maken ervan. Jobs wilde dat Weeks onmiddellijk begon met de productie en wist hem ervan te overtuigen dat hij Jobs het glas binnen zes maanden kon leveren. Weeks vertelde Jobs' biograaf Walter Isaacson dat het hem nog steeds verbaasde dat Jobs hem ervan had kunnen overtuigen om dat te gaan doen.[14] Corning besloot een fabriek in Harrodsburg, Kentucky, waar lcd-schermen werden gemaakt, om te bouwen om Jobs het glas te kunnen leveren dat hij nodig had. 'We produceerden glas dat nooit eerder was gemaakt. We zetten onze beste geleerden en softwareontwerpers eraan en we zorgden ervoor dat het lukte,' vertelde Weeks.

'Ik herinner me dat *PC Magazine* een duurzaamheidstest deed met het scherm toen de mobiel in juli 2007 op de markt kwam,' aldus Bob Borchers, toenmalig hoofd van Apple's productmarketing van de iPhone. 'Ze deden hem in een zak met munten en schudden ermee. Ze deden hem in een zak met sleutels en schudden ermee. Ze lieten hem een paar keer op het tapijt vallen. Toen namen ze hem mee de straat op en lieten hem drie keer op het beton vallen. Het scherm overleefde dat allemaal. En wij moesten er allemaal om lachen, keken elkaar aan en zeiden: "*Right,* dat wisten we al".'

Jobs' obsessie met geheimhouding betekende ook nog eens dat een paar honderd softwareontwerpers en andere ontwerpers die aan het project werkten, hoewel ze uitgeput waren van werkweken van tachtig uur, er met niemand over mochten praten. Als Apple erachter kwam dat je er iets over had gezegd tegen een vriend in de kroeg, of zelfs tegen je partner, dan kon je worden ontslagen. Voordat een manager je zelfs maar kon vragen om bij het project te komen, moest je in zijn kantoor een geheimhoudingsverklaring ondertekenen. En nadat hij je had gevraagd, moest je nog een document tekenen waarin je bevestigde dat je die geheimhoudingsverklaring had getekend en tegen niemand iets zou zeggen. 'We lieten een bord aanbrengen boven de voordeur van het iPhone-gebouw met de tekst FIGHT CLUB, omdat de voornaamste regel van een vechtclub is dat je nooit praat over de vechtclub,' zou Forstall in zijn getuigenverklaring uitleggen. 'Steve wilde niemand van buiten Apple inhuren om aan de software te werken, maar hij zei dat ik iedereen van binnen het bedrijf kon krijgen die ik maar wilde,' aldus Forstall. 'Ik liet dus potentiële kandidaten naar mijn kantoor komen, liet ze gaan zitten en zei: "Je bent een superster bij Apple. Wat je ook aan het doen bent, het gaat geweldig. Maar ik heb een ander project waar je eens over moet denken. Ik kan je niet vertellen wat het is. Alles wat ik kan zeggen is dat je talloze nachten en weekeinden op zult moeten geven en dat je harder zult werken dan je ooit in je hele leven hebt gedaan".'[15]

'Wat ik het leukste vond,' zei een van de eerste softwareontwerpers van de iPhone, 'was wat de verkopers zouden gaan zeggen op de dag na de onthulling.' Grote bedrijven als Marvell Electronics, dat de wifi-chips maakte, en CSR, dat de chips voor bluetooth leverde, was niet verteld dat ze in een telefoon gebruikt zouden gaan worden. Ze dachten dat ze die leverden voor een nieuwe iPod. 'We hadden namaakdiagrammen en namaak industriële ontwerpen,' aldus de ontwerper. Grignon vertelde dat Apple zelfs zover ging dat ze op reis deden alsof ze van een ander bedrijf waren, vooral als ze naar Cingular (en later AT&T) in Texas gingen. 'Het punt was dat je niet wilde dat de receptioniste of wie er toevallig voorbij liep, al die [van tevoren gedrukte] Apple-naambordjes voor zich zag uitgespreid.'

Aan de andere kant vroeg Jobs ook een handvol topsoftwareontwerpers van het iPhone-project om de prototypes te gebruiken als hun gebruikelijke mobiel. 'Het was niet: stop een iPhone in je zak – en een Treo,' vertelde Grignon. 'Het was: neem een iPhone en doe het daarmee. Omdat dat de manier was waarop we de bugs vonden. Als je niet kunt bellen vanwege een bug, ben je extra gemotiveerd om te gaan roepen dat dat in orde gemaakt moet worden. Maar het zorgde ook voor vervelende momenten, als je bijvoorbeeld in een café zat of op een vliegveld en je een iPhone-gebruiker al van een kilometer afstand kon herkennen omdat dat degene was die met zijn armen rond een mobieltje iets mysterieus zat te doen. Een lijntje coke aan het snuiven – of een iPhone aan het gebruiken?'

Een van de duidelijkste uitingen van Jobs' obsessie met geheimhouding was de toename van het aantal afgesloten gebieden op de hele Apple-campus, plaatsen waar mensen die niet aan de iPhone werkten, niet meer mochten komen. 'Ieder gebouw bestaat uit twee delen met in het midden een gang met daaraan de gemeenschappelijke ruimtes, en na een weekeinde zetten ze ineens deuren voor die gemeenschappelijke ruimtes zodat ze, als je niet aan dat project werkte en je gewoonlijk die ruimtes gebruikte, voor jou verboden waren,' aldus Grignon. 'Steve vond dit soort dingen fantastisch. Hij hield van verdeeldheid. Maar het was een dikke *fuck you* voor de mensen die er niet meer in konden. Iedereen weet wie de rocksterren binnen een bedrijf zijn, en als je ziet hoe ze één voor één van jouw terrein geplukt worden en verdwijnen in een grote ruimte achter glazen deuren waar jij geen toegang toe hebt, dan voelt dat niet lekker.'

Zelfs mensen binnen het iPhone-project konden niet vrij met elkaar praten. Technisch ontwerpers die de elektronica voor de iPhone ontwierpen, mochten niets weten over de software die erop moest draaien. Als ze software nodig hadden om de elektronica te testen, kregen ze *proxy code*, een stuk bruikbare software dat tussen hen en het werkelijke programma in stond zodat dat laatste niet te bereiken was. Als je aan de software werkte, gebruikte je een simulator om de prestaties van de hardware te testen.

En niemand buiten Jobs' kringetje had toestemming zich op te houden in de vleugel van hoofdontwerper Jony Ive op de begane grond van Gebouw 2. De veiligheidsmaatregelen rond Ive's prototypes waren zo streng dat de *badge reader* automatisch de beveiliging belde als je probeerde binnen te komen zonder de juiste badge. 'Het was raar, omdat je niet anders kon dan erlangs lopen. De ruimte grensde direct aan de hal, achter een grote ijzeren deur. Zo af en toe zag je de deur opengaan en probeerde je binnen iets te zien, maar meer dan dat deed je niet,' aldus iemand die direct van *college* aan de iPhone mocht werken. In zijn getuigenverklaring zei Forstall dat je bij sommige labs wel vier keer moest *'inbadgen'*.

Met name de vier maanden voor de dag van de aankondiging verliepen ontzettend heftig, aldus Grignon. Regelmatig werd er in de gangen naar elkaar geschreeuwd. Softwareontwerpers, kapot van hele nachten programmeren, namen ontslag om een paar dagen later, als ze hun slaap hadden ingehaald, weer terug te komen. Het hoofd van Forstalls secretariaat, Kim Vorath, sloeg de deur van haar kantoor zo hard dicht dat de deurknop omboog en ze er niet meer uit kon; collega's waren meer dan een uur bezig om haar met behulp van een aluminium honkbalknuppel te bevrijden. 'We stonden daar allemaal te kijken,' vertelde Grignon. 'Eigenlijk was het leuk. Maar het was ook een van die momenten waarop je even afstand neemt om te beseffen hoe opgefokt het allemaal is.'

Tot verbazing van Grignon en van heel veel anderen in het publiek verliep Jobs' demo op 9 januari 2007 vlekkeloos. Hij begon de presentatie met de woorden: 'Dit is de dag waarop ik tweeënhalf jaar heb gewacht.' Daarop onthaalde hij de toeschouwers met talloze praatjes over waarom het publiek mobiele telefoons haatte. En toen verloste hij hen van al hun problemen – voorgoed. Zo goed als iedereen in het publiek had verwacht dat Jobs een mobiel aan zou kondigen, en toch hadden ze er groot ontzag voor.[16]

Hij gebruikte de iPhone om muziek te spelen en om een videoclip te draaien zodat hij kon pronken met het prachtige scherm. Hij belde op om te pronken met het voor de iPhone opnieuw uitgevonden adresboek en de voicemail. Hij verzond een e-mail en een tekst om te laten zien hoe eenvoudig het was om op het toetsenbord op het touchscreen te typen. Hij scrolde door een heleboel foto's en liet zien hoe makkelijk je door twee vingers te spreiden of samen te knijpen, de afbeelding kon vergroten en verkleinen. Hij navigeerde door de websites van Amazon en *The New York Times* om te laten zien dat de browser van de iPhone net zo goed was als die op zijn computer. En hij vond met Google Maps een Starbucks – en belde het nummer vanaf het podium – om te laten zien dat je met een iPhone nooit kon verdwalen.

Tegen het einde was Grignon niet zomaar gelukkig, hij was dronken. Om zijn zenuwen de baas te kunnen, had hij een heupfles whisky meegenomen naar de onthulling. 'En dus zaten we daar op de vijfde rij of zoiets – softwareontwerpers, managers, wij allemaal – en namen na ieder onderdeel van de demo een slokje scotch. We waren met ons vijven of zessen en na ieder deel van de demo nam degene die daarvoor verantwoordelijk was, een slok. Toen de afsluiting begon – en alles werkte met alles wat daarvoor was gedemonstreerd – dronken we de fles gewoon leeg. Het was de beste demo die ieder van ons ooit had gezien. En de rest van de dag werd een compleet feest voor het hele iPhone-team. We brachten de rest van de dag in de stad door met drinken. Het werd een bende, maar het was geweldig.'

2

De iPhone is goed. Android wordt beter

Silicon Valley, hoe befaamd en berucht misschien ook, is niet echt een toeristische attractie. Hier geen borden of een Walk of Fame, zoals in Hollywood, en geen straatnaam als Wall Street, waar de New York Stock Exchange al bijna tweehonderd jaar is gevestigd. Het is gewoon een enorm gebied met kantoorcomplexen dat zich 45 kilometer lang uitstrekt tussen San Francisco Airport en San Jose.

Maar er bestaat ook een overzichtelijke verbeelding van dat briljante, gedreven en waanzinnige gebied. Alleen moet je iemand bij Google kennen om het te mogen zien. Er bestaan slechts weinig zo uitgestrekte kantoorcomplexen als Google's campus in Mountain View aan de Highway 101, 56 kilometer ten zuiden van San Francisco. Het was allemaal begonnen in 1998 in een studentenhuis van Stanford University en nu, vijftien jaar later, is het uitgegroeid tot een van de belangrijkste en machtigste bedrijven ter wereld. Google bezet vijfenzestig gebouwen in Mountain View, een van de plaatsen in de Valley, en de meesten van de vijfenvijftigduizend werknemers werken hier. Die omvang heeft Google niet traag of saai gemaakt. Overal is de onconventionele benadering van het oplossen van problemen zichtbaar. *Googlers* op rode, groene en blauwe fietsen en scooters flitsen van gebouw naar gebouw. Een zes meter hoge replica van een *Tyrannosaurus rex* met de naam Stan beheerst het grootste lunchterras. Een paar meter verder staat een replica van SpaceShipOne, het eerste particuliere bemande ruimtevaartuig uit 2004 van Bert Rutan. In veel van de hallen staan Japanse elektrische massagestoelen en piano's en in veel van de toiletten zijn Japanse verwarmde wc-brillen geïnstalleerd – een merkwaardige ervaring op een warme dag als de gebruiker voor je vergat hem weer uit te zetten. Vlakbij staat de grootste opstelling van zonnepanelen van de hele VS, die stroom levert aan de laadpalen op een parkeerplaats vol elektrische auto's. Een heel wagenpark van forensenbussen, allemaal uitgerust met wifi, rijdt heen en weer naar San Francisco, Berkeley/Oakland en San Jose. Niet alleen worden de werknemers aangemoedigd brandstof te besparen door niet zelf de auto te nemen, maar ook kan Google zo uit een groter reservoir potentiële werknemers putten. En natuurlijk zijn eten en drinken overal op de campus gratis.[1]

Je krijgt er het gevoel dat je je op de campus van een *college* bevindt, en dat is precies de bedoeling. De bron van Google's succes is de kwaliteit van de softwareontwerpers die het aantrekt van de beste colleges. In plaats van hun het gevoel te geven dat ze bij het Korps Mariniers zijn komen werken – wat sommige bedrijven doen – wil Google hen het idee laten houden dat ze nooit van school af zijn gegaan, zodat ze net zo nieuwsgierig blijven. Op de campus vind je zwembaden, sportzalen, een breed gesorteerde winkel, een dagopvang, een kapper en een stomerij. En in bijna ieder gebouw zit een wasserette. In de zomer van 2004 heeft een stelletje zomerstagiairs daadwerkelijk geprobeerd op de Google-campus te wonen in plaats van een kamer te zoeken. Ze sliepen op banken en brachten de rest van de tijd door op Googleplex, de bijnaam van het complex waar Google's hoofdkwartier is gevestigd, tot ze te horen kregen dat ze hiermee de brandvoorschriften overtraden.

'We namen bewust het besluit om de gebouwen vol mensen te houden,' vertelde directievoorzitter en voormalig CEO van Google, Eric Schmidt, toen. 'Er heerst een zeker geluidsniveau waardoor iedereen aan het werk gaat en gedreven blijft. Het is echt gebaseerd op hoe *graduate schools* (doctoraalopleidingen) werken waar informatica gegeven wordt. Als je een graduate school bezoekt, zoals het gebouw van Stanford Computer Science, dan zie je twee, drie en zelfs wel vier mensen in één kantoor. Dat model komt onze programmeurs en ons erg bekend voor omdat wij ook allemaal in dat soort kantoren gezeten hebben en we weten dat dat een zeer productieve omgeving is.'[2]

In de loop der jaren zijn deze eigenaardigheden zo vaak door andere bedrijven geïmiteerd dat het niet mogelijk is Silicon Valley te verklaren *zonder* ze te noemen. Met name de bussen van Google zijn verantwoordelijk voor de compleet nieuwe verhouding tussen werk en vrijetijd in de Bay Area, het gebied rond de Baai van San Francisco waar Silicon Valley ook toe behoort. Nu bieden de meeste bedrijven in de Valley busvervoer aan, en dat betekent dat het enige negatieve aan werken in Silicon Valley – namelijk dat je dan moest wonen in het suburb-achtige Moutain View, Palo Alto of Sunnyvale – niet langer relevant is. Nu wonen er zoveel hightechmedewerkers in San Francisco dat enkele van de nieuwste bedrijven hen achterna zijn gegaan. Een decennium geleden zouden bedrijven als Zynga en Twitter zich automatisch in Silicon Valley gevestigd hebben. Maar toen ze vijf jaar geleden begonnen, gingen ze naar San Francisco. Een van de grootste firma's in durfkapitaal, Benchmark Capital, heeft kort geleden een kantoor bij hen in de buurt geopend.[3]

Googleplex is een streng geleide en toch chaotische plaats om te werken. Dat was zeker het geval in 2005, toen er soms wel tientallen projecten tegelijkertijd liepen waarvan vele met conflicterende ambities, en waarvan sommige zo geheim waren dat niet meer dan een stuk of zes van alle executives ervan wisten. Het meest geheime en ambitieuze project was Google's bijdrage aan de ontwikkeling van de smartphone – het Android-project met een eigen mobiel toestel. De vijftig softwareontwerpers, weggestopt in een hoek van de begane grond van Gebouw 44 en omringd door administratief personeel, dachten dat ze op het goede spoor zaten en een revolutionair apparaat zouden gaan leveren dat de industrie van de mobiele telefoons voorgoed zou veranderen. In januari 2007 werkten ze allemaal al vijftien maanden lang zestig tot tachtig uur per week, en sommigen zelfs al twee jaar, aan het schrijven en testen van programma's, het bemachtigen van softwarerechten, en het rondreizen over de hele wereld om de juiste producenten en leveranciers te vinden van de onderdelen. Ze hadden nu net zes maanden met prototypes gewerkt en het plan was hun smartphone aan het einde van dat jaar te lanceren... totdat Jobs het podium betrad en de iPhone onthulde.

De reactie van Chris DeSalvo op de iPhone was direct en intuïtief. 'Als consument viel ik van mijn stoel. Ik wilde er direct een hebben. Maar als Google-ontwerper dacht ik: nu moeten we helemaal opnieuw beginnen.'

Voor de meesten in Silicon Valley, en ook de meesten van Google, was de onthulling van de iPhone iets om te vieren. Jobs had weer eens het onmogelijke gepresteerd. Zes jaar eerder had hij een onverzettelijke muziekindustrie weten over te halen om hun hele muziekcatalogus via iTunes aan te bieden voor 0,99 dollar per nummer. Nu had hij een provider weten over te halen hem een revolutionaire smartphone te laten bouwen. Maar voor het Android-team bij Google was de iPhone een klap in het gezicht. 'Wat wij hadden, leek plotseling zo... jaren negentig,' aldus DeSalvo. 'Het is een van die dingen die je beseft zodra je het ziet.'

DeSalvo was niet gauw in paniek. Zoals zo veel ervaren softwareontwerpers in de Valley kon je hem het best laconiek noemen. Hij is een uitstekende zeiler die net met zijn gezin terug was van een drieweekse tocht door Indonesië. Op dit moment had hij al twee decennia lang software geschreven, eerst voor ontwikkelaars van videospelletjes, toen voor Apple, en vanaf 2000 voor een start-up, een nieuw bedrijfje genaamd Danger. Er konden zich weinig problemen in software voordoen of hij was ze al eens tegengekomen. Nadat hij eind 2005 bij Google's Android-team in Mountain View was beland en een jaar lang duizenden regels software had geschreven in een bezemkast (hij schrijft zijn programmaregels het liefst in stilte), was hij een week eerder verhuisd naar Chapel Hill, North Carolina, aan de oostkust, om het team te helpen met het integreren van een recent verworven aanwinst. Maar terwijl hij in een vervallen kantoor boven een T-shirtwinkel naar Jobs' presentatie keek, wist hij dat zijn baas Andy Rubin hetzelfde vond als hij. Rubin en hij hadden het grootste deel van de voorgaande zeven jaar samengewerkt, eerst toen DeSalvo softwareontwerper was bij Danger, Rubins eerste start-up, en de laatste jaren bij Google. Rubin was een van de meest competitieve mensen die hij kende en hij zou zeker geen product gaan uitbrengen dat er nu ineens zo achterhaald uitzag.

In Las Vegas, een kleine duizend kilometer van San Francisco, was Rubin op weg naar een vergadering met een van de talloze makers van draadloze telefoons en providers die de woestijnstad overspoelden voor de Consumer Electronics Show en hij reageerde precies zoals DeSalvo had gedacht. Hij was zo verbijsterd door wat Jobs onthulde, dat hij zijn chauffeur liet halthouden zodat hij de rest van de webcast rustig kon bekijken. '*Holy crap,*' zei hij tegen een van zijn collega's in de auto. 'Volgens mij gaan wij die telefoon van ons niet in de winkel leggen.'

Waar het Android-team aan had gewerkt, een telefoon met de codenaam Sooner, bevatte software die beslist *revolutionairder* was dan wat zojuist was getoond met de iPhone. Hij bezat een volledige internetbrowser en al Google's fantastische web-applicaties als Search, Map en YouTube werkten erop, maar de software was niet ontworpen voor één soort mobiel, hij was geschikt voor iedere smartphone, tablet of ander draagbaar apparaat dat nog uitgevonden moest worden. Het apparaat hoefde nooit verbonden te worden met een desktop of laptop. Verschillende applicaties zouden tegelijk kunnen draaien en verbinding leggen met een onlinewinkel of andere applicaties die Google zou helpen ontwikkelen en bevorderen. De iPhone moest wel regelmatig aan iTunes gekoppeld worden, er kon niet meer dan één applicatie tegelijk op draaien en er waren toen nog geen plannen om iets als een applicatiewinkel, een *app store,* op Apple's smartphone toe te laten.

Maar de Sooner-mobiel was lelijk. Hij zag eruit als een BlackBerry, met een traditioneel toetsenbord en een klein scherm, geen touchscreen. Rubin en zijn team dachten, net als partners

HTC en T-Mobile, dat klanten geweldige software belangrijker zouden vinden dan het uiterlijk. In die tijd dacht iedereen dat. Revolutionaire ontwerpen voor mobiele telefoons haalden het zelden. De N-Gage van Nokia, die in 2003 was gelanceerd en die gamen combineerde met telefoneren en e-mail, wordt in dit kader vaak genoemd. RIM was een van de grootste smartphoneproducenten ter wereld geworden door de onopgesmukte functionaliteit van zijn BlackBerry's juist tot een van zijn grootste sellingpoints te maken: je hebt een telefoon, een ongelooflijk toetsenbord en veilige e-mail, en dat alles in een onverwoestbare verpakking.

Maar dan de iPhone. Die zag er niet alleen cool uit, maar dat coole uiterlijk werd gebruikt om op heel nieuwe manieren met een mobiel om te gaan – manieren waarvan Android-softwareontwerpers hadden gedacht dat ze onmogelijk waren of die ze als te riskant hadden beschouwd. Door een virtueel toetsenbord te gebruiken en de meeste echte knoppen te vervangen door knoppen die door software gegenereerd werden op een groot touchscreen, kon nu iedere applicatie bediend worden met zijn eigen unieke set besturingstoetsen. De knoppen Play, Pause en Stop verschenen alleen als je naar muziek luisterde of naar een film keek. Als je een internetadres in de browser wilde typen, verscheen eerst het toetsenbord, maar dat verdween zodra je op enter klikte. De iPhone had geen echt toetsenbord dat de helft van het toestel in beslag nam, waardoor het scherm twee keer zo groot kon zijn als dat van iedere andere mobiel die te koop was. En of de gebruiker het toestel nu rechtop (*portrait*) of in de breedte (*landscape*) in de hand had, alles werkte op precies dezelfde manier. Apple had een accelerometer geïnstalleerd, die de zwaartekracht gebruikt om het toestel te laten weten hoe het het scherm moet indelen.

Er was ook veel verkeerd aan de eerste iPhone. Rubin en het Android-team dachten, net als zo veel anderen, dat gebruikers niet graag zouden typen op een scherm zonder een echt toetsenbord te voelen reageren. Dat is precies waarom de eerste mobiel met Android – de HTC G1 – bijna twee jaar later verscheen met een uitschuifbaar toetsenbord. Maar wat ook onmiskenbaar aan het Android-team lag, was dat ze Jobs hadden onderschat. Jobs was op zijn minst gekomen met een nieuwe manier van omgaan met een apparaat – met een vinger in plaats van een stylus of concrete toetsen – en waarschijnlijk met nog een heleboel meer. 'We wisten dat Apple een mobiel zou gaan aankondigen. Iedereen wist dat. We hadden alleen niet gedacht dat hij zo goed zou zijn,' aldus Ethan Beard, een van de eerste executives voor bedrijfsontwikkeling bij Android.

Binnen enkele weken had het Android-team zijn doelstellingen compleet omgegooid. Alles werd nu gericht op een mobiel met touchscreen, met de codenaam Dream, dat in het eerste stadium van ontwikkeling was. De lancering van een Android-mobiel werd een jaar uitgesteld tot het najaar van 2008. En softwareontwerpers gingen zich verdiepen in alles wat de iPhone *niet* deed om zich zo op de dag van de lancering te kunnen onderscheiden. Erick Tseng, de toenmalige projectmanager van Android, vertelde dat hij ineens die nerveuze spanning voelde van een aanstaand openbaar optreden. Tseng was een jaar eerder van Stanford Business School bij Google gekomen nadat Eric Schmidt hem persoonlijk Android had beloofd. 'Ik heb nooit het gevoel gehad dat we op moesten houden met wat we aan het doen waren, dat de iPhone voor ons *game over* betekende. Maar de standaard was gezet en wat we ook besloten te lanceren, we wilden absoluut zeker weten dat we aan die standaard gingen voldoen.'

In zekere zin is het Android-project de volmaakte weerspiegeling van Google's absurde en chaotische cultuur. Bij de meeste bedrijven worden bizarre ideeën ontmoedigd en uitvoerbare ideeën aangemoedigd. Bij Google gold, zeker toen, het omgekeerde. De beste manier om medeoprichter en nu CEO Larry Page uit zijn humeur te brengen, was als je niet groot genoeg dacht en riep hoeveel geld een bepaald idee wel op zou kunnen brengen. Bekend is dat Page in 2006 Sheryl Sandberg een compliment gaf toen ze een vergissing had gemaakt die Google een paar miljoen dollar kostte. Sandberg was als directeur verantwoordelijk voor het systeem van automatische advertenties en nog niet COO, chief operating officer, van Facebook. 'God, ik ben hier echt beroerd van,' zei Sandberg tegen Page, volgens *Fortune Magazine*. Maar in plaats van haar verwijten te maken over haar vergissing, zei Page: 'Ik ben zo blij dat jij die vergissing hebt gemaakt, omdat ik een bedrijf wil leiden waar we te snel gaan en te veel doen, in plaats van voorzichtig te zijn en te weinig te doen. Als we dit soort vergissingen niet maken, nemen we gewoon niet genoeg risico.'[4]

De industrie van mobiele telefoons in 2005 was een uitmuntend voorbeeld van een netelig probleem van Google-omvang. De industrie van software voor mobiele telefoons was een van de slechtst functionerende in de hele technologiebusiness. Er was onvoldoende draadloze bandbreedte voor gebruikers van een mobiel om, zonder gefrustreerd te raken, over het internet te surfen. De mobiels waren nog niet krachtig genoeg om iets anders op te draaien dan rudimentaire software. Maar het grootste probleem, waar ook Jobs tegenaan was gelopen, was dat de industrie beheerst werd door een oligopolie: buiten de providers en de telefoonproducenten maakten slechts weinig bedrijven software voor mobiel en wat er was, was verschrikkelijk. De bandbreedte zou breder worden en de mobiele chips beter, maar toen zag het ernaar uit dat de providers en mobielproducenten, en *niet* de softwareontwikkelaars, samen de hele industrie zouden blijven beheersen. 'We hadden een deal met Vodafone [de grote Europese provider die eigenaar was van de helft van de grote Amerikaanse tegenhanger Verizon] om te proberen Google Search op hun telefoons te krijgen,' vertelde een van de topmannen van Google, die niet met name genoemd wil worden. 'Maar wat zij boden, was dat enkele van onze zoekresultaten zichtbaar werden, maar dat de meeste van hen waren, en dat onze resultaten onder aan ieder rijtje resultaten zou komen. Zij hadden geen goede mobiele browser. Ringtones [die zijzelf verkochten] kwamen altijd boven aan iedere zoekopdracht te staan. Alle providers deden dat. Zij dachten dat ze alle diensten konden leveren binnen een ommuurde tuin [zoals AOL dat in de jaren 1990 had gedaan], en dat dit beheer de beste manier was om geld te verdienen.'

De reden waarom maar weinig softwareontwikkelaars zich op de mobiele telefonie stortten, was dat iedereen die het probeerde, er geld mee verloor. De industrie kende nog geen standaardisatie. Bijna iedere mobiel draaide op zijn eigen software en applicaties, wat betekende dat software geschreven voor een Samsung niet op een Motorola draaide, en die weer niet op een Nokia. Zelfs binnen bedrijven bestonden niet-compatibele platforms. Er waren bijvoorbeeld verschillende versies van Symbian, Nokia's software. Simpel gezegd: de telefoonindustrie riep 'weggegooid geld' tegen iedere ondernemende softwareontwikkelaar. De meesten bleven er dan ook vanaf. De lucratiefste handel in die tijd was niet het schrijven van apps voor mobieltjes; dat was het bezitten van een testbedrijf dat ervoor zorgde dat jouw apps werkten op alle mobiele telefoons die te koop waren. CEO en medeoprichter van Google Larry Page heeft nooit een blad voor de mond genomen waar het gaat om hoe frustrerend die tijd voor hem en Google was. 'We hadden een kast met meer dan honderd telefoons [waar we software voor maakten] en we bouwden onze software zo'n beetje stuk voor stuk voor ieder daarvan,' vermeldde hij in zijn verslag voor de aandeelhouders in 2012.[5] In de loop der jaren heeft hij deze ervaring bij verschillende gelegenheden 'vreselijk' en 'ongelooflijk pijnlijk' genoemd.

Maar Page en de rest van Google's executives zagen in dat iemand ooit de business van mobiele telefonie zou gaan begrijpen en ze waren doodsbang dat dat Microsoft zou zijn. Op dat moment was Microsoft nog het rijkste en wat beursnotering betreft duurste bedrijf ter wereld, en nu kwam er eindelijk vaart in mobiele telefoons met zijn besturingssysteem Windows CE. Mobiels met Windows CE waren nog maar een nichemarkt, maar als consumenten massaal naar dat platform zouden gaan zoals ze later naar de iPhone gingen, stond heel Google's business op het spel.

Dat is niet overdreven. Op dat moment waren Microsoft en Google in een ordinaire strijd verwikkeld om de heerschappij in het land van de webbrowsers en in de technologie in het algemeen. Nadat Microsoft twee decennia lang de populairste werkgever was geweest voor technisch toptalent, verloor het nu slag na slag van Google. Bestuursvoorzitter Bill Gates en CEO Steve Ballmer hadden laten merken dat ze Google's oorlogsverklaring persoonlijk opvatten. Vooral Gates trok het zich aan. Zo maakte hij een paar keer grapjes over de manier waarop Google-oprichters Page en Sergey Brin zich kleedden. Hij zei dat de populariteit van hun browser 'een bevlieging' was. In dezelfde zin deelde hij het mooiste compliment uit door te zeggen dat, van alle concurrenten die er in de loop van de jaren waren geweest, Google nog het meest op Microsoft leek.[6]

De Google-top was ervan overtuigd dat Microsoft, als Windows voor mobiele apparaten aansloeg, de toegang van de gebruiker tot Google's browser op die toestellen zou gaan bemoeilijken ten voordele van hun eigen browser. Voor desktops en laptops bestonden allerlei regels uit de jaren negentig, voortgekomen uit de antitrust-rechtszaak van de staat tegen Microsoft, die het voor het bedrijf moeilijk maakten om concurrenten weg te pesten met het monopolie dat ze met Windows hadden op desktops en laptops. Microsoft kon bijvoorbeeld niet een eigen browser de standaardbrowser in Windows maken zonder de consument de kans te geven te kiezen tussen die van hen en die van Google, Yahoo! en andere. Maar voor smartphones bestonden maar weinig regels die bepaalden hoe agressief Microsoft mocht concurreren. Alleen bezat het op deze markt geen monopolie. Google was bezorgd dat veel gebruikers weg zouden gaan als Microsoft het maar moeilijk genoeg maakte om Google's browser te gebruiken op mobiele toestellen en makkelijk genoeg om die van Microsoft te nemen. Dat was de manier geweest waarop Microsoft in de jaren negentig met Internet Explorer concurrent Netscape de das had omgedaan. Als gebruikers ophielden Google's webbrowser te gebruiken en die van een concurrent namen, zoals Microsoft, dan zou het snel afgelopen zijn met het bedrijf. Google verdiende zijn geld in die tijd uitsluitend met advertenties die naast de zoekresultaten op het scherm van de gebruiker verschenen. 'Dat [dat wil zeggen, die angst voor Microsoft] is nu moeilijk voorstelbaar, maar in die tijd waren we heel bezorgd dat Microsofts strategie voor mobiele apparaten succesvol zou zijn,' aldus Schmidt in 2012 in zijn getuigenverklaring in de rechtszaak Oracle vs. Google over auteursrechten.[7]

Al deze angsten en frustraties gingen door het hoofd van Page toen hij begin 2005 toestemde in een ontmoeting met Rubin in de vergaderzaal op de begane grond van Google's Gebouw 43. Het kantoor van Page was in die tijd op de eerste verdieping, vanwaar hij uitkeek op Google's hoofdbinnenplaats. Hij deelde het met Brin, zoals ze een kantoor hadden gedeeld sinds ze Google in 1998 hadden opgericht, totdat Page in 2011 CEO werd. Het vertrek zag er toen eerder uit als een studentenkamer van twee technologiestudenten dan wat je zou verwachten in een groot bedrijf. Je moest je best doen om hun bureaus en computers te kunnen zien, zo vol stond het kantoor met de laatste elektronische snufjes waar ze bezeten van waren – camera's van Page, en de radiografisch bestuurde vliegtuigjes en auto's en de rolhockeyuitrusting van Brin. Als Page en Brin er in die tijd niet waren, zat hun kantoor vaak vol andere programmeurs die vonden dat zij er dan wel konden zitten. Rubin had contact gelegd met Page omdat Rubin een jaar eerder met Android was begonnen en voldoende software had geschreven om te laten zien aan potentiële klanten, zoals providers. Volgens hem zou een of ander signaal van Google – zoals een e-mail van Page waarin stond dat Android met iets interessants bezig was – hem helpen meer geld te krijgen om verder te gaan en zijn verkooppraatje te versterken.[8]

Slechts weinig mensen kunnen Larry Page rechtstreeks e-mailen voor een afspraak, maar in die tijd was Rubin een van hen. Drie jaar eerder, toen Google nog steeds gebruikers, aandacht en omzet bij elkaar moest scharrelen, had Rubin van Google de default zoekmachine gemaakt op de Sidekick van T-Mobile, het toestel dat Rubin had ontworpen en gebouwd toen hij nog aan het hoofd stond van Danger. Page herinnerde zich dat gebaar niet alleen omdat Google toen wanhopig op zoek was naar zoekverkeer van gebruikers, maar ook omdat hij de Sidekick een van de best in elkaar gezette mobiele apparaten vond die hij ooit had gezien.

De Sidekick zag er raar uit; hij had de vorm van een stuk zeep en het scherm zat in het midden. Om ermee aan de slag te gaan, moest je de mobiel dwars houden, het scherm naar de zijkant en omhoog schuiven en dan typen op het toetsenbord dat eronder verscholen zat. Dankzij het afwijkende uiterlijk en het ontbreken van een marketingbudget werd het nooit een verkoophit. Maar er waren drie cultgroepen: tieners, rappers en Silicon Valley-softwareontwerpers. Tieners en rappers vonden hem geweldig omdat het het eerste toestel was met ingebouwde software voor instant messaging (IM). Softwareontwerpers als Page vonden hem geweldig omdat je ermee op het internet kon surfen op dezelfde manier als op je desktop. BlackBerry was toen heer en meester op het gebied van mobiel internet en iedereen bij Google had een BlackBerry. Maar de webbrowser en andere mobiele faciliteiten waren vreselijk. Om in die tijd met de smallere bandbreedte om te kunnen gaan, waren browsers zo ontworpen dat ze alleen de kale inhoud van een webpagina konden tonen, en dat was meestal alleen tekst. Maar dat maakte de zoekervaring zo goed als nutteloos voor Google's business. Een van de dingen die in deze gemankeerde browsers niet werkten, waren de reclames naast Google's zoekresultaten. Je kon ze niet aanklikken. Al gauw liepen Page en Brin zelf rond met Sidekicks en verbijsterden vrienden en collega's met een mobiel toestel dat bijna in de plaats kon komen van hun laptop.

Toen Page, volgens *Wired*, zoals gewoonlijk te laat op de afspraak kwam, sprong Rubin naar het whiteboard om zijn presentatie te geven: mobiele telefoons met wat PC's konden, en niet laptops of desktops, waren de toekomst van de technologie. En de markt was volgens Rubin enorm. Jaarlijks werden wereldwijd zevenhonderd miljoen mobieltjes verkocht tegen tweehonderd miljoen computers, en dat verschil werd steeds groter. Maar de telefoonbusiness was in de middeleeuwen blijven steken. Android zou aan dat probleem een eind maken door providers en producenten ervan te overtuigen dat ze geen vermogens hoefden uit te geven aan eigen software. Gefrustreerde gebruikers zouden zich scharen achter telefoons die beter waren. Programmeurs zouden bij zo'n vraag snel software voor een dergelijk platform gaan schrijven. En een zichzelf versterkend ecosysteem van de software zou daarmee geboren zijn.

Page luisterde enthousiast. Hij keek naar het prototype dat Rubin had meegebracht, maar voordat de vergadering begon, had hij al zo'n beetje besloten wat hij zou gaan doen: waarom kocht Google Android niet gewoon, vroeg hij zich af. Later vertelde hij aan Steven Levy, auteur van *In the Plex*: 'We hadden die visie [op hoe de mobiel van de toekomst eruit zou moeten zien] en Andy kwam langs en wij hadden zoiets van: yeah, zouden we moeten doen. Hij is onze man.' Google kocht Android voor zo'n 50 miljoen dollar en nog wat en in juli 2005 legden Rubin en de zeven andere oprichters van Android hun visie op de wereld uit aan de rest van Google's managementteam.[9]

Rubin was verrast en enthousiast over Google's besluit om zijn bedrijf te kopen. 'Bij Danger hadden we een fantastisch nicheproduct [de Sidekick] waar iedereen van hield. Maar ik wilde verder gaan dan niche en een product voor de hele consumentenmarkt maken,' zei hij. En er was geen bedrijf dat meer consumentenmarkt was dan Google. Als hij het over die tijd heeft, vertelt hij graag een voor-en-naverhaal over een presentatie die hij eens voor telefoonproducent Samsung in Seoel gaf.

> Ik ga met mijn hele team de bestuurskamer binnen – zes man en ik. Daarop komen er twintig executives binnen die aan de andere kant van de tafel in de bestuurskamer gaan staan. Wij gaan zitten, omdat ik toen nog niet gewend was aan wat de Aziatische cultuur voorschreef en wat niet. Hun CEO komt binnen. Iedereen gaat pas zitten nadat hij is gaan zitten, net als bij een militair tribunaal. Dan begin ik mijn verkooppraatje. Ik leg hun de hele Android-visie uit alsof ze geldschieters zijn. En aan het einde, als ik buiten adem ben en alles op tafel heb gelegd... is het stil. Letterlijk stil, alsof er krekels in het vertrek tsjirpten. Dan hoor ik gefluister in een vreemde taal en een van de naaste medewerkers, die met de CEO had gefluisterd, zegt: 'Droomt u?' Hun reactie op de hele visie die ik gepresenteerd had, was: 'U en welk leger gaan dit maken? U heeft zes man.' Bent u dronken, is wat ze eigenlijk zeiden. Ze lachten me de bestuurskamer uit. Dit gebeurde twee weken voordat Google ons kocht. De vol-

gende dag [nadat de aankoop bekend was gemaakt] belde een heel nerveuze medewerker van de CEO me op en zegt: 'Ik eis dat we elkaar direct ontmoeten om uw zeer, zeer interessante voorstel te bespreken dat u deed toen we in Seoel waren.'

Dankzij Google hoefde Rubin zich nu geen zorgen meer te maken over geldgebrek en potentiële kopers en klanten die zijn telefoontjes niet beantwoordden. Maar nadat de euforie van de aankoop was verdwenen, werd duidelijk dat Android van de grond krijgen zelfs bij Google een van de moeilijkste dingen zou worden die Rubin tot dan toe had gedaan. Alleen al je weg vinden binnen Google was voor Rubin en zijn team in het begin een nachtmerrie. Er was geen onverbiddelijk organogram, zoals andere bedrijven dat hebben. Iedere medewerker leek zo van college te komen. En de Googlecultuur met het befaamde bedrijfsmotto *Don't Be Evil* en het schijnheilige 'Dat is niet *Googley*' kwam vreemd over op iemand als Rubin, die al twintig jaar in de wereld van de hightech rondhing. Hij kon zelfs niet met zijn auto naar zijn werk komen omdat die te luxe was voor Google's parkeerterrein. Google zat toen vol miljonairs die rijk geworden waren door de beursgang in 2004. Maar in een poging om Google's status als revolutionair bedrijf met een revolutionair product – de anti-Microsoft – in stand te houden, waren auto's luxer dan die uit de BMW 3-serie niet toegestaan. Dat gold dus ook voor Rubins Ferrari. Befaamd is dat Brin en Page – nu ieder vijf miljard waard – in die tijd in een Prius naar hun werk kwamen.

Rubin moest er ook aan wennen dat hij niet meer de baas was. Hij stond aan het hoofd van Google's afdeling Android, maar zelfs eind 2005 bestond die uit niet meer dan een twaalftal mensen binnen een bedrijf van zevenenvijftighonderd. Maar Google behandelde Android duidelijk niet als een van de vele kleine aankopen. Daarvan waren de oprichters zelden gebleven, omdat ze er al snel achter waren gekomen dat werken bij Google een frustrerende ervaring was. Google kocht vaak bedrijven alleen maar om een nieuwe techniek uit te proberen en/of getalenteerde softwareontwerpers binnen te halen, maar zonder duidelijk plan van wat men er verder mee wilde. Page wilde niet dat ook Rubin daardoor gefrustreerd zou raken en hij gaf topmannen als Alan Eustace – die Page had bijgestaan bij de aankoop van Android – opdracht ervoor te zorgen dat Rubin het gevoel had dat hij toegang had tot de mensen en financiën die hij nodig had. Google opende direct de portemonnee en trok 10 miljoen dollar uit zodat Rubin de benodigde softwarelicenties kon kopen. Schmidt hielp persoonlijk bij de onderhandelingen over een paar daarvan. Om ervoor te zorgen dat hun project geheim bleef, mocht het Android-team zijn software afgescheiden houden van de rest van Google en was die niet toegankelijk voor wie dan ook zonder Rubins toestemming. En Page gaf Rubin het zeldzame voorrecht zijn eigen mensen aan te nemen zonder het hoeven toepassen van Google's berucht strenge en langdurige sollicitatieprocedure.

Maar al deze aandacht kon niet voorkomen dat Rubin door Google's krankzinnige bedrijfspolitiek moest zien te navigeren. Om te beginnen was het hem enige tijd niet duidelijk wie Google's hoogste baas was. Schmidt was de CEO en speelde in die tijd een cruciale rol in het wel en wee van het hypersnel groeiende bedrijf. Ook was hij het gezicht van het bedrijf naar buiten, iets wat hij goed deed en waarvoor Page en Brin veel minder aandacht hadden. Hij was eerder CEO geweest – bij Novel – en daarvoor veertien jaar lang topman van Sun Microsystems. Maar Schmidt, die in 2000 bij Google kwam, was niet een van de oprichters zoals Page en Brin, en dat maakte zijn werkelijke rol een beetje duister.

Officieel leidden de drie mannen Google als driemanschap, maar er was altijd discussie over hoeveel macht Schmidt eigenlijk had – of Brin en Page in werkelijkheid de leiding hadden en Schmidt grotendeels een ceremoniële rol vervulde, dus hoofdzakelijk zorgde voor 'volwassenentoezicht', in het taaltje van Silicon Valley. Schmidt zelf schiep geen klaarheid in de verwarring door zijn baan te omschrijven als die van COO, verantwoordelijk voor de dagelijkse gang van zaken binnen het bedrijf, in plaats van een CEO, de bestuursvoorzitter of algemeen directeur, verantwoordelijk voor alles wat er in het bedrijf omgaat. In een interview in 2004 zei hij dat het

> mijn eerste verantwoordelijkheid is om te regelen dat de treinen op tijd rijden, en dus probeer ik ervoor te zorgen dat vergaderingen doorgaan, dat alle functies van een goed lopend bedrijf vervuld worden en dat mensen opletten. Larry en Sergey hebben de bedrijfsstrategie en een groot deel van de technologiestrategie op de rails gezet. Ik heb bijgedragen aan het organiseren van het strategieproces, maar het is in werkelijkheid hun bedrijfsstrategie en hun technologiestrategie. En als er onenigheid is tussen ons drieën... dan hebben we een serieus gesprek en zal iemand uiteindelijk ja zeggen. Een paar maanden later zal iemand, een van de drie, nou goed, misschien wel zeggen: 'Nou ja, misschien dat die ander eigenlijk gelijk had.' Er heerst dus een zeer gezond respect tussen ons drieën en dat is heerlijk. We zijn de beste vrienden en heel goede collega's.'[10]

Het werd voor Rubin zelfs nog ingewikkelder toen hem bleek dat Page en Schmidt niet helemaal op een lijn zaten over wat Android zou moeten worden. Schmidt wilde dat Android alleen een besturingssysteem was en enige tijd vroeg hij zich af of het niet alleen een basisbesturingssysteem moest zijn, zonder leuke tekeningen of animaties. Dat was Rubins oorspronkelijke visie: geef producenten van mobiele telefoons en providers een besturingssysteem dat op alle mobiele toestellen op dezelfde manier werkt, maar waarvan ze zelf kunnen besluiten hoe het openingsscherm eruitziet en wat voor toeters en bellen iedere mobiel kijgt. Maar Page was geïnteresseerder in het bouwen van een mobiel door Google zelf. 'Ik herinner me dat ik het hier met Andy over had,' aldus een Android-executive. 'Hij zei dat hij er altijd voor zorgde dat hij nooit een nieuw element van Android aan Page liet zien zonder een prototype van de hardware waarop het zou gaan draaien.'

Er waren ook enkele juridische problemen. Het grootste deel van Android is opensourcesoftware, vrije software die niemand in eigendom heeft, en dat betekent dat iedereen de broncode, de *source*, op ieder moment mocht wijzigen. Maar niet alles was open source en Google kocht voor tientallen miljoenen dollars licenties voor de rest. Rubin hoopte dat een flink deel van de broncode onder licentie van Sun Systems afkomstig zou zijn, de makers van Java. Sun was tien jaar bezig geweest met de ontwikkeling van Java en gaf de software over het algemeen gratis weg, op voorwaarde dat de gebruiker die niet ingrijpend wijzigde. Dat was wat Rubin gebruikt had voor het besturingssysteem van de Sidekick en in die tijd was het een veelgebruikte programmeertaal onder softwareontwerpers die van de topuniversiteiten kwamen. Het probleem was dat Android meer aan Java wilde veranderen dan Sun toestond. Met geen enkel bedrag leek Sun over te halen. Er werd gesproken over bedragen van 35 miljoen dollar. Hierdoor ontstonden voor Rubin twee problemen: zonder Java-code kostte het hem maanden extra werk om een alternatieve oplossing te verzinnen, en toen werd Sun ook nog eens kwaad omdat men dacht dat Google voor dat alternatief toch delen van Java had gekopieerd. Dit twistpunt leidde tot een vervelende aanklacht die in 2012 voor de rechter kwam. Google werd niet schuldig verklaard, maar Sun, nu eigendom van Oracle, is tegen deze uitspraak in beroep gegaan.[11]

En ten slotte lag er op Rubin nog de gigantische taak te wachten om te doen wat hij had beloofd: een besturingssysteem bouwen voor een mobiele telefoon dat providers en producenten zouden willen gebruiken en waar softwareontwikkelaars programma's voor zouden willen schrijven. Er was een precedent: het was precies wat Bill Gates had gedaan om de PC-industrie compleet te veranderen en hij was daarmee de rijkste man ter wereld geworden. De meeste mensen nemen nu gewoon aan dat als we een PC kopen, die op Microsoft Windows draait of op Apple OS X, en dat er een processor van Intel op het moederboard zit dat iedere printer, muis, toetsenbord, monitor en bijna ieder ander elektronisch apparaat ermee en met elkaar verbindt. Maar de PC-industrie van de jaren 1980 leek op de industrie van mobiele apparaten van 2005. Het was pas toen Gates het besturingssysteem DOS combineerde met zijn Windows, en zo een platform schiep voor softwareontwikkelaars om hiervoor hun programma's te gaan schrijven, dat de bedrijfstak van PC-applicaties van de grond kwam. 'Ik herinner me dat ik toen tegen Andy zei: "Dit wordt echt moeilijk, heel erg moeilijk. Ik wil je niet ontmoedigen, maar ik denk dat je kansen hier klein zijn",' aldus Alan

Eustace, Google's hoofd softwareontwikkeling in die tijd en Rubins baas. 'En dan lachten we er samen om omdat hij een echte gelovige was. Ik was niet zozeer een scepticus. Ik heb het project de hele periode gesteund. Maar we wisten beiden dat het moeilijk zou worden.'

Een paar van de problemen van het bouwen van Android waren identiek aan die waar Apple voor had gestaan. Het was niet vaak gebeurd dat iemand een ingewikkeld besturingssysteem als Android in een chip voor een mobiel had gestopt. Intussen moesten alle testen op simulatoren gedaan worden omdat de fabricage van de chips en schermen die Rubin in de mobiele Dream wilde gebruiken, nog een jaar op zich liet wachten. Maar Google verkeerde in een nog slechtere positie dan Apple om deze problemen aan te pakken. De iPhone was bijna de doodsteek voor Apple geweest, maar Apple was tenminste gewend aan het maken van producten die consumenten wilden kopen. Google had die ervaring niet. Google verdiende geld aan advertenties. Al het andere dat Google bouwde – internetsoftware – gaf het gratis weg. Het had geen superieure ontwerpafdeling zoals Apple. Het idee van een voltooid product van wat dan ook was Googlers vreemd. Het mooie van het bouwen van internetsoftware was voor hen nu juist dat het *nooit* af was. Als een functie zo goed als klaar was, gaf Google hem uit en verfijnde de functie, op basis van het gebruik door de klanten, daarna op hun servers met updates.

Google bekeek marketing met een soort minachting die alleen een technicus kan opbrengen. Als een product goed was, dan zouden mensen het gaan gebruiken dankzij mond-totmondreclame op het web. Was het niet goed, dan werd het niet gebruikt. Het idee dat Google behalve een coole telefoon, ook ongrijpbare gevoelens van bevrediging en zelfvertrouwen zou gaan verkopen – de manier waarop Jobs Apple-apparaten aan de man bracht – leek idioot. Deze opvatting was diep in Google's DNA geworteld. In de vroege jaren van het bedrijf hadden adviseurs de oprichters Larry Page en Sergey Brin er eens van overtuigd dat ze de beroemde marketingman Sergio Zyman, eerder hoofd marketing van Coca-Cola, moesten inhuren om de wereld te laten weten dat dit nieuwe bedrijf bestond. Nadat hij zes maanden aan het plan gewerkt had, verwierpen de oprichters het hele marketingconcept en verlengden Zymans contract niet. Ze dachten – correct – dat Google's zoekmachine zichzelf zou verkopen. Google kende tot 2001 niet eens de functie van marketingdirecteur.

Rubin en het Android-team dachten dat ze deze tekortkomingen konden compenseren door samen te werken met providers en producenten. Dat was per slot van rekening het hele punt met Android: iedereen zou doen wat hij het beste kon. Google zou de software schrijven, producenten maakten de mobieltjes en providers leverden de bandbreedte, en zo zouden verkoop en marketing van de grond komen. HTC en T-Mobile waren van het project overtuigd. Zij hadden Rubin geholpen met het bouwen van de Sidekick toen hij nog bij Danger zat.

Rubins probleem was dat provider T-Mobile in de VS niet groot genoeg was om Android in voldoende mobiels te krijgen en de twee grote Amerikaanse providers, AT&T en Verizon, stonden zeer wantrouwend tegenover iedereen van Google die een zakelijke overeenkomst wilde sluiten. Ondanks het beloftevolle Android en Rubins kwaliteiten om die belofte aan de man te brengen, was de rest van Google eind 2006 bezig mensen af te schrikken, en vooral telecombedrijven.[12] Het was toen net gebleken dat Google een nieuwe en ongelooflijk winstgevende vorm van adverteren had geschapen, en het bedrijf liet winsten noteren en ontving cash met een verbijsterende snelheid. In 2003 leek het nog een aardige, dappere start-up. Eind 2006 was het een gigant met bijna elfduizend werknemers en 3 miljard dollar winst en had het een marktaandeel van meer dan 60 procent in via zoekmachines gevonden advertenties.[13] Ging Google op korte termijn Microsoft vervangen als de grote, slechte monopolist in informatietechnologie, begonnen sommigen zich af te vragen.

Topmannen bij bedrijven als Verizon hadden in de jaren negentig zelf te maken gekregen met Microsofts agressieve gedrag toen Gates ging proberen zijn PC-monopolie ook over aangrenzende bedrijfstakken te verspreiden. Microsoft, ervan overtuigd dat Windows op korte termijn het station zou worden dat onze PC's met onze tv's zou verbinden, investeerde 1 miljard dollar in Comcast, 5 miljard in AT&T en nog eens een half miljard in kleinere kabel- en telefoonmaatschappijen. Gates' doel was om het gebruik van breedbandinternet te versnellen en uiteindelijk Windows-software geïnstalleerd te krijgen in ieder kabelmodem – waardoor providers als Verizon zinloos werden.[14]

Google maakte de telecombedrijven nog ongeruster dan Microsoft. Jarenlang hadden Schmidt, Page en Brin een team softwareontwerpers in dienst gehad die niets anders deden dan experimenteren met manieren om providers te vermijden. Terwijl Google snel het machtigste bedrijf op het web aan het worden was, machtig genoeg om de hele markt van zoekmachine-advertenties te beheersen en in 2006 voor 1,65 miljard dollar YouTube te kunnen kopen, maakten de telecombedrijven zich zorgen dat Google aan zou kondigen dat het zelf provider ging worden. In het voorjaar van 2007, toen Google aankondigde dat het het online-advertentiebedrijf DoubleClick kocht, waren deze zorgen overal ter wereld doorgedrongen tot in bestuurskamers én in de kantoren van toezichthouders op trustvorming in Washington en Brussel. 'Wat Google met Android wil is wat Microsoft met Windows wilde, namelijk het besturingssysteem van iedere PC in handen hebben,' en in dit geval een monopolie op het mobiele platform, aldus Verizons CEO Ivan Seidenberg tegen auteur Ken Auletta. 'Mensen als ik willen ervoor zorgen dat platforms en apparaten verspreid worden. Is het in Google's belang om ons er tussenuit te halen? Yeah.'[15]

Toen Rubin en het Android-team de eerste schok van hoe goed de iPhone was te boven waren, was zonder veel omhaal duidelijk wat er moest gebeuren.

In zijn hart is Rubin een start-up CEO – vol heilige overtuiging dat zijn pad het beste is, ongeacht of mensen het met hem eens zijn en de omstandigheden hem gunstig gezind. Hij was tegenslag gewend. De iPhone was goed, maar waar hij mee bezig was, zou anders zijn – en beter. Het zou technisch superieur zijn aan de iPhone en breder verspreid. Volgens Rubin voegden de softwareontwerpers bij providers en telefoonproducenten 20 procent aan de kosten van iedere mobiel toe. Met Android hadden ze die infrastructuur helemaal niet nodig en dus konden ze hun mobiele toestellen goedkoper leveren. En de iPhone zorgde er wel voor dat Google's aandacht op Android gericht bleef.[16] Toen de iPhone werd aangekondigd, had Rubin de beschikking over zo'n vijftig man. Twee jaar later had hij er meer dan honderd.

Achteraf is het zeker waar dat het *goed* is geweest dat de

iPhone de eerste mobiels met Android versloeg, volgens sommigen bij Google. Apple besteedde tientallen miljoenen dollars aan het opvoeden van de consument over het omgaan met deze nieuwe apparaten met een touchscreen. Twee jaar later, toen Android-mobiels op de markt kwamen, was de iPhone ongelooflijk populair. Dat betekende dat de providers die de iPhone niet hadden – en dat waren ze toen allemaal, behalve AT&T – op zoek waren naar een alternatief. Dat was geen probleem voor de korte termijn. Het contract van AT&T gaf de laatste vier jaar lang de exclusieve rechten in de VS. 'Zij [de providers en fabrikanten] zagen het teken aan de wand, en dat kwam de Android duidelijk ten goede. Het zorgde ervoor dat mensen rechtop gingen zitten en de oren spitsten en Android serieus namen,' aldus Eustace.

Voor Rubin en zijn Android-team kwam na de onthulling van de iPhone echter nog iets naar voren: de betrokkenheid van het eigen bedrijf bij het iPhone-project. Google, zo hoorden ze, was Apple's belangrijkste partner in deze onderneming. Terwijl Google's topbestuurders Android al twee jaar lang steunden, hadden ze een ander team opdracht gegeven om in het geheim met Apple samen te werken om Google's Search, Maps en YouTube op Jobs' nieuwe apparaat te krijgen. Tijdens zijn onthulling had Jobs van de opname van Google-software in de iPhone ook een van zijn verkoopargumenten gemaakt. Hij zei dat de iPhone 'voor de allereerste keer internet in je broekzak' was en 'je kunt je internet niet voorstellen zonder Google'.[17] Google-CEO Eric Schmidt was naast Jobs op het podium komen staan om hun hechte partnerschap nog eens te versterken. 'Steve, gefeliciteerd. Dit product zal hot worden,' zei Schmidt in zijn drie minuten spreektijd onder meer.

Het Android-team wist dat Schmidt in de raad van bestuur van Apple zat. Wat ze niet wisten, was hoe hecht dat partnerschap was geworden. Terwijl zij Android aan het ontwikkelen waren, was een ander team softwareontwerpers in een ander gebouw zo'n 200 meter verderop bijna een Apple-team geworden, met meer kennis over het iPhone-project dan wie ook bij Apple, op enkele tientallen Apple-medewerkers na. Binnen Apple beheerste en controleerde Jobs de toegang tot de verschillende onderdelen van het iPhone-project uitermate streng. Bij Google hadden een paar leden van het team dat Maps, Search en YouTube voor de iPhone ontwikkelde, bijna alles kunnen zien – de chips die Apple gebruikte, het touchscreen, de software. Enkelen hadden zelfs de laatste prototypes gezien en er al voor de aankondiging een gebruikt om mee te bellen. 'Apple wilde vooral Google Maps. Ik denk dat Steve het persoonlijk erg mooi vond en er verzekerd van wilde zijn dat het in de iPhone zou zitten. Dus wij wisten dat de iPhone eraan kwam,' zei een van de softwareontwerpers.

Twee productieteams die met elkaar leken te concurreren – dat was niets nieuws bij Google. Veel van Google's beste scheppingen, zoals Google News en Gmail, waren vanuit die filosofie ontstaan. Maar de engineers van Android waren gaan geloven dat zij weleens anders konden zijn. Medeoprichter Larry Page was hun beschermheer. Zij genoten voorrechten en faciliteiten die maar weinig andere teams bij Google genoten. En ze vonden dat ze die terecht hadden. Voor hen was het niet alleen dat Rubin met Android was begonnen of de Sidekick had gebouwd, maar ook dat hij vermoedelijk meer wist over mobiele telefoons dan wie dan ook bij Google, misschien wel van heel Silicon Valley.

Hij was nu vierenveertig, maar bouwde al sinds begin jaren

1990 de meest geavanceerde mobiele producten. Het was zijn roeping en beroep. Mensen beschreven zijn huis en zijn kantoor bij Google als iets dat leek op Tony Starks laboratorium in *Iron Man* – een ruimte vol robotarmen, de modernste computers en andere elektronica, en prototypes van verschillende projecten. En zoals zoveel whizzkids in elektronica had hij net zo veel respect voor autoriteit als Tony Stark.

Eind jaren tachtig was hij bij Apple in de problemen gekomen omdat hij het interne telefoonsysteem zo had geherprogrammeerd dat het leek alsof CEO John Sculley boodschappen naar zijn collega's stuurde over aandelen die ze zouden hebben gekregen, volgens het profiel dat John Markoff in 2007 van hem schreef in *The New York Times*. Bij General Magic, een door Apple-medewerkers opgericht bedrijf dat software bouwde voor de eerste draagbare computers, bouwden hij en enkele collega's een vlonder boven hun werkplek om er te kunnen slapen zodat ze door konden werken wanneer dat nodig was. Nadat Microsoft halverwege de jaren negentig zijn volgende werkgever had opgekocht, WebTV, rustte hij een mobiele robot uit met een webcamera en microfoon en liet die door het bedrijf bewegen zonder iemand te vertellen dat hij met het internet was verbonden. De beelden en geluiden die de robot opving, werden wereldwijd uitgezonden totdat Microsoft Security, waar men het niet leuk vond, ontdekte wat er aan de hand was en het ding uitzette. De naam Danger, 'Gevaar', het bedrijf dat de Sidekick maakte, was afgeleid van wat de robot in de tv-serie *Lost in Space* uit de jaren 1960 riep als hij, inderdaad, gevaar rook.[18]

Door die loyaliteit aan Rubin maakte het team zich zorgen over Google's belangenconflict. Waarom zouden ze eigenlijk nog aan Android blijven werken? Apple lag nu duidelijk lichtjaren op hen voor. Google's topmannen stonden daar duidelijk achter. Proberen te concurreren met zowel Apple als het eigen bedrijf met een project dat zo inferieur leek, was tijdverspilling.

'Eerlijk gezegd schiep de iPhone een moreel probleem,' aldus een van de softwareontwikkelaars. 'Sommigen van mijn collega's zeiden echt: "O mijn god, dit is ons eind. Dit is Apple. Dit is de Wederkomst. Wat gaan we nu doen?"'

Rubin en zijn mannen raakten nog gefrustreerder toen Jobs, naar hun mening onterecht, de eer opeiste voor de innovaties die noch hij, noch Apple had ontwikkeld. Jobs was een verbazingwekkende vernieuwer die een ongeëvenaard gevoel had voor het moment waarop een product gelanceerd moest worden, die wist hoe de hardware *en* de software ontworpen moesten worden en inzag hoe hij de consument ernaar kon laten verlangen. Niemand kwam zelfs maar in de buurt van het recordaantal keren dat hij dat had gepresteerd. Het was geniaal. Maar het grootste deel van de technologie in de iPhone had hij niet uitgevonden. Wat Jobs eigenlijk zo succesvol maakte, was juist dat hij nooit de eerste met iets wilde zijn. De geschiedenis van de zakenwereld en de technologie is vergeven van de uitvinders die aan hun vinding nooit een cent hebben verdiend. Jobs begreep dat er altijd een kloof van jaren gaapt tussen een uitvinding en de haalbaarheid als consumentenproduct. Maar toen hij de iPhone aankondigde, brak Jobs met deze gewoonte en verklaarde hij bijvoorbeeld dat de iPhone de 'eerste volledig bruikbare' internetbrowser op een mobiel had.

Voor Rubin en de anderen van het Android-team was dit niet alleen een principiële zaak, het was ook persoonlijk. Hij en zijn team bij Danger dachten dat *zij* vijf jaar eerder, in 2002, de eerste bruikbare internetbrowser op een mobiel hadden ontwikkeld. Rubin is cryptisch, maar duidelijk als je hem hiernaar vraagt: 'Apple is de tweede die de webstandaard heeft aanvaard.' DeSalvo, de softwareontwikkelaar bij Google, zegt het directer: 'Vermoedelijk heeft slechts een van iedere tien van de huidige softwareontwikkelaars ooit van Danger gehoord, maar veel van de dingen die in verband gebracht worden met de moderne smartphone deden wij eerder op de Sidekick.' De Sidekick en niet de iPhone was de eerste waarop je spelletjes kon downloaden. Hij werkte zelfs al met oortelefoontjes. 'We waren duidelijk vijf jaar te vroeg. Als we hem in 2005 hadden gelanceerd, had de wereld aan onze voeten gelegen. Volgens mij krijgen wij niet voldoende eer voor ons werk toentertijd.'

3

Vierentwintig weken, drie dagen en drie uur tot de lancering

Een handjevol engineers van Apple maakte zich al maanden zorgen om de ontwikkeling van Android; ze wisten hoe jaloers Google was op de iPhone. Maar Jobs geloofde in het partnerschap Apple-Google en in zijn relatie met Schmidt en met Google's oprichters Brin en Page. Belangrijker was nog dat Android begin 2007 wel de minste van Apple's zorgen leek. De iPhone moest binnen zes maanden in de winkel liggen en het was volstrekt duidelijk dat Apple ieder uur nodig had om dat te halen.

Het was een enorme opluchting geweest dat Jobs' demo zo goed als foutloos was verlopen. Dat was eigenlijk heel opmerkelijk. Apple had een nauwelijks werkend prototype van de iPhone meegenomen en er met een paar technische kunstgrepen voor gezorgd dat miljoenen er direct een wilden kopen. Maar wat zou er gebeuren als die miljoenen op 29 juni in rijen voor de Apple Stores stonden om er een aan te schaffen? Dan verwachtten ze wel dat hun iPhone net zo foutloos werkte als die van Jobs op het podium. Maar op dit moment, in januari, had Apple niet meer dan enkele tientallen prototypes, die stuk voor stuk door topmannen van

Apple persoonlijk bij de fabriek in Azië waren opgehaald en als handbagage in het vliegtuig waren meegenomen. Transport in het vrachtruim en dagelijks gebruik zouden ze niet hebben doorstaan. 'We moesten zien te bedenken hoe we de iPhone in massaproductie konden nemen,' aldus Borchers, toen hoofd marketing van de iPhone. Iedereen kan honderd exemplaren van iets maken, maar een miljoen stuks is een heel ander verhaal. 'Hoe bouw je en test je bijvoorbeeld antennes? Ieder toestel dat van de lopende band kwam, moest getest en beoordeeld worden omdat de wijze waarop antennes aan een lopende band in elkaar worden gezet, erg variabel is. Dat heeft invloed op de kwaliteit van de ontvangst.' Apple was er zo op gebrand dat niets aan het toeval overgelaten werd, dat het in het hoofdkwartier zijn eigen proefopstelling ontwierp en bouwde om dergelijke zaken aan te pakken. 'Daarna haalden we Foxconn [Apple's productiepartner in Azië] erbij en zeiden: "Maak dit [de opstelling] vijfhonderd keer na of hoeveel je er nodig hebt om ze [de smartphones] te gaan produceren".'

En het was niet alleen een kwestie van het verfijnen en produceren van onderdelen die goed werkten. Hoofdkenmerken van de iPhone waren nog lang niet volmaakt. Er waren problemen met het geheugen, en het virtuele toetsenbord, nu al een van de meest controversiële features, werkte nog steeds niet goed. Het aanraken van de letter *e*, de meest gebruikte letter van het alfabet, zorgde er vaak voor dat andere letters op het scherm verschenen. En de letters die werden ingetikt, verschenen niet direct op het scherm, maar na een korte, irritante vertraging. Steve Ballmer, CEO van Microsoft, was een van de velen die de iPhone een mislukt product noemden vanwege die haperingen van het toetsenbord. En ook topmannen van Apple maakten zich zorgen. Ze voelden zich met het gebruik van dit toetsenbord niet op hun gemak. 'Iedereen was bang om iets aan te raken dat geen fysieke feedback gaf,' zei een van de executives. Maar Jobs was op dit punt onverzettelijk. 'Steve's beweegreden was precies wat hij op het podium had gezegd. "Je maakt er toetsen aan vast en dan heb je vaste toetsen die het niet met iedere app doen. Erger nog, daar heb je dan de helft van je scherm, je voornaamste bezit, voor opgeofferd." Dus begreep iedereen dat het ongelooflijk belangrijk was om dit in orde te krijgen, een soort erop-of-eronder-ding.'

Ook het scherm van de iPhone moest helemaal opnieuw worden ontwikkeld. Jobs had dan wel verordonneerd dat het van glas moest zijn en niet van plastic en had het voorgaande najaar een leverancier gevonden, maar het was niet zo simpel dat het ene scherm gewoon kon worden ingeruild voor het andere. Corning leverde het glas, maar dat was nog maar de eerste van heel veel stappen om er een werkend touchscreen voor een iPhone van te maken. De multitouchsensoren moesten in het glas worden aangebracht, niet er alleen maar op geplakt, om correct te werken. Maar het proces van inbrengen in glas is heel anders dan in plastic. Glas is ook zwaarder en de ontwerpers hadden dus een ander soort lijm nodig om het op zijn plaats te houden. Apple moest opnieuw uitvinden hoe alle toetsen werken op een mobiel die met een stijver materiaal is uitgerust (glas buigt niet door zoals plastic) en moest het hele toestel opnieuw uitbalanceren vanwege het verschil in gewicht. 'Het was een heel, heel grote klus,' aldus een executive die erbij betrokken was. 'Volgens mij heeft Jeff Williams [Apple's hoofd fabricage] iedere glassnijmachine in China gevonden om ervoor te zorgen dat het gebeurde.'

Ten slotte moest Apple de eigen testprotocollen voor het telefoneren uitvinden om ervoor te zorgen dat de iPhone in AT&T's netwerk werd opgenomen. Mobielproducenten laten dit gewoonlijk aan de providers over, maar Apple wilde zelf over de data beschikken voor het geval er later klachten kwamen over de kwaliteit van de verbinding van het toestel. Het bedrijf hield het niet voor onmogelijk dat AT&T de zelf verzamelde data zou gebruiken om verbindingsproblemen af te kunnen schuiven op de iPhone, als ze grotendeels door het netwerk werden veroorzaakt. Apple wilde over een manier beschikken om die beschuldiging te weerleggen, vertelde Borchers. 'Dus laadden we telefoons en computers in mijn VW Jetta en reden rondjes op zoek naar plekken waar gesprekken plotseling werden afgebroken,' aldus Shuvo Chatterjee, softwareontwerper bij Apple die aan het besturingssysteem iOS gewerkt heeft. De mobiels waren geprogrammeerd om met zekere tussenpozen automatisch bepaalde nummers te draaien, en de computers moesten de resultaten meten.

'Nu bezit Apple hiervoor een heel procedé, met speciale bestelwagens, maar toen bouwden we zo'n proces tijdens het werken op in termen van wat er getest moest gaan worden,' aldus Chatterjee. 'Soms ging het van: bij Scott [Forstall] werd de verbinding verbroken, ga uitzoeken wat er aan de hand is. Dan reden we langs zijn huis en probeerden te bepalen of er een plek zonder ontvangst was. Dat gebeurde ook bij Steve. Een paar keer reden we zo vaak langs hun huizen dat we bang waren dat de buren de politie zouden gaan bellen.'

Uiteindelijk was het Borchers die de meeste van deze zaken moest gaan coördineren en managen. Als hoofd productmarketing van de iPhone waren hij en zijn team in feite de managers van het iPhone-project en hielpen ze Jobs bij het coördineren en in goede banen leiden van het werk van de verschillende teams voordat ze een compleet marketingplan hadden gemaakt. Zij waren zelf technici – Borchers had zijn bachelors mechanica gehaald aan Stanford en zijn masters aan MIT – maar wat ze vooral goed konden, was het uitleggen van iets technisch ingewikkelds in lekentaal. Als een functie niet makkelijk kon worden uitgelegd, dan was het Borchers' taak om te vragen waarom het eigenlijk belangrijk was voor het project. 'Wij hielpen het DNA van het product te bepalen, koesterden dat DNA tijdens het ontwikkelingsproces en vertaalden het dan in de boodschap waarmee het product van ons naar de klant gaat,' zo drukte hij het uit. 'We waren dus heel nauw betrokken bij welke features erin zouden zitten en hoe [de iPhone] eruit zou gaan zien.'

Veel klanten brengen Borchers net zozeer in verband met de iPhone als Steve Jobs, omdat hij de man is in de veelbekeken instructievideo. Niemand had ooit eerder een toestel gezien als de iPhone en Apple wilde er zeker van zijn dat de eerste gebruikers niet van hun stuk zouden zijn gebracht door een mobieltje met slechts één knop, naast die voor aan/uit, hard/zacht en stil/beltoon. Als een van de voorbereidingen voor de lancering had Borchers gepland om een video van een halfuur te maken waarin Jobs de klanten in detail uitlegt hoe ze de iPhone moesten gebruiken. Maar op het laatste moment zei Jobs dat Borchers het zelf maar moest doen. 'We hadden voor Steve een studio gebouwd [op de begane grond] in Gebouw 1 zodat hij alleen maar naar beneden hoefde te komen [van de derde verdieping], een opname kon laten maken en weer aan het werk kon gaan. Maar ik denk dat hij besefte dat het ontzettend veel tijd zou gaan kosten. Dus toen ben ik een maand bezig geweest met het maken van opnames en het oefenen in de make-up, ik schoor me twee keer per dag en droeg een van Steve's zwarte coltruien.' Die trui hangt nu achter plexiglas aan de muur van zijn kantoor bij Opus Capital, de durfkapitaalfirma waar hij werkt sinds hij Apple in 2009 verliet. 'Zo'n coltrui kun je nergens vinden, vandaar dat die veiligheidsspelden erin zitten. Die deden ze aan de achterkant zodat hij me paste omdat ik [met 1,72 m] kleiner ben dan Steve [die 1,94 m was].'

Borchers was in 2003 bij Apple gekomen na drie jaar Nike en vier jaar Nokia, toen dat nog de dominante mobielproducent van de wereld was. Hij was speciaal aangenomen om de iPod interessant te maken voor autofabrikanten als BMW en om accessoires te ontwikkelen met bedrijven als zijn voormalige werkgever Nike. Toen Apple eind 2004 besloot de iPhone te gaan maken, was hij een van de eerste drie topmannen die voor het project werden gevraagd. Enkele directeuren van Apple kenden hem al omdat hij in 2002 gesolliciteerd had naar een hogere baan bij Apple, maar Jobs besloot toen op het allerlaatste moment dat hij iemand van binnen het bedrijf wilde hebben. 'Ik herinner me dat ik in een vergaderzaal zat en Steve binnenkwam, een blik op mijn cv wierp en vroeg: "Waarom ben je zelfs maar in de verte gekwalificeerd voor deze baan?" Tien minuten later zei hij: "Oké, ik heb gehoord wat ik wilde weten." Ik dacht: nou, goed dan. Ik heb tenminste Steve even gesproken.'

Die afwijzing bleek een zegen. Borchers kwam een jaar later een stapje lager in de organisatie binnen, won het jaar daarop Jobs' vertrouwen en was daarna helemaal op zijn plaats bij de iPhone vanwege zijn achtergrond bij Nokia. 'En zo werd ik dus aan het einde van 2004 een van de eerste marketingmensen van de iPhone.'

Zijn baan gaf hem een breed inzicht in alle aspecten van het iPhone-project. Maar met zevenenveertig jaar kreeg hij ook meer verantwoordelijkheid dan hij ooit eerder in zijn leven had gehad. Hij zou de belangrijkste executive worden bij iedere presentatie van de iPhone en hij schreef mee aan de meeste van Jobs' teksten die tijdens de presentatie op het grote scherm werden vertoond. En samen met Jobs en Phil Schiller, Apple's hoofd global marketing, zou hij verantwoordelijk worden voor ieder stukje reclame en pr dat met de smartphone samenhing. Maar het betekende ook dat Borchers aan het einde van de Macworld 2007 vermoeider was dan hij ooit voor mogelijk had kunnen houden.

Borchers was een van de verantwoordelijke executives voor alles wat Apple op de Macworld deed en nadat hij tot en met dat weekeinde twaalf uur of meer in het congrescentrum had gezeten, kon hij eindelijk met de auto van San Francisco naar zijn huis in Pleasanton. De donderdag daarvoor was hij met alle vierentwintig demo-iPhones – in plastic zakken in twee dozen met kartonnen tussenschotten, zoals voor flessen drank – in de kofferbak van zijn Acura naar het congrescentrum gereden. En vrijdagavond reed hij er weer mee terug. Achter hem reed beide keren iemand van Apple's beveiliging terwijl hij zich afvroeg hoe het met zijn carrière bij Apple zou aflopen als hij nu werd aangehouden of een auto-ongeluk kreeg. Er waren verder geen iPhones, dus als hij met zijn auto het water inreed of de wagen in brand vloog, was er geen smartphone om te onthullen. 'Ik reed ermee de kelder van het [congrescentrum] Moscone in en droeg ze naar een speciale, afgesloten ruimte die we hadden gebouwd waar technici zaten te wachten om ze uit te pakken en ze te testen voor wat wel de vijfenzestigste keer die dag leek.'

Tussen deze twee ongelooflijk spannende ritten was Borchers de dirigent van alles wat Apple tijdens de Macworld deed. Hij was verantwoordelijk voor het plannen van de repetities, zorgde ervoor dat de juiste mensen met de juiste apparatuur er op het juiste moment waren, en zorgde ervoor dat er voldoende beveiliging was zodat er geen foto's van de iPhone konden uitlekken. Hij had het zo druk dat hij de keynote niet eens live kon zien. Terwijl Jobs sprak, installeerde Borchers iPhones in ronddraaiende vitrines van plexiglas in de expositieruimte en verzekerde hij zich ervan dat degenen die Apple had ingehuurd om demonstraties met het toestel te geven, er ook daadwerkelijk een hadden.

Het was pas op de ochtend na thuiskomst in Pleasanton dat Borchers besefte wat een lange zes dagen het waren geweest. Hij had de nacht voor de onthulling op dinsdag in een hotel in dezelfde straat als Moscone in San Francisco doorgebracht, maar hij was vergeten uit te checken en hij had zijn bagage in zijn kamer laten staan.

De iPhone klaar zien te krijgen voor verkoop was niet het enige waar Jobs en Apple begin 2007 mee worstelden. Voor de fabricage van de iPhone had Jobs twee van zijn topmannen – Scott Forstall en Tony Fadell – tegen elkaar opgezet om te zien wie met het beste product zou komen. En de gevolgen van dat twee jaar durende gevecht golfden nu door het bedrijf. Het was een smerige oorlog geweest met wederzijdse beschuldigingen van sabotage en verraad, waarin vrienden tegenover elkaar kwamen te staan. Veel mensen aan beide kanten kregen het gevoel dat Apple niet langer het bedrijf was waar ze waren komen werken. In plaats van de underdog van de tegencultuur was het nu verworden, vonden ze, tot een zielloze winstmachine met een bedrijfsbeleid in IBM-stijl. Er zit geen deugdzaamheid in een bedrijf dat worstelt om het hoofd boven water te houden, zoals Apple zo lang was geweest, en de slinkende reserves van een bedrijf dat bankroet dreigt te gaan, zoals Apple was toen Jobs in 1997 terugkeerde, schiepen een heel eigen soort slangenkuilbeleid. Maar de meeste medewerkers van Apple in 2007 werkten daar toen nog niet. Apple was dan wel in 1976 opgericht, voor de meeste medewerkers leek het alsof het leed aan de groeipijnen van een tien jaar oud, en niet een dertig jaar oud bedrijf. Tussen 2002 en 2007 was het aantal medewerkers verdubbeld tot twintigduizend. Sommige mensen geloven dat de spanningen met Forstall ervoor heeft gezorgd dat Fadell na drie jaar aftrad, maar Fadell ontkent dit stellig. Hij zegt dat zijn vrouw, die in HR werkte, en hijzelf vertrokken om meer tijd met hun jonge kinderen door te brengen, ondanks de inspanningen van Jobs om ze te laten blijven. Ze lieten miljoenen dollars achter. Hoe dan ook, de iPhone bracht Apple ongekend succes. Niet alleen werd het een cultuuricoon, ook levert de iPhone alleen al Apple meer winst op dan Microsoft Corporation in zijn geheel maakt. En Apple is, grotendeels dankzij het werk van Forstall, enige tijd het waardevolste bedrijf ter wereld geweest.

Maar Forstall was in zijn pogingen om Fadell te verslaan zo agressief te werk gegaan, dat hij mensen had afgeschrikt.[1] Velen vroegen zich af of er iets was dat Forstall niet zou doen om hogerop te komen. Uiteindelijk ontsloeg Apple-CEO Tim Cook hem in 2012. Maar in 2007 leek het alsof hij er eeuwig zou blijven zitten en toen hij in dat jaar de leiding kreeg over alle software voor de iPhone, volgde een grote uittocht van talent. Zij die bleven, zouden getuige worden van Forstalls ongebreidelde ambitie. Zelfs zijn aanhangers geven toe dat hij, voordat hij Apple verliet, het cliché geworden was van een ongenaakbare baas – iemand die de eer opeist van de goede prestaties van zijn ondergeschikten, maar hen al heel snel de schuld van zijn eigen stommiteiten in de schoenen schuift. Toen Jobs nog leefde, maakte Forstall zijn collega's gek met zijn schijnheilige kritiek van 'Steve zou dat niet goed vinden', en hij maakte er geen geheim van dat hij zichzelf als toekomstige CEO van Apple zag. In 2012 meldde *Businessweek* dat hoofdontwerper Jony Ive en hoofd productie Bob Mansfield Forstall zo wantrouwden, dat ze weigerden met hem te praten als CEO Tim Cook er niet bij zat. En ik heb gehoord dat dat ook gold voor iTunes-baas Eddy Cue.

Het was niet zo schokkend om te zien dat Jobs twee topmannen tegen elkaar opzette – hij was bekend om zijn machiavellistische trekjes. Maar het was ronduit verrassend dat Jobs het gevecht zo lang liet duren en dat er zo veel mensen bij Apple door werden getroffen.

'Het was ongelooflijk destructief,' zei een executive. 'Volgens mij was Steve geweldig geweest in de tijd van de oude Romeinen, toen je kon gaan kijken hoe mensen voor de leeuwen werden gegooid en verscheurd. Hij speelde ze [Fadell en Forstall] tegen elkaar uit. Eerst was Tony een tijdje de ster, toen Forstall, toen weer Tony, toen weer Forstall. Het werd een circus. Herinner je je *Spy vs. Spy* [een stripverhaal in de jaren 1970, waarin een witte spion (de Verenigde Staten) het opnam tegen een zwarte (de Sovjet-Unie)] in het blad *Mad*? Daar leek het op – komisch, als er niet zo veel tijd aan op was gegaan.' Een andere executive maakte vreemd genoeg dezelfde vergelijking. 'De eerste keer dat ik [de film] *Gladiator* [in 2007] zag, zei ik tegen mijn man: dit komt me bekend voor,' vertelde ze. (Forstall wilde voor dit boek niet geïnterviewd worden, maar Fadell stopt zijn gevoelens niet onder stoelen of banken. Nadat Apple Forstall eruit had gezet, zei Fadell tegen de BBC: 'Scott heeft gekregen wat hij verdient.')[2]

Achteraf vonden velen bij Apple dat het geen eerlijk gevecht was geweest. Fadells specialisatie was hardware en die van Forstall was software, waardoor hij automatisch een voorsprong had omdat Jobs, zoals iedereen bij Apple wist, veel meer belangstelling had voor de software en het industriële ontwerp van Apple-producten dan voor wat er concreet in zat. Maar tijdens het gevecht was het in het geheel niet duidelijk hoe het zou gaan aflopen.

Grignon weet uit de eerste hand hoe vreselijk de strijd tussen Forstall en Fadell was. Hij kwam er middenin te zitten en kreeg ten slotte het gevoel dat er van twee kanten aan hem werd getrokken. Zelfs al voor er aan de iPhone werd gewerkt, voelde Grignon dat tussen de twee topmannen spanningen sluimerden. In 2004 probeerde Forstall hem ervan te weerhouden over te stappen naar Fadells afdeling. Grignon had toen drie jaar voor Forstall gewerkt aan het bouwen van producten genaamd Dashboard en iChat. Hij dacht dat ze fatsoenlijke collega's waren. In de weekeinden gingen ze samen bergbeklimmen. Maar toen Fadell hem een betere betrekking binnen Apple aanbood, deed Forstall alle mogelijke moeite om hem tegen te houden. Hij zei tegen Grignon diens beslissing te steunen om naar een andere afdeling te gaan. Maar achter zijn rug om ging hij naar Jobs om hem tegen te houden. 'En hij maakte er bij Steve zo'n punt van, dat Steve zich daadwerkelijk ging bemoeien met mijn overgang naar Tony's afdeling. Hij riep Forstall [en nog enkele topmannen] bij elkaar in een kamer en snoerde iedereen de mond met zijn beslissing. "Oké, je [Fadell] kunt Andy krijgen en verder niemand. Verder gaat niemand van software [onder Forstall] naar iPod [onder Fadell]." Toen begonnen de vijandigheden tussen die twee pas echt.'

Het gevecht leek wel een godsdienstoorlog. Toen begonnen werd met de ontwikkeling van de iPhone, zette Forstall een ingewikkelde geheime organisatie op voor het project. Die was zo geheim dat het een tijdje niet eens duidelijk was of Fadell er wel van afwist. Vanuit zijn kantoor op de eerste verdieping van het gebouw aan Infinite Loop nummer 2 op Apple's campus begon Forstall een paar van de beste programmeurs van het bedrijf naar zich toe te halen en steeds meer delen van het gebouw af te sluiten. 'Als je in het weekeinde werkte, dan zag je bouwploegen binnenkomen die overal muren neerzetten, veiligheidsdeuren plaatsten... van alles... zodat er maandag weer een afgesloten deel bij was. Als je eraan terugdenkt, is het bijna lachwekkend,' aldus Shuvo Chatterjee. 'Terwijl zij verbouwden, moesten sommigen van ons iedere twee maanden een nieuw plekje zoeken. Een tijdlang hield ik mijn spullen in een paar dozen omdat ik wist dat ik ze, als ik ze zou uitpakken, meteen weer kon inpakken om te verhuizen.'

'Het werd een doolhof,' aldus Nitin Ganatra. 'Je deed een deur open en de deur achter je viel in het slot. Het was op sommige manieren nogal Sarah Winchester-achtig,' naar de erfgename van de wapenfabrikant die constant aan haar huis in Californië liet bouwen; het huis met al zijn doodlopende trappen en gangen is nu een toeristische attractie.

Officieel werd het iPhone-project geleid door Fadell. Fadell had de leiding over de iPod-afdeling en het leek logisch dat het bouwen van de iPhone benaderd kon worden door uit te gaan van de iPod. Forstall dacht daar anders over en had een veel gedurfder idee: verzin een manier om de software die op een Mac loopt, in te krimpen en stop die in een mobiel. 'We dachten allemaal dat de iPhone zou lopen op een versie van de software die we hadden ontworpen voor P1 [het eerste prototype van de iPod],' aldus een van Fadells softwareontwikkelaars van de iPhone. 'Maar compleet parallel hieraan was Forstall met zijn team bezig aan een versie van OS X voor de smartphone. Wij wisten dat niet.'

Jobs wilde dat OS X in zijn mobiel zat, hij dacht alleen dat dat niet mogelijk was. Toen het team van Forstall er toch in slaagde, kreeg de laatste de leiding over het hele iPhone-project. 'Er is bij Apple geen hardware-softwareman,' aldus een andere softwareontwikkelaar voor de iPhone. 'Dat is voor veel mensen in de geschiedenis van Apple een punt van rivaliteit geweest. Hardwaremannen denken dat ze software snappen en softwaremannen denken dat ze hardware snappen. Steve wilde er echter niets van weten [van strijd tussen zijn executives]. Dus als Scott zei: "Hé Steve, er zit een fantastisch softwareteam op Tony's afdeling en dat wil ik hebben," dan zei Steve: "Ja, natuurlijk, jij bent de softwareman. Zij doen software, dus ze zouden in jouw team moeten zitten".' Toen de iPhone midden 2007 in de winkel kwam, had Forstall zo goed als alle softwareontwikkelaars onder zich die eraan gewerkt hadden. En toen Apple een paar maanden later de iPod Touch lanceerde, had hij daar ook de leiding.

Fadell begon later Nest, een bedrijf dat een mooie, sterke en makkelijk te gebruiken thermostaat voor in huis maakt. Niet verrassend is dat design en software iets weg hebben van die van een Apple-product. Het is een van de nieuwe bedrijven in Silicon Valley waarover het meest wordt gepraat. Maar vriend en vijand hebben het nog steeds over zijn gevecht met Forstall alsof het gisteren is gebeurd.

Fadell was echt Apple's eerste ster van Jobs' tweede periode bij het bedrijf. Hij was tweeëndertig toen hij bij Apple kwam en wist toen alleen dat hij aan een of ander geheim project ging werken waar juist hij geschikt voor was. Vier jaar later had hij de leiding van de iPod-afdeling en was hij een van de machtigste mannen bij Apple. In het najaar van 2006 was de iPod verantwoordelijk voor de helft van Apple's omzet van 19 miljard dollar. En het marktaandeel van alle muziekspelers leek met ruim 70 procent onaantastbaar. Apple verkocht ook meer Macs, maar die bedroegen minder dan 10 procent van alle verkochte PC's. Het succes van de iPod had van Jobs alweer een zakenicoon gemaakt.[3]

Fadell was in 2001 precies wat Apple nodig had. Hij was jong, onbeschaamd en slim en behoorde al vijftien jaar tot de allergeavanceerdste softwareontwikkelaars in de Valley. Hij zei eens tegen een verslaggever dat hij in de gevangenis was beland als hij niet de computer zou hebben ontdekt. Soms verscheen hij op zijn werk met gebleekt haar. En hij kon zijn mond niet houden als hij werk of ideeën zag die onder de maat waren. Na college werkte hij eerst voor General Magic, een bedrijf dat door Bill Atkinson en Andy Hertzfeld begin jaren negentig was opgericht nadat ze bij Apple waren weggevlucht, in de hoop dat zij de eerste software speciaal voor mobiele apparaten zouden kunnen ontwikkelen. Het project mislukte en Fadell kwam bij de Nederlandse elektronicagigant Philips terecht, waar hij algauw de jongste topman ooit was. Hij leidde de nieuwe groep draagbare computers en ontwikkelde er enkele palmtops (de Velo en de Nino) die redelijk verkochten. Daar begreep hij wat de macht kon zijn van digitale muziek op draagbare apparatuur.

Fadell stond op het punt zijn eigen bedrijf te beginnen

toen Apple's directeur hardware engineering Jon Rubinstein hem belde en probeerde hem over te halen een baan aan te nemen waarover hij, tot Fadells verbijstering, niets mocht zeggen. Volgens Steven Levy's boek *The Perfect Thing* nam Fadell het gesprek in januari aan op een skihelling in Colorado en zei hij direct dat hij belangstelling had. Volgens Levy was hij sinds zijn twaalfde idolaat van Apple. Dat was in 1981, toen hij een hele zomer caddy was geweest en hij met de opbrengst van dit zomerbaantje een Apple II kon kopen. Enkele weken na Rubinsteins telefoontje meldde Fadell zich bij Apple en kwam er toen pas achter dat hij aangenomen was als deskundige om mee te werken aan de eerste iPod.

Fadells opkomst binnen het bedrijf had Forstall nooit lekker gezeten, aldus Grignon en anderen. Tot de komst van Fadell bij Apple bestond Jobs' kringetje uit mensen met wie hij minstens vanaf zijn terugkomst in 1997 nauw had samengewerkt, en in sommige gevallen uit zijn tijd bij NeXT, het computerbedrijf dat hij had opgericht nadat hij in 1985 uit Apple was gezet. Forstall werkte al langer met Jobs samen dan de andere topmannen. Nadat hij in 1990 aan Stanford was afgestudeerd, was hij bij NeXT terechtgekomen. Toch maakte hij lange tijd geen deel uit van het kringetje intimi van Jobs, en Fadell wel. En Fadell, die even oud was als Forstall, steeg veel sneller binnen de bedrijfshiërarchie dan hij. Fadell kwam aan het hoofd van de iPod-afdeling, die de helft van Apple's inkomsten genereerde. Forstall had de leiding over de applicatiesoftware die op de Mac zat – dingen als Address Book (Contacten), Mail, Safari en Photo Booth.

Maar toen ontstond tussen Forstall en Jobs een andere band. Dat was in 2003-2004 en volgens collega's kwam dat doordat Forstall aan een serieuze maagkwaal leed rond de tijd dat Jobs voor de eerste keer te horen kreeg dat hij alvleesklierkanker had. Jobs, die eerst probeerde zijn eigen ziekte te genezen met een dieet, ontwikkelde er ook een voor Forstall, die erdoor leek te genezen. Daarna, aldus Grignon, kwam Forstall steeds vaker naar Jobs' stafvergaderingen op maandagochtend. Normaal gesproken zou Forstall nooit iets hebben geweten over het iPhone-project; hij was gewoon niet hoog genoeg. 'Dus zodra hij via die gesprekken binnen dat kringetje ontdekte dat Jobs een mobiele telefoon wilde bouwen, begon hij zich erin te dringen,' aldus Grignon.

Er kon geen groter verschil zijn dan tussen Fadell en Forstall. Forstall was minzaam en onderhoudend en had Jobs' flair voor het dramatische gebaar – op highschool had hij al belangstelling voor computers, maar hij had ook toneellessen gevolgd. Zelfs toen, zeggen zijn voormalige klasgenoten, was al duidelijk hoe ambitieus en vastbesloten hij was. *Businessweek* drukte het in 2012 als volgt uit: 'Op vele wijzen is Forstall een mini-Steve. Hij is een energieke manager die bezeten is van ieder detail. Hij kan net als Jobs technisch, op een feature toegesneden jargon vertalen in gewoon Engels. Bekend is dat hij een voorliefde heeft voor de zilverkleurige Mercedes-Benz SL55 AMG, dezelfde auto als waar Jobs in reed, en zelfs draagt hij diens kenmerkende podiumkostuum: zwarte schoenen, jeans en een zwarte trui met ritssluiting.'[4]

Twee jaar lang vochten Forstall en Fadell om alles en dwongen ze Jobs vaak om onenigheid over de onbenulligste dingen op te lossen. Nitin Ganatra, die voor Forstall werkte, vertelde over een moment in 2006 toen Jobs moest beslissen welke *boot loader* in de iPhone zou worden gebruikt. Dat lijkt op programmeurstaal en dat is het ook. De boot loader is het eerste stuk software waarmee een computer werkt. Hij zegt de processor om de disk te zoeken en op te starten waarop de software staat. 'Wij hadden zoiets van: waarom moet Steve erbij komen en een beslissing nemen over zo'n onbenullig iets? Kunnen Scott en Tony dat echt niet zelf uitzoeken?'

Een andere softwareontwerper, die voor Fadell werkte, drukt zijn frustraties met die ruzie wat botter uit. 'Twee jaar heb ik tijdens Thanksgiving, Kerstmis en Nieuwjaar doorgewerkt – idiote uren gemaakt – en het was vreselijk zwaar om ook nog eens in die politieke rotzooi te moeten zitten.'

Ondanks de vetes en de meedogenloze druk van de deadline bleef de iPhone – opmerkelijk genoeg – op schema voor de lancering op 29 juni. En toen hij op de laatste vrijdag van de maand dan toch in de winkel lag, was het wereldwijd een nieuwsitem alsof Elvis Presley of John Lennon uit de dood was opgestaan. In heel de VS kampeerden reportageteams voor Apple Stores om verslag te doen van het spektakel dat lange rijen gretige klanten uren voor de opening van de winkels bood. Tijdens een live-uitzending van FOX News voor de Apple Store in New York op de hoek van 59th Street en Fifth Avenue stapte iemand die wel heel graag aandacht wilde, voor de camera en greep de microfoon terwijl verslaggeefster Laura Ingle midden in een zin was. Het leek wel gepland, maar was het niet, omdat ze op dat moment Steven Levy van *Newsweek* interviewde, een van de vier journalisten wereldwijd die een exemplaar ter beoordeling hadden ontvangen voordat het toestel in de winkel lag, zodat ze er direct na de lancering over konden publiceren. Voordat de man de microfoon greep, had Ingle het item voor haar publiek opgebouwd en zei nu, hardop fluisterend: 'Ik wil geen chaos veroorzaken, maar hij heeft er één... We zullen nu vermoedelijk wel wat beveiliging kunnen gebruiken hier, maar laat zien wat je hebt.'[5]

Levy schreef er ongeveer een maand later over in een column in *Newsweek*. 'Geschokt maar ongehavend begonnen we opnieuw. Het werd nog beangstigender. Mensen drongen steeds verder op, vingers strekten zich in Michelangelo-stijl naar het toestel uit. Later waarschuwde een productieassistent me dat ik tot aanvang van de verkoop om 6 uur een bodyguard moest hebben. Ik haalde zonder sterke man naast me het einde van de dag, maar het verschijnsel verbaast me nog altijd. Twee weken lang nam een apparaatje zijn plaats in tussen Irak en Paris Hilton als een overheersend nieuwsfeit.'[6]

In de eerste drie dagen dat de iPhone te koop was, verkocht Apple er tweehonderdzeventigduizend. In de zes maanden daarna verkochten ze er nog eens drieënhalf miljoen, wat velen tot de conclusie bracht dat Apple de industrie van mobiele telefoons voorgoed had veranderd.

Terugkijkend lijkt de lancering van de iPhone een nog opmerkelijker prestatie dan op het moment zelf. Ondanks het revolutionaire design en de revolutionaire features was er ook heel veel verkeerd aan. Met 499 dollar voor het basismodel was hij te duur. Zo goed als iedere andere smartphone kostte ongeveer de helft. Klanten kregen de vrijheid om van provider te veranderen en op ieder moment hun abonnement op te zeggen in ruil voor dat veel hogere aankoopbedrag voor de iPhone. Andere, goedkopere mobiels kwamen met abonnementen waardoor je twee jaar aan je provider vast zat. Maar was die flexibiliteit wel 250 dollar of meer waard? De meeste mensen vonden van niet.[7]

De iPhone maakte gebruik van het 2G-netwerk, het trage netwerk van de tweede generatie, terwijl de meeste betere mobiels het nieuwe en veel snellere 3G-netwerk gebruikten. Het maken van de iPhone had zo lang geduurd dat de chips voor 3G er gewoon nog niet waren ten tijde van het ontwerp. De meeste van deze telefoons hadden GPS, de iPhone niet. De meeste mobiels hadden vervangbare batterijen en een uitbreidbaar geheugen, de iPhone had geen van beide. De iPhone kon geen video's laten zien die gemaakt waren met de Adobe Flash-technologie, wat in die tijd leek neer te komen op iedere video, behalve die op YouTube. YouTube gebruikte Flash om video's te streamen naar desktops en laptops, maar een andere technologie die minder bandbreedte in beslag nam om naar mobiele apparaten te streamen. De meeste bedrijven hadden niet het geld of de technologische vaardigheid van Google om dat toen ook te doen.

Schijnbaar voor de hand liggende features als zoeken in je adresboek, een tekst kopiëren en plakken of het gebruik van foto- of videocamera ontbraken ook in de eerste iPhone. Critici wezen op deze tekortkomingen alsof Apple er niet eens aan had gedacht. Het probleem was echter veel simpeler: Apple had gewoon geen tijd gehad om ze er allemaal in te stoppen. 'Er waren momenten dat we zeiden: jee, dit is echt beschamend,' aldus Grignon. 'Maar dan moesten we wel zeggen: oké, dan wordt het maar beschamend. Maar ze moeten de winkel in. Zelfs al is het een stom, klein, makkelijk te maken dingetje, we moeten prioriteiten stellen en alleen die dingen herstellen die het allerergst zijn.'

En er was geen app store en er waren ook geen plannen om die te maken. De App Store die Apple pas in 2008 onthulde (en alleen door Apple met hoofdletters wordt geschreven), bleek net zo belangrijk voor het succes van de iPhone als de smartphone zelf. Het levert per jaar 4,5 miljard dollar omzet op voor softwareontwikkelaars en 1,9 miljard dollar voor Apple.[8] Het is een van de motoren achter de laatste *boom* in Silicon Valley. Maar Jobs was, net als de rest van Apple, zo gericht op het verkoopklaar maken van het toestel, dat hij in het begin de mogelijkheden niet eens zag. 'Ik herinner me dat ik Steve vroeg wat hij met de iPhone wilde bereiken,' vertelde Borchers. 'Hij zei dat hij een mobiel wilde maken waar mensen verliefd op konden worden. Het was niet: laten we XYZ radicaal veranderen. Het was: laten we eens bedenken hoe we iets cools kunnen bouwen. Als ze er verliefd op worden, dan kunnen we uitzoeken wat ze ermee willen doen. Toen we de iPhone lanceerden, noemden we het een revolutionaire telefoon, de beste iPod die ooit was gemaakt en een internetcommunicatietoestel. Maar we hadden geen idee wat een internetcommunicatietoestel eigenlijk was.'

Jobs begreep waarom consumenten de iPhone zouden beschouwen als een Mac voor in je broekzak. Per slot van rekening zat er OS X op. Maar tegelijkertijd haatte hij het idee dat de klanten de iPhone zo zouden zien. Computers zijn dingen waar software op draait die door programmeurs overal ter wereld wordt geschreven – buiten Apple. Hij wilde niet dat de iPhone zoiets zou worden. Toen programmeurs na de lancering om toestemming kwamen vragen om programma's voor de iPhone te maken, zei Jobs luid en duidelijk nee. 'Je wilt niet dat je mobiel op een PC lijkt,' zei hij direct na de onthulling tegen John Markoff van *The New York Times*. 'Het laatste wat je wilt is dat je drie apps op je mobiel hebt gedownload en dan iemand wilt bellen en hij niet meer werkt. Deze lijken meer op iPods dan op computers.'[9]

Maar de iPhone had zo veel nieuwe coole features, dat de klanten de tekortkomingen over het hoofd zagen. Het was niet alleen dat de iPhone een nieuw soort touchscreen had, of dat de verfijndste software erop draaide die ooit in een telefoon was gestopt, of dat hij een internetbrowser bezat die niet haperde, of dat de voicemailberichten in willekeurige volgorde afgeluisterd konden worden, of dat hij Google Maps draaide en YouTube, of dat hij muziekspeler en filmspeler en camera tegelijk was. Het bijzondere was dat het leek alsof hij al deze dingen goed en mooi op hetzelfde moment deed. Vreemden spraken je overal aan en vroegen of ze hem mochten aanraken – alsof je net de mooiste sportauto ter wereld had gekocht. Het touchscreen werkte zo goed, dat apparaten die al zo lang integraal deel uitmaakten van de computerervaring – muis, trackpad, stylus – er nu ineens armoedig uitzagen. Het leken slechte plaatsvervangers voor wat we allang hadden moeten kunnen: wijzen en klikken met onze vingers in plaats van een afgeleide daarvan. En dit alles kon niet alleen gebruikers bekoren, maar ook aandeelhouders. Een jaar nadat Jobs de iPhone had onthuld, was Apple's aandelenkoers verdubbeld.

Apple creëerde de hype natuurlijk ook zelf en profiteerde er toen ten volle van.[10] Op de dag van de lancering stuurde het bedrijf leidinggevenden naar verschillende winkels in grote steden om er getuige van te zijn en de menigte op te zwepen. Phil Schiller, hoofd Global Marketing, ging naar Chicago, Jony Ive en zijn team ontwerpers gingen naar San Francisco.

De winkel waar Steve Jobs naartoe ging, was natuurlijk die in het centrum van Palo Alto op de hoek van University Avenue en Kipling Street.[11] Dat was 2,5 km van zijn huis en hij liep daar vaak onaangekondigd binnen als hij in de stad was. De echte techneuten waren er al toen hij arriveerde. Apple's medeoprichter Steve Wozniak en Apple-mannen van het eerste uur Bill Atkinson en Andy Hertzfeld stonden al in de rij.

Maar het leek ook alsof Steve Jobs nog iets had recht te zetten, aldus een van de softwareontwikkelaars die erbij was, samen met Grignon en heel veel anderen die aan het project gewerkt hadden, onder wie Fadell en Forstall. 'Dus het is een reünie van de oorspronkelijke Mac-mannen en het is echt cool. En dan loopt Steve op Tony [Fadell] af en gaat met hem in een hoekje van de winkel zitten en een uur met hem praten terwijl hij Forstall helemaal negeert, alleen maar om hem te pesten.'

'Tot die dag, de hele voorgaande zes maanden, was alles Tony's fout geweest. Ieder hardwareprobleem of vertraging met de verzending of moeilijkheden in de productie, alles was Tony's schuld. Scott kon niks verkeerd doen. Maar dit was de dag dat de beoordelingen in de pers verschenen en de e-mail [software] van de iPhone deed het niet, maar iedereen vond de hardware fantastisch. Dus nu was Scott de stoute jongen en Tony de ster. En het was grappig, want Steve deed het zo dat hij met zijn rug naar Forstall zat en Tony naar Scott kon kijken terwijl dit gebeurde. Ik maak geen grap, de blik op Scotts gezicht was onbeschrijflijk. Het was net alsof pappa had gezegd dat hij niet meer van hem hield.'

4

Ik dacht dat we vrienden waren

De zorgen die het Android-team zich in het begin maakte over gebrek aan betrokkenheid bij hun project, bleken ongegrond.[1] Rubin kreeg in 2007 toestemming om nog tientallen programmeurs aan te nemen en vond eigenlijk dat het topmanagement *te veel* aandacht aan hem besteedde. Tijdens presentaties met Schmidt, Brin en Page namen ze het hem hoogst kwalijk dat hij Android niet snel genoeg gebruiksklaar kreeg. Ze gooiden met waanzinnige snelheid ideeën overboord en waren meedogenloos als ze iets zagen wat hen niet aanstond. In aantekeningen van een vergadering in juli 2007 staat onder meer dat Schmidt verklaart dat er onvoldoende mensen bij Google software voor Android aan het schrijven zijn en dat daar ASAP (*as soon as possible*, zo snel mogelijk) verandering in diende te komen. Ook staan er aansporingen in van Page, die zei dat Android sneller en makkelijker in gebruik moest worden, en van Brin, die wilde dat de software beter werd toegesneden op zware gebruikers die meer dan tienduizend contacten wilden opslaan.

Vooral Page was heel specifiek. Alle schermen moesten in minder dan tweehonderd milliseconde worden geladen, zei hij, en Android moest zo gebruiksvriendelijk zijn dat iedereen de mobiel tijdens het autorijden met één hand kon bedienen. Tijdens een andere vergadering zei Schmidt, die niet gelukkig was met de werking of het uiterlijk van het uitschuifbare toetsenbord zoals dat voor de Dream was bedacht, tegen een van de Android-managers: 'De eerste indruk is hier echt belangrijk. Verpest die niet.'

Maar op hetzelfde moment toonde Google geen enkel teken dat het afstand nam van de samenwerking met Apple en de iPhone. Rubin en het Android-team mochten zich dan concurrenten hebben gevoeld van Jobs en Apple vanaf het moment dat de iPhone werd aangekondigd, Google's heersende driemanschap voelde dat helemaal niet zo. Toen de iPhone eenmaal vanaf 29 juni te koop was, zaten Brin en Page nooit zonder, en tijdens vergaderingen over Android vergeleken ze features van de iPhone vaak kritisch met wat voor de Android-software werd gepland. DeSalvo vertelde dat hij zich een paar vergaderingen herinnerde waar 'een van hen vroeg: "Waarom zijn we eigenlijk met dit project bezig? Ik heb een mobiel. Hij bevat diensten van Google. Hij doet Gmail. Hij doet Calendar. Waar heb ik dit Android-ding voor nodig?" Daar werd ik pisnijdig om.'

Brin en Page willen niet ingaan op de achtergrond van hun opmerkingen, maar Schmidt wel. Volgens hem was Google toen absoluut hypocriet over de iPhone en Android, en om heel goede redenen: Google moest per se de eigen zoekmachine en andere applicaties op smartphones hebben. Het probeerde dat al jaren, zonder succes. En de iPhone en Android, hoe veelbelovend ook, waren beide zo nieuw dat het dom leek de ene de voorkeur te geven boven de andere.

In 2007 leken Apple en Google zelfs niet op hetzelfde terrein te spelen. Google verdiende geld met zoekreclames, Apple met de verkoop van apparaten. 'Het was ons in 2006, 2007 en 2008 niet duidelijk dat het een race zou worden tussen die twee paarden, Apple en Google,' aldus Schmidt. 'Dit zijn netwerkplatforms, en het is gebruikelijk dat je eindigt met een paar [dominante bedrijven] tegen tien [andere]. Maar het lag toen helemaal niet voor de hand wie de winnaars zouden worden. Symbian van Nokia [toen de grootste mobielproducent ter wereld] was nog behoorlijk sterk. Windows Mobile had enige aantrekkingskracht. En BlackBerry was natuurlijk behoorlijk sterk [met een monopolie bij bijna ieder bedrijf ter wereld].'

Dus terwijl Brin, Page en Schmidt het Android-team opjoegen, versterkten ze gelijktijdig hun iPhone-team. Het opvallendste was dat ze Vic Gundotra, een bekende topman van Microsoft, in dienst namen om het team aan te voeren. Gundotra, zevenendertig jaar, had zijn hele werkzame leven voor Bill Gates en Steve Ballmer gewerkt en was hun contactpersoon voor alle ontwerpers van software voor Windows van buiten Microsoft – tienduizenden nerds overal ter wereld. Gundotra was bekend om zijn technische scherpzinnigheid, zijn presentaties van bijna Jobs-kwaliteit en zijn bereidheid om risico's te nemen en controversieel te zijn. Microsofts ongelooflijke groei en dominantie in de jaren 1990 was voor een aanmerkelijk deel te danken aan zijn onvermoeibare gepreek, waarmee hij hele legioenen programmeurs wereldwijd over had weten te halen om software te schrijven voor Windows, terwijl toen nog maar weinigen dachten dat deze manier van werken een succes zou worden. Gundotra in dienst nemen was een meesterzet van Google. Ondanks het feit dat Microsoft had gezegd dat het hem zou houden aan het concurrentiebeding van één jaar – een zeldzame stap in deze wereld – werd hij toch aangenomen. Google betaalde hem gewoon dat jaar salaris, tot eind juni 2007, zonder dat hij iets voor hen uitvoerde.

Gundotra's binnenkomst bij Google is wel vergeleken met een 'wervelstorm die door een stad in de Midwest raast.' Hij zette topmannen op hun plaats tijdens stafvergaderingen door te vragen hoe ze aan de winst van het bedrijf bijdroegen. Als exotische ideeën geopperd werden, vroeg hij of de opstellers een businessplan hadden gemaakt. In de meeste bedrijven zijn dit heel normale vragen. Bij Google, dat zich erop voorstond dat het een product eerst populair maakte en dan pas winstgevend, kon je ervoor ontslagen worden.[2]

Maar Gundotra deed het uitstekend en al gauw verhief hij het succes van Google in mobiel niet alleen tot een van de zakelijke doelen, maar tot einddoel op zich. Hij bezocht congressen en vertelde dat hij meer dan tien mobiele telefoons bezat en gebruikte, waarom Google straks op ieder mobiel platform aanwezig was en, zoals hij het graag uitdrukte, dat 'we die film eerder hebben gezien. Precies dezelfde dynamiek die zich met de PC voordeed, zal zich met mobiele telefoons voordoen.' Het verschil was dit keer, zei hij, dat Apple en Google aan de goede kant van de ontwikkeling stonden en Microsoft aan de verkeerde kant. Hij dacht al sinds 2005 over de toekomst van mobiel, toen zijn dochtertje voorstelde dat hij zijn telefoon gebruikte om antwoord te krijgen op vragen, zodat hij niet hoefde te zeggen: 'Ik weet het niet.' Hij was bij Google terechtgekomen omdat hij Microsoft niet kon overhalen om ten minste naar zijn ideeën te luisteren.[3]

Wat Gundotra zo'n stoorzender maakte binnen Google, was dat hij al snel besefte dat Google's toekomst in mobiel bijna uitsluitend afhankelijk was van de iPhone. Van hem werd verwacht dat hij een manier bedacht om Google's applicaties op alle mobiele platforms te krijgen. Maar hij zag al gauw in dat dat tijdverspilling zou zijn, dat de iPhone een dusdanig revolutionair apparaat was dat het samen met alle andere apparaten van Apple al heel snel boven op de berg zou komen te staan. Niet alleen zou de iPhone Apple razendsnel brengen voorbij mobieltjesproducenten als Nokia en RIM, de maker van de BlackBerry, maar ook zou hij het einde betekenen van Microsofts dominantie – met Windows en Office – op het gebied van de PC. 'Je kon het zien aankomen. Het was een doorbraak. Niemand had nog ooit zoiets gedaan.'

De lijst van dingen die de iPhone volgens Gundotra revolutionair maakten, was eindeloos. De iPhone was mooi. Apple had de complete beheersing van het toestel zonder de gevreesde bemoeienis van providers. Het was het eerste mobiele toestel dat sterk genoeg was om Google's applicaties op te draaien zoals die op een PC draaiden. En het bezat een complete internetbrowser waardoor Google's zoekadvertenties op het scherm verschenen en normaal werkten. Dit was geweldig voor Google omdat daarmee alle applicaties en zoekadvertenties werkelijk overal opdoken. Het was ook geweldig voor Google omdat het, zoals Gundotra had voorspeld, verschrikkelijk was voor Microsoft. Microsofts macht kwam van het monopolie op Windows en Office voor desktop en laptop, maar op mobiele apparaten stelde die macht weinig voor. Schmidt was dan wel bang voor de aantrekkingskracht van Windows op mobiele telefoons, maar Gundotra geloofde dat de iPhone een zo grote sprong voorwaarts was dat die ontwikkeling met een klap tot stilstand zou komen. Hij dacht wel dat de hoge prijs van de iPhone in het begin een belemmering zou zijn en dat Apple de prijs zou laten zakken als de consumenten hem niet wilden kopen.

Dit was Gundotra in het najaar van 2007 volstrekt duidelijk, maar dat gold niet voor veel andere Googlers. 'Mensen dachten dat het idioot was,' aldus Gundotra. 'Smartphones maakten toen slechts een klein deel uit van de markt van mobiele telefoons [2 procent] en ik werd er dan ook van beschuldigd dat ik in de Apple-hype geloofde. "Als je denkt dat mensen in India en China zich ooit een mobiel kunnen veroorloven van 700 dollar (499 dollar voor het goedkoopste model), dan heb je te veel geblowd," zeiden ze.' Hij had de steun van Schmidt, Brin en Page, maar velen vonden dat hij een fundamenteel beginsel van de Google-cultuur aantastte, namelijk dat het een bedrijf was dat tegen iedereen aardig deed. Google's succes op PC's berustte op het feit dat Search en andere applicaties op *alle* softwareplatforms draaiden – OS X, Windows, Linux – en met alle internetbrowsers. Om achter één partner te gaan staan en alle andere platforms uit te sluiten, was niet de manier. 'Ik verzachtte de klap wat door te stellen dat we de ontwikkeling stopzetten op alle smartphones op vijf na. Maar dat was een heel controversiële beslissing. Cultureel was het bij Google ondenkbaar dat je geen software zou maken voor iedere BlackBerry en iedere mobiel met Windows Mobile. De softwareontwerpers in de Europese Google-kantoren waren ziedend dat we verscheidene modellen van Nokia niet ondersteunden. Mensen begrepen het niet zomaar dat smartphones zo belangrijk zouden worden, vooral de iPhone. In mijn staf namen mensen ontslag. Het ging hard. Omdat [Microsoft-CEO Steve] Ballmer openlijk de befaamde uitspraak had gedaan dat de iPhone zou mislukken, geloofde *iedereen* dat. Ze dachten gewoon dat hij wel weer weg zou gaan.'

Vooral voor het Android-team was het verschijnen van Gundotra bij Google zorgelijk. De leden van het team hadden nauwelijks van zich laten horen nadat ze in 2005 waren overgenomen en ze waren erin geslaagd hun project voor de meeste werknemers van Google geheim te houden. Maar nu Gundotra Google's mobiele agenda snel bijstelde, de iPhone in de winkel lag en de eerste prototypes van hun eigen mobiel met touchscreen – de Dream – voor iedereen zichtbaar in het kantoor lagen, moesten ze naar hun idee veel eerder dan dat ze er klaar voor waren, laten zien én verdedigen waar ze mee bezig waren. Als Schmidt, Brin en Page in 2007 gedwongen zouden worden te kiezen tussen Gundotra's apps voor de iPhone en Android, dan lag het voor de hand dat ze voor de iPhone-apps zouden kiezen. Het zou nog een jaar duren voordat Android zelfs maar een product was. 'Op dat moment werd het allemaal [de spanning tussen de twee projecten] tastbaar,' aldus een voormalig lid van het Android-team. 'Op dat moment begonnen zij [Android] mobiele telefoons te testen en met T-Mobile te praten over hoeveel ze zouden gaan uitgeven aan marketing. Op dat moment ging je zien dat dit ding [Android] groter en groter aan het worden was.'

Tot dat moment was Android Google's maîtresse geweest: verwend met aandacht en presentjes, maar wel goed verstopt. Die geheimhouding was niet het idee van Schmidt, Page en Brin geweest, maar van Andy Rubin. Rubin wilde niet dat iemand van zijn project afwist. Net als de meeste ondernemers is hij een controlefreak en volgens hem was de enige manier om Android te laten slagen om de hele operatie als een stiekeme start-up binnen Google te leiden. Google bestond toen zelf pas negen jaar, maar voor Rubin was het bedrijf al te langzaam en te bureaucratisch. Ethan Beard zegt zich te herinneren dat Google (althans het niet-Android-deel) net negen tot twaalf maanden met Motorola had onderhandeld over één overeenkomst – en dat was een kader voor toekomstige gesprekken. 'Dus probeerde Andy alleen maar zo goed mogelijk Android buiten [de frustrerende bureaucratie] te houden. Ze hadden geen enkel contact met iemand anders. Ze waren volledig van de rest afgescheiden.' Schmidt, Brin en Page lieten Rubin zelfs een café binnen het Android-hoofdkwartier op de Google-campus bouwen dat enige tijd alleen voor medewerkers van Android toegankelijk was.

Het idee van een stiekeme afdeling binnen Google druiste volledig tegen de bedrijfscultuur in. Wat Google onderscheidde van andere bedrijven was dat het koste wat kost *silo's* – afdelingen die geen contact hadden met andere afdelingen – vermeed. Schmidt, Brin en Page hadden het bedrijf nu juist zo ingericht dat het delen van informatie actief aangemoedigd werd. Iedere softwareontwikkelaar kon te weten komen waar andere ontwikkelaars mee bezig waren en zelfs met een paar muisklikken hun broncode bekijken. Voordat Google naar de beurs ging en daardoor onderworpen raakte aan de regels van de SEC, de Amerikaanse toezichthouder op de effectenbeurzen, openbaarden Schmidt, Brin en Page zelfs de omzet en winst van het bedrijf tijdens bijeenkomsten van meer dan duizend werknemers.

Rubin respecteerde Google's unieke benadering. Maar hij begreep ook dat als andere bedrijven erachter kwamen waar hij mee bezig was, ze hem vóór zouden proberen te zijn. 'Er waren een heleboel boze Googlers die zeiden dat wij niet Googley waren omdat wij hun niets vertelden,' aldus een voormalige topsoftwareontwikkelaar die aan Android heeft gewerkt. 'We moesten een paar heel hoge pieten teleurstellen die onze broncode wilden inzien, en Andy moest de *bad guy* spelen. Er waren een hoop spanningen.'

Rubin werd niet alleen gedreven door zijn behoefte om ervoor te zorgen dat Android snel werd ontwikkeld. Hij wist dat het maken van software voor smartphones enorm verschilde van het maken van software voor het web, en dat was Google's corebusiness. In Google's wereld van websoftware zijn alle producten gratis en is geen enkel product ooit helemaal klaar. Gezet tegenover de tirannie van Microsoft en de industrie van packagesoftware in het algemeen was dit een compleet nieuwe filosofie. Google zorgde ervoor dat een product voor tachtig procent voltooid was, gaven het dan vrij voor gebruikers en lieten zich verder door hun feedback leiden naar hoe de laatste twintig procent eruit moest gaan zien. Omdat de software gratis was, waren de verwachtingen niet zo hoog gespannen. En omdat de software op het web stond, konden verfijningen bijna in realtime worden aangebracht. Hier bestond geen behoefte aan een jaar wachten voordat een nieuwe versie naar de winkels ging, de manier waarop de meeste software in die tijd nog werd verkocht.

Rubin wist dat de industrie van mobiele telefoons Google's benadering van deadlines met afschuw aanschouwde. Als je tastbare dingen als mobieltjes maakt en verkoopt, dan zijn producten die niet enkele weken voor de kerstdagen in de winkel liggen, de periode waarin de meeste luxeproducten worden verkocht, regelrechte mislukkingen en gaan honderden miljoenen aan marketingkosten van de providers en ontwikkelingskosten van de producenten in rook op. 'Ik herinner me dat Andy weleens zei: "We moeten dit op die en die datum klaar hebben" en dan zeiden sommigen van het ontwikkelteam: "Dat krijgen we voor die tijd niet voor elkaar" en dan zei Andy: "Als jullie dit niet klaar krijgen, ontsla ik jullie allemaal en neem ik een nieuw team aan dat het *wel* voor elkaar krijgt",' aldus een andere voormalige Android-ontwikkelaar.

Bij de meeste bedrijven zou zo'n hiërarchische, zelfs militaristische benadering om dingen gedaan te krijgen als heel gewoon worden beschouwd. Bij Google was het zo anders dat bij het Android-team het gevoel ontstond dat ze revolutionair waren. Nadat de eerste schok van de iPhone weggeëbd was en het Android-team zag wat de iPhone allemaal niet kon, begonnen de leden te geloven dat wat zij aan het bouwen waren, op alle manieren superieur was en dat ze Google niet eens nodig hadden om het te voltooien. 'Ik dacht echt dat de iPhone uiteindelijk op geen enkele wijze met ons kon concurreren,' aldus Bob Lee, in die tijd topsoftwareontwikkelaar bij Android. 'Volgens mij zou Android een soort Windows worden [vanwege de verspreiding over zoveel smartphones] met een marktaandeel van 98 procent en zou de iPhone dus uiteindelijk niet meer dan 2 procent marktaandeel hebben.'

Rubin moedigde dit gevoel aan, iedere keer als hij de kans kreeg, door zijn staf te vertellen over de emolumenten van zijn baan als topbestuurder. Hij kocht altijd de nieuwste gadgets – camera's, geluidsapparatuur, spelcomputers en andere elektronica – om op de hoogte te blijven van alles wat er in zijn wereld gebeurde. Maar hij hield die aankopen zelden lang voor zichzelf. Was hij erop uitgekeken, dan zette hij ze voor zijn kantoor en stuurde hij een e-mail naar zijn staf waarin stond dat de eerste die langskwam, het mocht hebben. Vaak was het de modernste camera of de nieuwste stereo ter waarde van duizenden dollars. Als veel van zijn stafleden op een congres moesten zijn, bijvoorbeeld op de Consumer Electronics Show in Las Vegas, dan charterde hij een straalvliegtuig zodat ze makkelijk heen en weer konden. In het jaar dat de Dream op de markt kwam – inmiddels de T-Mobile G1 gedoopt – vulde Rubin de kerstgratificatie van Google voor het Android-team uit eigen zak aan. Volgens een ontwikkelaar was zijn eindejaarsbonus daardoor twee keer zo groot.

Het nadeel van deze afscheiding was dat die Android niet geliefd maakte bij de andere Googlers, net zomin als Gundotra dat werd met zijn besluit om helemaal achter de iPhone te gaan staan. Hoezeer het Android-team ook vond dat het voor zichzelf kon zorgen, dat konden ze niet, en als ze dan met Googlers moesten samenwerken aan de andere kant van de muur die ze zelf hadden gebouwd, dan werden hun verzoeken zelden warm ontvangen. 'We deden dan zoiets als: "Hé, we maken een mobiel. Verrassing! En we moeten er Gmail op hebben. Kunnen jullie ons helpen?"' aldus DeSalvo. 'En zij zeiden: "Nou, we hebben een softwareontwikkelingsprogramma van twee jaar en jullie staan er niet op, dus nee, wij kunnen jullie niet helpen." Dus in het begin moesten we de web-API [*application programming interface*, de verbinding voor openbaar gebruik] gebruiken in plaats van een toegewezen API [die sneller en betrouwbaarder zou zijn]. En zo ging het ook met Google Talk, Calendar en al die andere dingen. Het was de ene nachtmerrie na de andere, alleen al om de gewone basisdingen voor elkaar te krijgen, omdat niemand wist dat ze ons moesten helpen.'

Het was niet alleen het gebrek aan geven en nemen tussen Android en de rest van Google waardoor de relaties zo koel waren. Al Rubins inspanningen om hun werk geheim te houden, waren gewoon niet voldoende. In 2007 ging er iedere maand weer een gerucht dat Google een mobiel aan het maken was. Googlers waren eraan gewend om hun producten geheim te houden omdat ze gewoonlijk helemaal binnenshuis werden ontwikkeld. Terwijl het Google-management meer dan de meeste bedrijven informatie met hun werknemers deelde, kwam hiervan opmerkelijk genoeg maar weinig naar buiten. Maar om Android te kunnen bouwen, moest Rubin samenwerken met talloze externe leveranciers en producenten. Googlers konden Androids code niet zien, maar een paar van Androids externe partners wel – en sommigen praatten er dus over.

Schmidt, Brin en Page probeerden Google zo te besturen dat Android meer geïntegreerd leek binnen het bedrijf dan in werkelijkheid het geval was. Maar soms voelde het Androidteam zich door zijn bezigheden nog geïsoleerder dan het al was. Zo was het driemanschap eens zo kwaad vanwege de lekken dat het op een van de vrijdagmiddagbijeenkomsten bekendmaakte dat het onderzoek liet doen naar wie er lekte.[4] Voor een bedrijf dat zich liet voorstaan op een cultuur van openheid en mededeelzaamheid, leek achter lekkende bronnen aangaan zoals Amerikaanse presidenten dat doen, niet op zijn plaats. Cedric Beust, een van de eerste Android-ontwikkelaars, zei dat op een bepaald moment in de zomer van 2007 vragen van de staf en ontwijkende reacties van de top zo voorspelbaar werden dat hij en veel andere Android-teamleden niet meer naar die vrijdagmiddagbijeenkomsten gingen. 'Het was gewoon te erg om er allemaal naar te moeten luisteren en niks te mogen zeggen,' vertelde hij. 'Het moeilijkste was nog wel het verbergen van mijn mobiel [als ik een prototype bij me had]. Het gebeurde een paar keer dat iemand [een andere Googler] me met die mobiel zag en zei: "Wat is dat?"

Dan moest je dus een antwoord paraat hebben. Een tijdlang zei ik dat het een prototype was van een BlackBerry. Dan weer zei ik dat het iets was waaraan we voor Nokia werkten. Wat dan ook, als het maar zo saai en oninteressant mogelijk klonk.'

Voor de media was het vooruitzicht op een Google-mobiel natuurlijk verrukkelijk. Het leek ook volstrekt zinnig – en op hetzelfde moment volstrekt idioot. Google was al bijna sinds de oprichting bezig een manier te vinden om de telecombusiness te ontregelen. Google's aankoop van glasvezel de voorgaande drie jaar had de providers tot de conclusie gebracht dat Google van plan was zelf provider te worden. Er was een heel team bij Google bezig met het ontwikkelen van technieken van draadloos communiceren buiten de bestaande telecominfrastructuur om. Het bedrijf had openlijk de wens uitgesproken om applicaties te maken voor mobiele telefoons. En iedereen wist dat Rubin een of andere functie binnen Google had. Waarom zou hij daar anders zijn dan om aan een mobiel te werken? En toch had Google zich met Apple verbonden om zijn applicaties op de iPhone te krijgen. Schmidt zat in Apple's raad van bestuur. Jobs zou ontploffen van woede als bleek dat Google een concurrent van de iPhone aan het bouwen was.

De geheimhouding, lekken en roddel bij Google in 2007 over de strategie voor mobiel betekenden dat het, toen het Android-team eindelijk iets aan te kondigen had, geen indruk maakte. De wereld verwachtte iets groots. En Google deed alles om aandacht te krijgen: het organiseerde telefonische persbijeenkomsten, lichtte grote softwareontwerpers in en liet John Markoff van *The New York Times* van tevoren kennismaken met Rubin en zijn team. De dag voor de bekendmaking op 5 november verscheen een portret van Rubin onder de kop '*I Robot:* De man achter de Google Phone'.[5]

Maar Google had geen telefoon gemaakt. Het had zelfs geen software voor mobiel ontwikkeld. Wat Google de wereld in plaats daarvan vertelde, was dat het een verbond had gesloten met mobielproducenten, providers en ontwikkelaars, de Open Handset Alliance of OHA. Deze groep zou nauw gaan samenwerken en Rubins visioen van een betere en beter samenwerkende mobieletelefoonwereld werkelijkheid laten worden. 'We maken geen GPhone; we stellen duizend mensen in staat om een GPhone te maken,' zei Rubin toen.

Het was bizar. Het leek wel alsof het interessantste en innovatiefste bedrijf van de wereld overgenomen was door de bureaucratie van de Verenigde Naties. Schmidt en Rubin bazuinden rond hoe groot het verbond wel niet was – vierendertig bedrijven – en dat het zich over de hele wereld uitstrekte. Ze zeiden dat de software die gezamenlijk geproduceerd zou gaan worden, gratis werd. Mobielproducenten, providers en programmeurs zouden alles naar eigen inzicht kunnen aanpassen. En ze zeiden dat ze hoopten, maar niet eisten, dat de producenten en providers Google een platform zouden geven zodat applicaties als Search en Maps er wel bij zouden varen. Het enige expliciete dat Schmidt en Rubin over een product zeiden, was dat het goed vorderde, dat het Android heette (niemand wist hoe het project tot op dat moment werd genoemd) en dat mobielproducent HTC binnen een jaar een mobiel op de markt zou brengen met de Android-software.

Dit was niet alleen saai, de verspreiding van Android en de Open Handset Alliance leken beide ook nog eens halfbakken. De belangrijkste spelers in de mobieletelefoonwereld zaten *niet* in het verbond: Apple, Nokia (de grootste producent van mobiele telefoons), RIM (de grootste producent van smartphones), Microsoft, Palm en de twee grootste Amerikaanse providers, AT&T en Verizon, hadden stuk voor stuk Google de deur gewezen. En wie *wel* op de lijst stonden, deden daar niet al te enthousiast over. De meeste gaven persverklaringen uit met steun in clichés. De meeste waren niet tot de OHA toegetreden omdat ze dachten dat Google met iets nieuws zou komen dat baanbrekend en revolutionair zou zijn, maar omdat Google hen ervoor had betaald. HTC ontving van Google miljoenen om zich bij OHA aan te sluiten en de eerste smartphone te maken.[6]

Tot op dat moment had HTC een lang en innig partnerschap gehad met Microsoft en maakte het mobiels met het besturingssysteem Windows Mobile. Om HTC mee te laten doen, moest Google het bedrijf compenseren voor alle zaken die het met Microsoft deed en nu verloor door zich bij Google aan te sluiten, Microsofts aartsvijand. Maar het was wel een indicatie voor hoe steil de heuvel was die Google moest beklimmen om Android en OHA succesvol te laten zijn.

Een week later kreeg Google meer aandacht toen het een video lanceerde waarin medeoprichter Brin en hoofd Android-ontwikkeling Steve Horowitz pronkten met en spraken over echte mobieltjes, waaronder een met een touchscreen waardoor hij wel verdacht veel op een iPhone leek. Dat toestel had niet alleen een touchscreen, maar ook een snelle 3G-netwerkverbinding en grafische eigenschappen waardoor er spelletjes op gespeeld konden worden als Quake, waarin je je schietend een weg moet banen uit een middeleeuws doolhof. Google Maps, inclusief Street View, werkte net als op een PC. Dit waren dingen die de eerste iPhone niet had. Horowitz, die die smartphone demonstreerde, schepte zelfs op met een beetje iPhone-magie door dubbel te tikken op een shot van Street View om in te zoomen. Het was duidelijk dat Google met een paar coole dingen bezig was. Het was alleen merkwaardig dat het nog een jaar duurde voordat het product daadwerkelijk in de winkel lag. En het was raar dat Google besloot om een video te presenteren in plaats van voor ophef te zorgen met een ronkende persverklaring. De Open Handset Alliance was tenminste nog met een telefonische persconferentie bekendgemaakt. Maar nu was er in elk geval iets om naar te kijken.[7]

Het allervreemdste aan de aankondiging van de OHA was nog dat, terwijl het publiek gaapte, de spanningen binnen Google erdoor toenamen en er spanningen ontstonden tussen Google en Apple. Ging Google nu Android of de iPhone steunen? Of kon het misschien allebei? Een van de vele redenen waarom Rubin geprobeerd had Android geheim te houden, was dat hij dan aan zijn project kon werken zonder Google te dwingen die vragen openlijk te moeten beantwoorden. In de beginfase van het Android-project zouden die antwoorden vermoedelijk niet gunstig zijn geweest. Gundotra had al het toezicht op een deal met Apple en die leek voor beide partijen per dag aantrekkelijker te worden. Android was nog steeds een experiment zonder zelfs maar een klein stukje voltooide software waar iemand iets mee kon.

En Gundotra zette het Android-team natuurlijk voor het blok. 'Ik zei: "Overtuig me ervan dat dit [Android] iets is waarin wij [Google] moeten geloven" en ik weet dat ze niemand ooit die vraag hadden laten stellen, en dat maakte het moeilijk voor ze. "Wie ben jij dat jij die vragen stelt?" vroegen ze zich af.' Een vroegere topman van het Android-team herkende dit gevoel: 'In het begin haatte Google Mobile [het team dat samen met Apple aan de iPhone werkte] ons. Ik bedoel, zij vonden ons de grootste klootzakken ter wereld. Ik weet dat Vic Gundotra [die nu aan het hoofd staat van Google's concurrent van Facebook, Google Plus] zich heeft bedacht en Android geweldig heeft verdedigd, maar in het begin haatte hij het echt. Hij dacht dat Android voor verwarring zou zorgen en zijn relatie met Steve Jobs zou verpesten. Er was intern een hoop gedoe en geruzie over de strategie en dat soort zaken.'

De spanningen tussen de twee afdelingen van Google liepen zo hoog op dat Rubin zich weleens afvroeg of zijn bazen wel helemaal achter hem stonden. 'We waren als gekken aan het innoveren [kwamen met nieuwe features voor de iPhone en andere platforms]. En Andy zei: "Waarom geven we die features eigenlijk weg?"' legde Gundotra uit. Hij wilde ze reserveren voor Android. Dat was dus een goede vraag.' Een andere executive voegde hieraan toe: 'Ik herinner me een gesprek in de gang aan het einde van 2007 over Google Maps en of Google Apple een feature moest schenken die het niet had maar wel wilde hebben en dat Andy ronduit tegen Sergey zei: "We moeten eens ophouden onze beste dingen aan Apple weg te geven als we willen dat Android slaagt".'

Maar de onenigheid binnen Google was nog niets vergeleken met het conflict dat OHA tussen Google en Apple veroorzaakte. Steve Jobs voelde zich volledig overrompeld door de aankondigingen van Android en was ziedend. Hij wist al enige tijd van Android, maar had het niet serieus genomen volgens hen die er met hem over hadden gesproken. Maar toen hij Horowitz met zijn Dream-mobiel in de video zag opscheppen, ontplofte hij van woede. Hij begon zich af te vragen of zijn partner iets aan het maken was om de concurrentie aan te gaan met de iPhone. 'Ik rij in mijn auto ergens naartoe en de telefoon gaat. Het is Steve. Hij schreeuwde zo hard dat ik aan de kant moest gaan staan,' vertelde iemand die hem die dag sprak. '"Heb je die video gezien?" zegt Steve. "Alles is fucking diefstal van wat wij aan het doen zijn".'

Hoe kwaad Jobs ook was, hij wilde gewoon niet geloven dat Schmidt, Brin en Page met iets misdadigs bezig waren, aldus vrienden en collega's. En Google's driemanschap deed ontzettend veel moeite om hem daarvan te verzekeren: Android was precies wat zij altijd hadden gezegd dat het zou zijn – een opensource besturingssysteem voor mobiele telefoons dat iedere producent in zijn mobiel mocht stoppen. Google was helemaal geen telefoon aan het maken om met de iPhone te concurreren. En Jobs moest niets opmaken uit het prototype dat hij in de video had gezien. Google had nu eenmaal telefoons nodig om Android op te testen, maar zou zelf geen mobiels gaan maken. Wat Google ook deed, het had beslist niet de bedoeling om iets van de iPhone over te nemen, zeiden ze.

Schmidt zegt zelfs vandaag nog dat hij niet alleen met Jobs had gesproken over Android, maar dat de iPhone in termen van Google's prioriteiten op de eerste plaats kwam. 'Volgens mij begreep Andy misschien het belang van Android in die tijd, maar de rest van Google begreep het absoluut niet. Wij waren met andere dingen bezig,' zei hij. 'Toen ik [in 2006] in Apple's raad van bestuur kwam, spraken Steve en ik hierover en vertelde ik dat het [Android] eraan kwam en we kwamen overeen dat we de situatie in de gaten zouden houden.'

Andere initiatieven van Google steunen Schmidts herinneringen in ieder geval. Het succes van Android hing af van de medewerking van de grote Amerikaanse providers, maar eind 2007 deed Google nu juist zijn uiterste best om die boos te krijgen. De regering hield een netwerkveiling van enorme kavels frequenties en Google probeerde, met een bod van 4 miljard, de prijs voor de providers op te drijven. Google wilde die frequenties zelf helemaal niet, het wilde er alleen zeker van zijn dat de regering van de winnaar verlangde dat die volgens nieuwe, voor Google gunstige regels zou spelen. Het huichelachtige gebruik van geld, niet voor het kopen van frequenties maar van een preekstoel om de providers tafelmanieren te leren, maakte hen woest, vooral Verizon, dat uiteindelijk de veiling zou winnen. Toen Verizons CEO Ivan Seidenberg begin 2008 een gesprek had met auteur Ken Auletta, leek hij geen man die zich haastte om een overeenkomst te sluiten met iemand die Google op zijn visitekaartje had staan. Seidenberg zei dat Google het gevaar liep 'beren uit hun winterslaap te halen' – de machtige providers – die 'uit het bos zouden komen om het bedrijf een pak op zijn sodemieter te geven.'[8]

Jobs had zelf ook een lijstje overtuigende redenen om Google's uitleg te geloven. De raden van bestuur en de externe adviseurs van beide bedrijven waren zo met elkaar vervlochten, dat Apple en Google bijna één bedrijf vormden. Bill Campbell, al lange tijd in Apple's raad van bestuur en een van Jobs' beste vrienden, was naaste adviseur van Schmidt, Brin en Page. Al Gore, de voormalige vicepresident van de VS, was adviseur van Google en zat in Apple's raad van bestuur. Paul Otellini, hoofd van Intel, zat in Google's raad van bestuur, maar rekende Apple tot Intels grootste klanten. En Arthur Levinson, de voormalige baas van Genentech, zat in de raad van bestuur van beide bedrijven. Ruzie met Google zou al deze mensen dwingen partij te kiezen. Het zou ongewilde media-aandacht teweegbrengen. Het zou investeerders kunnen afschrikken. Het zou een onderzoek van de SEC tot gevolg kunnen hebben naar de onafhankelijkheid van beide raden van bestuur. Niemand wilde dat, zeker bij Apple niet, dat net een vijf jaar durende onenigheid met de SEC had geschikt over het antedateren van de opties die Jobs in 2001 had gekregen.

En hoewel Jobs dat toentertijd nooit openlijk toe zou geven, had Apple Google harder nodig dan andersom. Toen Jobs overleed, was hij zonder meer de machtigste zakenman ter wereld. Maar eind 2007 was dat nog bij lange na niet het geval. De iPhone deed het goed. De koers van Apple's aandelen was dat jaar twee keer zo hoog als het jaar daarvoor. Maar het was nog veel te vroeg om de iPhone echt een succesvol product te noemen. Jobs had net de prijs voor het instapmodel met honderd dollar verlaagd – van 499 tot 399 dollar – om de verkoop op te krikken, waarmee hij de vroegste en trouwste iPhone-klanten kwaad maakte; ze voelden zich beetgenomen. En hij was aan het heronderhandelen met AT&T om hun overeenkomst open te breken en de prijs met nog eens tweehonderd dollar te verlagen tot 199 dollar. Intussen betaalde Google bijna 70 miljoen dollar per jaar om Google-software op de iPhone te krijgen. Dat was veel geld voor Apple in die tijd.

Maar de belangrijkste reden voor Jobs om geen ruzie te maken met Google was misschien wel persoonlijk: Jobs beschouwde Brin en Page als vrienden. Jobs was jarenlang hun mentor geweest en ze werden in weekeinden vaak samen gezien als ze in de buurt van Palo Alto wandelden, en door de week op de Apple-campus. Hun vriendschap dateerde al uit 2000, toen Google nog maar een beginnend bedrijfje was en de financiers er bij Page en Brin op aandrongen om een CEO te zoeken met meer ervaring dan zij. Brin en Page hadden gezegd dat Jobs de enige was die in aanmerking kwam. Dit was een belachelijke uitspraak. Iedereen wist dat Jobs Apple nooit zou verlaten nu hij er juist terug was en de geldschieters die geld in Google hadden gestoken, waren dan ook ontzettend kwaad. Maar het was ook een gemeende uiting van bewondering van Page en Brin. Lange tijd aanbaden ze Jobs en dat bepaalde hun verhouding. Ze vonden Jobs het type leider dat ze zelf zouden willen zijn. Jobs op zijn beurt was onder de indruk van de toekomstige generatie van de Silicon Valley-elite en was gevleid dat ze hem om advies vroegen. 'Jobs vertelde me dat, toen hij hen [Brin en Page] belde, ze Android maar bleven bagatelliseren,' aldus een van de executives. 'Wat hij tegen me zei, was feitelijk: "Ik heb zo veel vertrouwen in mijn relatie met die mannen dat ze me de waarheid vertellen over waar ze mee bezig zijn".'[9]

Een paar maanden lang leek het alsof Jobs' intuïtie over Google weleens juist kon zijn. Zijn relatie met Gundotra werd zo goed dat ze elkaar iedere week spraken. In een blogpost die Gundotra een maand voor Jobs' overlijden in oktober 2011 schreef, heeft hij het met weemoed over deze periode:

> Op zondagmorgen 6 januari 2008 woonde ik een kerkdienst bij toen mijn mobiel trilde. Zo discreet mogelijk keek ik naar het scherm en zag dat mijn mobiel zei: 'Beller onbekend'. Ik negeerde het. Na de dienst keek ik, terwijl ik met mijn gezin naar mijn auto liep, de berichten na die op mijn mobiel waren achtergelaten. Het laatste bericht was van Steve Jobs.
> 'Vic, kun je me op mijn nummer thuis bellen? Ik heb iets dringends te bespreken,' stond er.
> Nog voor ik bij de auto was, belde ik Steve Jobs terug. Ik was verantwoordelijk voor alle applicaties voor mobiel

bij Google en had in die functie regelmatig met Jobs te maken. Het was een van de leuke dingen van de baan.
'Hé, Steve, dit is Vic,' zei ik. 'Het spijt me dat ik je telefoontje niet eerder beantwoordde, ik zat in een kerkdienst en de beller was onbekend, dus nam ik niet op.'
Steve lachte. Hij zei: 'Vic, behalve als er GOD als beller staat, moet je tijdens een kerkdienst nooit je telefoon opnemen.'
Ik lachte nerveus. Want al was het Steve's gewoonte om door de week te bellen als er iets was, het was ongewoon dat hij me op zondag belde en me vroeg hem thuis te bellen als ik thuis was. Ik vroeg me af wat er zo belangrijk was.
'Ja, Vic, we hebben iets dringends, iets dat ik direct aangepakt wil hebben. Ik heb al iemand van mijn team opdracht gegeven je te helpen en ik hoop dat je het morgen in orde kunt maken,' zei Steve. 'Ik heb het Google-logo op de iPhone bekeken en ik ben niet blij met het pictogram. De tweede O van Google heeft niet de juist verzadiging geel. Het is gewoon verkeerd en ik laat Greg het morgen veranderen. Vind je dat goed?'
Natuurlijk vond ik dat goed. Die zondag enkele minuten later ontving ik een e-mail van Steve met als onderwerp 'Icoon Ambulance'. De e-mail zei me samen te werken met Greg Christie om het pictogram aan te passen.
Sinds ik elf jaar oud was en verliefd werd op een Apple II, kan ik tientallen verhalen vertellen over Apple-producten. Ze maken al decennialang deel uit van mijn leven. Zelfs gedurende de vijftien jaar dat ik voor Bill Gates bij Microsoft werkte, had ik steeds een enorme bewondering voor Steve en voor wat Apple gemaakt had.

> Maar als ik dan uiteindelijk nadenk over leiderschap, passie en aandacht voor details, dan denk ik terug aan het telefoontje van Steve Jobs op zondagmorgen in januari. Het was een les die ik nooit zal vergeten. CEO's zouden zich druk moeten maken om details. Zelfs over tinten geel. Op zondag. Aan een van de grootste leiders die ik ooit heb ontmoet, mijn gebeden en hoop zijn met je, Steve.[10]

Maar in het voorjaar van 2008 werd duidelijk dat de warme band tussen de bedrijven niet blijvend was. Overal waren tekenen te zien die erop wezen dat Schmidt, Brin en Page hun ambitie niet zouden laten dwarsbomen door hun relatie met Jobs. Zo probeerde Google een handvol van de belangrijkste softwareontwikkelaars bij Apple weg te lokken om te werken aan Google's nieuwe internetbrowser Chrome. Daarna eindigden de gesprekken tussen de bedrijven over nieuwe overeenkomsten voor Google Search en Maps in onenigheid. Google wilde Apple minder gaan betalen om de exclusieve zoekmachine op de iPhone en op alle Macs te mogen zijn, en bovendien zei Google dat het veel meer wilde dan alleen de basislocatiegegevens van de iPhones van gebruikers. Een aantal vergaderingen op de Apple-campus in Cupertino liepen uit op slaande ruzie tussen Gundotra en Phil Schiller, Apple's hoofd marketing. Jobs en Schmidt moesten zich ermee bemoeien om de geschillen op te lossen.[11]

Apple was vooral argwanend waar het ging om de nieuwe kaartgegevens die Google wilde krijgen van de iPhone. Google kreeg al lengte- en breedtegraad van de gebruikers. Ze zeiden nu dat ze ook de ruwe gegevens wilden die werden gebruikt om de graden te berekenen. Maakte de beller gebruik van een directe verbinding of via wifi? Wat was de locatie en andere informatie over de antenne waarmee de iPhone contact legde? 'We dachten dat ze de data achteraf wilden gebruiken om andere dingen uit te rekenen die de iPhone allemaal deed,' aldus een Apple-executive. 'Phils grote punt was dat die informatie eigendom was van Apple en een inbreuk op de privacy van de gebruikers omdat we dan meer over de gebruikers zouden prijsgeven dan we met hen overeengekomen waren.'

Vijf jaar later winden mensen zich *nog* op over dit incident. Volgens Gundotra is hij nergens anders dan bij die bijeenkomsten getuige geweest van dergelijk aanmatigend arrogant gedrag. 'Ik dacht dat Microsoft arrogant was. Het was gewoon ongelooflijk en heel, heel pijnlijk wat daar gebeurde. Ik was optimistisch en naïef. Ik dacht dat we wel met Apple konden onderhandelen en dat het prima zou aflopen. Ik had een band met Steve en dacht dus dat we er wel uit zouden komen. Dat is niet hoe het afliep.' Een van Apple's executives is net zo zuur over Gundotra. Hij vertelde me dat Gundotra dan misschien geen fan van Android was, maar ook geen fan van Apple. 'Hij probeerde aardig gevonden te worden door Steve en Phil en door Forstall en hij zei dat hij binnen Google zijn uiterste best deed om Apple te verdedigen. Maar het enige wat hij deed was met de informatie naar Larry en Sergey en de anderen van de teams lopen om voor zichzelf pizzapunten te verdienen. Het ging er niet noodzakelijkerwijs om Android beter te maken, het ging erom dat Vic Gundotra er beter van werd.'

Het was tijdens deze oplopende spanningen en het geweldige succes van de iPhone 3G, de tweede versie van Apple's smartphone, dat Jobs in de zomer van 2008 geleidelijk tot de conclusie kwam dat Google's Dream-mobiel veel meer op de iPhone ging lijken dan hij wilde. De Dream zou in november van dat jaar door HTC gelanceerd worden onder de naam G1 en zou een aantal multitouchfeatures hebben waarvan Jobs meende dat ze eigendom waren van Apple. Schmidt, Brin en Page hadden Alan Eustace, Google's hoofd softwareontwikkeling, maanden achtereen vrijgemaakt om Jobs' vragen over Android te beantwoorden en bezwaren te weerleggen – en om Jobs niet tot die conclusie te laten komen. Eustace was Rubins baas en hij en Jobs konden goed met elkaar overweg, volgens vrienden. Maar tegen de zomer van 2008 kreeg Jobs de indruk dat hij met Eustace niet verder kwam, dat hij en Google hem alleen maar aan het lijntje hielden. 'Ik denk dat zij [Jobs en de rest van de Apple-top] ten slotte het idee hadden dat de enige manier om dit voor elkaar te krijgen was om het verder niet via Alan te bespreken,' volgens iemand die Jobs erover sprak. 'Alan vertaalde alleen maar voor Andy [Rubin] en volgens mij wilden ze nu rechtstreeks naar de bron zelf om dingen veranderd te krijgen.'

Een andere Apple-executive zei dat de tweede versie van Android in het voorjaar van 2008 voor Jobs de deur dichtdeed. 'Toen het programma *swipe* kreeg en *pinch* en *zoom* en *double tap*, was hij het zat en zei hij: "We gaan erheen en we gaan zitten om met ze te praten".'

De verslagen over de vergadering van Jobs, Forstall, Page, Eustace en Rubin in de vergaderzaal naast Page's kantoor in Google's Gebouw 43 lopen uiteen. Maar op één punt zijn ze eensluidend: het was naar en ze stonden recht tegenover elkaar. Jobs vertelde de drie Google-topmannen dat Apple octrooi had op de multitouchfeatures die Google gebruikte en dat, als ze op de G1 zouden staan als die werd gelanceerd, Apple een rechtszaak zou beginnen. Het Google-team verdedigde zich met de stelling dat Jobs dan wel de eerste was met een succesvol product met multitouchfeatures, maar dat hij noch die technologie, noch de meeste technieken in de iPhone had uitgevonden. Een Apple-executive die er niet bij was geweest, maar Jobs' verslag over de vergadering had gehoord, zei tegen me: 'Het werd ongelooflijk. Jobs zei dat Rubin kookte en hem verweet dat hij tegen innovatie was. En nu begon Steve Andy te vernederen door te zeggen dat Andy probeerde net als hij te zijn, op hem wilde lijken, dezelfde haarstijl had, dezelfde bril, dezelfde stijl.'

Niemand van Google wil officieel met me praten over de ontmoeting, maar off the record zijn ze nog steeds verbaasd over Jobs' houding. Volgens hen zijn er maar heel weinig 'eersten' in Silicon Valley – alle vernieuwers staan op de schouders van andere. Er zouden geen Intel en Motorola zijn geweest zonder transistors en weerstanden. Zonder microprocessors zouden er geen personal computers hebben bestaan, en zonder PC geen Microsoft, Apple of software-industrie in het algemeen. Zonder software-industrie zou er geen internetbrowser Netscape hebben bestaan. En zonder internetbrowser zou veel van wat we nu heel normaal vinden, er nooit zijn geweest.

Een van de bewijzen die Googlers aanvoerden om dit punt duidelijk te maken, was een video uit 1992 van James Gosling, een beroemde ontwikkelaar van Sun Microsystems en uitvinder van de programmeertaal Java, terwijl hij de Star 7 laat zien. Het was een wat grof in de hand gehouden apparaat met een 200kb zender-ontvanger, een 4-inch kleuren-tv-scherm en speakers uit een Nintendo Gameboy. Toen al, toen nog niemand behalve de allerrijkste topmannen een mobiele telefoon had, liet Gosling een toestel zien dat niet alleen een touchscreen had, maar waar je met variabele snelheid mee kon scrollen. Hoe sneller je over het scherm swipete, hoe sneller je door onderwerpen ging. Rubin beweerde dat hij en het Androidteam al veel eerder dan Jobs deze technologie overwogen. Rubin had al prototypes van de Microsoft Surface – een tablet-PC met multitouchscherm die eind 2007 gelanceerd is – toen hij daar in de jaren negentig korte tijd werkte.[12]

Maar Google's argumenten hadden nauwelijks invloed op Jobs. 'Steve was altijd van mening dat Apple alles had uitgevonden,' aldus een Google-executive die bij de gesprekken betrokken was. 'En zelfs als je het hem liet zien, "Hier, dit is niet door jullie uitgevonden," dan geloofde hij nog van wel. Het maakte niet uit of je het hem kon laten zien, "Kijk eens naar al die plaatsen waar multitouch al eerder werd gebruikt, of naar al die plaatsen waar scrollen met je vingers al eerder gedaan werd, of dingen groter werden gemaakt [met je vingers]", Steve was niet op andere gedachten te brengen.'

5

De gevolgen van verraad

Voor Google was de uitkomst van de bijeenkomst met Jobs en Forstall ronduit verschrikkelijk. Schmidt, Brin en Page capituleerden totaal en hoeveel logica ook te berde werd gebracht, niets kon verbergen hoe pijnlijk het allemaal was. Het ging er niet alleen om dat Jobs had gezegd welke features uit de G1 verwijderd moesten worden – in sommige gevallen had hij hen ook gezegd *hoe* ze dat moesten doen. Android had gebruikers de mogelijkheid geboden om zelf een patroon te creëren uit minimaal drie stippen op een raster van drie bij drie. Maar Jobs wees erop dat als gebruikers de onderste drie stippen met elkaar verbonden, het iPhone's feature van het schuiven om te ontgrendelen na zou doen. 'Dus om Apple te sussen gingen we van een patroon van minimaal drie naar een van minimaal vier stippen die je met elkaar moest verbinden,' aldus een senior softwareontwikkelaar.

'Het deed echt, echt veel pijn. Het was bijna alsof hij van ons stal,' zei Androids Bob Lee over Jobs. Hij vervolgde:

> Pinchen om te zoomen [feitelijk vingers spreiden om in te zoomen, *pinchen*, knijpen, om uit te zoomen] ligt ei-

> genlijk vreselijk voor de hand en Apple was niet de eerste die dat deed. Ga terug, zoals wij hebben gedaan, en kijk naar wat Sun in de jaren negentig deed met mobiel en naar Microsoft Surface. Het maakte me heel boos op Apple dat het dit soort spelletjes speelde. Ik hield van Apple. Ik heb altijd programma's ontwikkeld op een Apple. Ik stelde Googlers in staat om Google-software op Applemachines te ontwerpen. De naam van mijn kat is Wozniak. Ik kwam in 2006 bij Android en de meeste dingen waar we mee kwamen, maakten we uit het niets. Waarom lijkt het zoveel op de iPhone? Omdat volgens mij een groot deel ervan aan de software ligt die erin moet komen te zitten. Waarom had niemand voor de iPhone zo'n groot scherm? Omdat ze te duur waren. Dus het was niet zo dat de iPhone voorbijkwam en mensen zeiden dat we dat zouden moeten gaan doen. De hele industrie dacht er al een hele tijd over. Het was nu eindelijk iets uitvoerbaars geworden.

Niemand die bij de ontmoeting met Jobs aanwezig was, wil erover praten en het is eenvoudig in te zien waarom. Alle ondernemers moeten een dikke huid hebben, maar Brin, Page en ook Schmidt nadat hij in 2001 bij Google was gekomen, hadden laten zien dat ze bijzonder koppig konden zijn als het erop aankwam. Dat was in het geheel niet goed voor hun imago. Vanaf het moment dat ze met een naam voor het bedrijf kwamen, hadden ze de critici overbluft. Iedereen had tegen hen gezegd dat er geen winst was te behalen met een zoekmachine. Iedereen wist dat en Schmidt had daarom bijna niet gesolliciteerd naar de functie van CEO.

Toen Google op gang kwam en geldschieters zich begonnen

te melden, negeerden Brin en Page hen vaak. Die investeerders wilden dat Google gauw een professionele CEO ging zoeken en een manier bedacht om geld te verdienen om het bedrijf op poten te houden. Maar Brin en Page wilden niet opgejaagd worden en de bedrijven die durfkapitaal hadden verschaft – Kleiner Perkins en Sequoia Capital – werden zo boos dat ze bijna een rechtszaak tegen de oprichters aanspanden.[1]

In 2001 namen ze Eric Schmidt in dienst. Hij was CEO geweest van Novel en topman van Sun Microsystems, en sindsdien hebben hij, Brin en Page de meeste twijfelaars en vijanden op sluwe wijze gemanipuleerd. Ze kozen een bedrijfsmodel – zoekreclames – dat de rentabiliteit van media en reclame, online en offline, zou hervormen. Toen Google's ongelooflijke succes tot rechtszaken en andere bijzaken leidde, weken ze nauwelijks van dat bedrijfsmodel af. In 2002 dagvaardde Yahoo! Google voor het stelen van Adwords, het idee van zoekreclames dat Google's hele bedrijfsvoering uitmaakt. Google gaf Yahoo! voor de beursgang aandelen ter waarde van een paar honderd miljoen dollar – en daarmee kregen ze het bedrijfsmodel waarmee ze inmiddels honderden *miljarden* hebben verdiend. In 2006 probeerde mediagigant Viacom Google te laten vervolgen. De beschuldiging luidde dat YouTube onvoldoende deed om Viacoms content tegen diefstal te beschermen. Brin, Page en Schmidt zeiden dat Google voldoende deed en zelfs meer zou gaan doen. Ze weigerden een schikking en wonnen. Toen Google topontwikkelaars weg begon te halen bij Microsoft, probeerden Bill Gates en Steve Ballmer dit te voorkomen met rechtszaken en spot. 'Fucking Eric Schmidt is een fucking mietje. Ik zal hem een kopje kleiner maken,' zei Ballmer, zoals iedereen weet, tegen een werknemer die aankondigde dat hij overstapte naar Google. Gates en hij hadden de wereld twintig jaar lang met dit soort bedreigingen bang gemaakt. Brin, Page en Schmidt lachten erom – en sindsdien is de betekenis van Microsoft in de wereld van de technologie alleen maar afgenomen. En toen de wereld tegen Schmidt, Brin en Page zei dat ze gek waren om in mobiel te stappen, zeiden ze: 'Wacht maar af.'[2]

Maar Steve Jobs die met een rechtszaak dreigde, dat was iets anders. Hoezeer Google zich ook in zijn recht vond staan, het driemanschap dacht dat een rechtszaak vanwege schending van een octrooi van Apple tot enorme problemen voor het bedrijf zou leiden. Android was al een waagstuk en het nu vrijgeven aan de wereld terwijl er een rechtszaak dreigde, zou de kansen op succes enorm doen slinken. Androids succes hing af van partners. Wie zou partner willen zijn van Google met een rechtszaak in het vooruitzicht? Niemand.

Bovendien namen ze aan dat een rechtszaak van Apple tot grotere problemen voor heel Google zou leiden. Apple was toch nog de underdog – nog lang zo groot en rijk en dominant niet als vandaag. Maar Google was inmiddels zo machtig dat het doelwit was geworden van antitrustonderzoek. Toezichthouders, concurrenten en columnisten vroegen zich al af of het bedrijf het volgende Microsoft aan het worden was – of het zijn groeiende monopolie op zoekreclame niet gebruikte om andere bedrijven te controleren.

De aankoop in 2007 van DoubleClick, het onlinereclamebedrijf, had begin 2008 net een antitrustonderzoek doorstaan. Google beheerste al de advertentiemarkt van online zoeken. Als het ook het grootste bedrijf dat onlinereclames maakte ging beheersen, kreeg het dan niet de controle over *alle* reclame online, vroeg de antitrust-autoriteit zich af.

Google was in een gevecht verwikkeld met auteurs en uitgevers over het plan om hun boeken te digitaliseren. Alle boeken die ooit zijn verschenen, geschikt maken om in te zoeken, lijkt een groot algemeen goed. Maar zouden schrijvers en uitgevers van Google geen compensatie moeten krijgen voor het beschikbaar stellen van hun boeken, vroegen zij zich af. Google vond van niet, omdat het alleen die fragmenten zichtbaar wilde maken die relevant waren voor de zoekopdracht. Google geloofde zelfs dat de verkoop van boeken door hun actie juist zou *stijgen.*

En het in het voorjaar van 2008 voorgestelde zoekpartnerschap met Yahoo! had furieuze kritiek opgeleverd uit het bedrijfsleven en de reclamegemeenschap. Nadat het toestemming had gekregen om DoubleClick over te nemen, leek de deal met Yahoo! op niet minder dan een brutale machtsgreep. Agressief lobbyen van nota bene Microsoft droeg ertoe bij dat justitieautoriteiten ervan overtuigd raakten dat ze een antitrustzaak tegen Google hadden. Ze dreigden het bedrijf voor de rechter te slepen als het niet van de voorgenomen overeenkomst afzag.

Daar kwam bij dat Google's aandelenprijs laag was. Er moesten werknemers ontslagen worden. En omdat het inmiddels – met twintigduizend arbeidsplaatsen – zo'n groot bedrijf was geworden, vroeg men zich af of het wel zo'n innovatieve machinerie kon blijven als het het afgelopen decennium was geweest. Het belang van grote bedrijven om hun bestaande zaken te continueren, belemmert vaak hun vermogen om nieuwe, afwijkende ideeën te steunen. En een rechtszaak van Apple waarin het bedrijf beschuldigd werd van diefstal van intellectueel eigendom was niet iets wat ze nu konden riskeren. 'Apple liet blijken dat ze bezorgd waren dat wij hun UI (*user interface,* gebruikersinterface) gebruikten, en wij sloten ons daarbij aan. We wilden het recht op hun UI niet schenden,' is alles wat Schmidt over deze zaak kwijt wilde.

De ontmoeting met Jobs was vooral zwaar voor Rubin, aldus vrienden. Hij was inderdaad zo furieus als Jobs had beschreven en was hierom bijna bij Google weggegaan. Hij begreep verstandelijk wel wat zijn bazen erover zeiden. Maar Jobs had hem in aanwezigheid van zijn bazen gekleineerd, en die hadden het op dat moment niet voor hem opgenomen. Nog een tijdlang stond er op het whiteboard in zijn kantoor: STEVE JOBS JATTE MIJN LUNCHGELD, als een jongetje dat door pestkoppen gedwongen werd zijn centen voor een broodje in de schoolkantine af te geven.

Jobs' eisen om bepaalde sleutelfuncties uit de G1 te halen, maakte het Android-team niet alleen kwaad vanwege het principe, het schiep ook enorme praktische problemen. In de zomer van 2008 zou het nog twee maanden duren voordat de G1 gelanceerd zou gaan worden, maar hij was nog lang niet klaar. En nu moesten de programmeurs ook nog eens de software herschrijven om alle dingen te verwijderen die Jobs eruit wilde hebben. De volkswijsheid wil dat je van software naar willekeur features weg kunt halen of eraan toe kunt voegen. In werkelijkheid lijkt het meer op het schrijven van een boek. Er kunnen wel hoofdstukken uit geschrapt worden, maar het is een hoop werk om de overgangen onzichtbaar te maken.

En het werd er niet eenvoudiger op dat Page en Brin, die gewoonlijk erg hulpvaardig waren, nu hun persoonlijke obsessies het proces lieten binnendringen. Page wilde een apparaat dat net zo snel bleef werken met een adreslijst van twintigduizend contacten als zonder zo'n lange lijst. Voor het Android-team leek het alsof 'perfect' in de weg stond van 'goed'. Ze stelden voor om dat te laten wachten tot de tweede versie van

Android, maar Page liet zich niet vermurwen. Brin op zijn beurt eiste een functie waarmee de gebruiker door zijn contacten kon scrollen door de mobiel schuin te houden waarna de accelerometer de snelheid van het scrollen bepaalde op basis van de helling. Erick Tseng, projectmanager van Android, zei hierover: 'We hebben het door een programmeur laten schrijven. Toen hebben we aan Sergey laten zien dat dat geen goede gebruikerservaring was' en Brin was het hiermee eens.[3]

'Persoonlijk dacht ik dat we het niet zouden gaan halen,' vertelde Rubin aan Steven Levy voor diens boek *In the Plex*. 'Drie maanden voordat we verondersteld werden het apparaat te gaan verschepen, werkte niets. Crashte de hele tijd. Kon geen e-mail ontvangen. Superlangzaam. En in de loop van de tijd werd hij steeds instabieler.'

Jobs vond het uiteraard geweldig hoe de bijeenkomst met Google was afgelopen. Dagen later schilderde hij het resultaat af als een enorme overwinning voor hen allemaal – dat wat goed en juist was, had een stelletje leugenaars, oplichters en schurken verslagen. Jobs en Forstall 'vergenoegden zich erin,' volgens Fadell. 'Ze zeiden dingen als: "Rubin was nijdig. Je zag het aan zijn hele gezicht. Wij hadden wat we nodig hadden om te winnen. En zij zeiden dat ze het [multitouch] niet zouden gaan doen".' Jobs had de pest aan Rubin en zei dat hij een 'grote, arrogante fuck' was.

Niets van dit alles temperde Jobs' woede over dat hij zich gedwongen had gevoeld om zelfs maar iets tegen Google te beginnen. Brin en Page, mensen die hij als zijn vrienden had beschouwd, hadden hem volgens hem verraden. En volgens hem was Schmidt, die in zijn eigen raad van bestuur zat, een huichelaar. Jobs' boodschap aan zijn directieteam die dag was onomwonden. 'Die lui liegen tegen me en ik pik dat niet langer. Dat *Don't Be Evil* is gewoon bullshit.' Maar hij vond ook dat hij gelijk had gekregen en dat Google niet langer een bedreiging vormde.

Schmidt, destijds officieel nog steeds lid van Apple's raad van bestuur, was dat in de praktijk niet meer. Hij ging het vertrek uit zodra de raad het over de iPhone ging hebben, en de vergaderingen van de raad gingen daar meer en meer over. Zowel vanwege de schijn als om juridische redenen deed hij hetzelfde bij Google. Schmidt ging bijvoorbeeld niet meer naar vergaderingen over Android en hij verliet de kamer zo gauw Android in een andere context ter sprake kwam, bijvoorbeeld als zijn raad van bestuur het erover ging hebben. Schmidt zei dat hij niet eens de schijn op zich wilde laden dat hij het informatiekanaal zou zijn tussen de twee bedrijven.

Jobs vertelde vrienden dat hij in de verleiding was om Schmidt uit zijn raad te zetten, maar begreep dat dat weleens meer problemen kon veroorzaken dan het oploste. Het zou media-aandacht kunnen trekken. Het zou investeerders kunnen afschrikken. Het zou werknemers in verwarring kunnen brengen. Jobs had dan wel het idee dat Google en Apple niet langer bondgenoten waren, maar hij wist maar al te goed dat ze elkaar nodig hadden als zakenpartners. Apple had nog steeds Google Search, Maps en YouTube nodig om de iPhone aan de man te brengen. En aangezien er nog geen mobiel met Android te koop was, was de iPhone de enige smartphone die krachtig genoeg was om Google's software effectief op te draaien.

De maanden daarna deed Google nauwelijks iets om Jobs' indruk weg te nemen dat hij ze een lesje had geleerd, en dat de iPhone de wereld van de smartphones zou gaan domineren zoals de iPod de wereld van de muziekspelers. De mobiel G1 van T-Mobile, *'powered by Google'*, kwam in september 2008 op de markt. Het was een goede eerste poging, maar vergeleken met de iPhone was het een Kia vergeleken met een Mercedes. Hij had een touchscreen, maar omdat Google alle multitouchfeatures eruit had gehaald was dat nutteloos. Hij had een uitschuiftoetsenbord, maar gebruikers klaagden dat de toetsen halfzacht aanvoelden. Slechts weinigen lieten hun BlackBerry ervoor thuis. En hij was moeilijk te organiseren als je, zoals de meesten, Microsoft Exchange gebruikte voor e-mail, contacten en kalender voor je werk.[4]

Maar de applicaties Gmail, Android browser en Maps werkten soepel, en in tegenstelling tot zelfs de nieuwste iPhone draaide op de G1 meer dan één applicatie tegelijk. Hij had als eerste een mededelingenscherm dat naar beneden rolde, iets wat later ook op de iPhone verscheen. En hij was in veel hogere mate aanpasbaar aan de wensen van de gebruiker. Maar Google's YouTube deed het er niet op, terwijl dat toch de geschiktste amusementssoftware was. Je kon hem ook niet eenvoudig, zoals een iPhone, aan je computer koppelen. Om informatie van je PC in je G1 te krijgen, moest je de smartphone eerst laten synchroniseren met Google's cloud en dan hetzelfde doen met je PC. Tegenwoordig mag dat dan een pluspunt zijn, maar toen, voordat cloud computing gebruikelijk was, was het een heel gedoe.

Googlers waren nog harder over de G1 dan gebruikers. In plaats van de gebruikelijke kerstgratificatie kregen alle werknemers van Google dat jaar een G1. Ze waren er niet blij mee. Ik vroeg er in die tijd een paar hoe hij hun beviel en kreeg antwoorden als: 'Geweldig. Wil je hem hebben?' of 'Kijk eens hoeveel er bij eBay te koop zijn. Dat is het antwoord.' In de volgende vrijdagbijeenkomsten van alle Googlers werd openlijk de vraag gesteld waarom het zoveel tijd verspilde met Android. De meeste Googlers hadden een iPhone en de G1 was daarmee vergeleken een lachertje.

Vergeleken met de onthulling van de iPhone was de lancering, gehouden in een receptiezaal onder de Queensboro Bridge in New York, tussen Queens en Manhattan, ronduit amateuristisch.[5] Er waren geen live-demonstraties, alle demo's stonden op video. En de langdradige, zelfgenoegzame opmerkingen van Rubin en bazen van HTC en T-Mobile duurden veel en veel te lang. Het enige bewijs dat dit project gesteund werd door de top van Google was de niet-gerepeteerde opkomst van Brin en Page op rollerblades aan het einde van de lancering. Maar hoewel hun aanwezigheid de hele gebeurtenis nog enige sterrenkwaliteit schonk, deden hun antwoorden op vragen dat niet. In antwoord op een vraag over wat de coolste G1-applicatie was, zei Brin dat hij zelf een app had geschreven die de accelerometer van het toestel gebruikte om automatisch te timen hoe lang het toestel in de lucht bleef als hij hem omhoog gooide. En toen gooide hij zijn G1 de lucht in, waarmee paniek verscheen op de gezichten van collega's en zakenpartners. Er waren op dat moment maar een paar exemplaren beschikbaar en ze konden het zich niet permitteren dat er een kapot ging omdat Brin het niet opving en op de grond liet vallen.

Als je de lancering van de G1 en die van de iPhone met elkaar vergelijkt, kun je je zelfs afvragen hoe Brin, Page en Schmidt *ooit* meer dan een zakelijke relatie met Jobs hadden kunnen hebben. Hun visie op de wereld was fundamenteel anders. Apple was succesvol vanwege Jobs minutieuze, systematische zoektocht naar het beste apparaat – het volmaakte mengsel van vorm en functie. Google was succesvol dankzij Brins en Page's absurdisme en hun omhelzing van chaos. Als ondernemers waren zij beiden bereid om alles wat maar naar conventies rook, af te wijzen en grote weddenschappen aan te gaan met de mensen om hen heen die zeiden dat ze roekeloos bezig waren. Maar daar eindigde verder iedere overeenkomst.

Brin en Page verschenen voor de vertegenwoordigers van de media op rollerblades omdat ze met de gouverneur van New York, James Patterson, die ochtend bij een of ander festijn waren geweest in Grand Central Terminal in Manhattan en dachten dat het leuk zou zijn en sneller zou gaan om op rollerblades het vastzittende verkeer van de stad te ontwijken. Het kon hun weinig schelen dat er een auto op hen stond te wachten, dat hun beveiliging rekening had gehouden met het verkeer of dat ze bij de G1-lancering vies en bezweet arriveerden. Brian O'Shaughnessy, Androids top-pr-man op dat moment, herinnert zich hoe hij zijn boosheid in bedwang moest houden toen ze aankwamen. Het was zijn taak om ervoor te zorgen dat de G1 de grootst mogelijke en positiefste media-aandacht kreeg en hij vroeg zich nu af hoe hij zijn miljardair-stichters uit moest leggen dat ze hiermee alles op het spel zetten. 'Ik stond achter het podium op ze te wachten toen ze bij de lancering aankwamen en ik zei: "Mannen, willen jullie die rollerblades niet uitdoen? Jullie staan daar straks wel voor de CEO van HTC en topmannen van T-Mobile" en zij zeiden: "Nee, nee. Dat gaat prima zo." En ze reden zo het podium op.' Kun je je voorstellen dat Steve Jobs dat ooit zou doen?

De manier waarop Jobs met Google omging, zou iedereen bij Apple gerust hebben moeten stellen wat de spanning tussen de twee bedrijven betreft. Maar velen gingen zich juist steeds meer zorgen maken. Een handvol executives en ontwerpers waarschuwde Jobs al twee jaar lang voor de ambities van Google met Android en ze geloofden *nog steeds* dat Jobs Google's vastberadenheid onderschatte. Waarom had de grote Steve Jobs zich op de eerste plaats door Google in de luren laten leggen en waarom had hij anderhalf jaar – tot begin 2010 – nodig gehad om in het openbaar te reageren? Een van hen drukte het als volgt uit: 'Ik zei keer op keer: "Steve, we zouden die mannen beter in de gaten moeten houden. Ze nemen als gekken nieuw personeel aan en ik ken iedereen die ze in dienst nemen." Maar Steve zei dan zoiets als: "Ik ga mijn wandelingetje [met Larry, Sergey of Eric] maken en zoek het tot op de bodem uit." Dan praatte hij met hen en zei hij dat zij tegen hem hadden gezegd dat hij zich geen zorgen hoefde te maken. "Het is niet ernstig. Het was een interessant idee, maar het heeft nergens toe geleid," hadden ze dan tegen hem gezegd. Zelfs toen Android in 2007 op de markt kwam, zeiden ze hem nog: "Nou, het is nog niet echt stabiel. Het is niet geweldig. We weten nog niet of we ermee door moeten gaan." En ik dacht bij mezelf: ik geloof gewoon mijn oren niet.'

Een ander vertelde dat hij en zijn collega's bij Apple in 2007 bijna in paniek waren toen ze hoorden dat Schmidt en de andere leden van Apple's raad van bestuur al maanden voordat hij te koop was, met een iPhone rondliepen. 'Je moet weten dat een heleboel mensen die bij Apple aan de iPhone werkten, zeiden: "*What the fuck?* Ze geven onze mobiel aan een man die het hoofd is van een bedrijf waarmee wij concurreren. Ze nemen die mobiel, halen hem uit elkaar en stelen al onze ideeën".'

Sommigen bij Apple denken dat Jobs verblind kan zijn geweest door wat hij als vriendschap met Brin en Page beschouwde. Het is de aard van de mens om te geloven dat we goed zijn in het beoordelen van een ander. En succesvolle ondernemers en CEO's als Jobs denken dat vooral zij er goed in zijn. Het kunnen vinden en aannemen van de meest getalenteerde en betrouwbaarste mensen is per slot van rekening een belangrijk onderdeel van het opbouwen en leiden van een succesvol bedrijf. Maar anderen vragen zich vandaag de dag nog steeds af of de ziekte die zich toen bij Jobs openbaarde, niet ook een factor aan het worden was. Midden 2008 was duidelijk dat Jobs zich niet goed voelde. Het grootste deel van de tijd was zijn stem luid en zijn energie tomeloos – maar hij vermagerde en leek in een halfjaar meer dan twintig kilo te zijn afgevallen. En er waren momenten waarop hij ook duidelijk pijn leed. 'Ik zag hem tijdens vergaderingen ineenkrimpen. Ik zag hoe hij in een hoek ging zitten en zijn knieën tegen zijn borst perste. We zaten allemaal in de bestuurskamer. Het was een angstaanjagend gezicht.'[6]

Niemand vroeg Jobs of hij ziek was; hoe hij eruitzag was in 2008 het grote taboe-onderwerp geworden tijdens al hun vergaderingen. 'We wilden het nooit toegeven. We begaven ons nooit op dat terrein. Dat doe je gewoon niet. Je zou ook niet willen dat ze dat bij jou deden. En hij zei altijd: "Maak je geen zorgen. De dokters hebben me net gezond verklaard" of "Ik voel me uitstekend",' aldus een executive. Maar niemand wist toen wat iedereen nu wel weet – dat Jobs toen niet alleen ziek was, maar terminaal. De alvleesklierkanker had zich uitgezaaid naar zijn lever en hij had een transplantatie nodig die hij begin 2009, toen hij bijna dood was, ook onderging, volgens de biografie die Walter Isaacsons over hem schreef. En nu zijn er een paar die bij die vergaderingen aanwezig waren en zich afvragen of zijn ziekte zijn vechtlust niet aan het wegnemen was. 'Stel je voor dat jij in Steve's schoenen stond,' zei de executive. 'Je bent ziek en op sommige dagen ben je erg lichtgeraakt, maar op andere dagen zeg je: "Hou maar op. Ik heb gehoord wat ik moest horen. Laten we verdergaan".'

Een andere vertrouweling van Jobs schrijft het toe aan blindheid uit overmoed. 'Ik weet gewoon niet of iemand zich echt richtte op het gegeven dat er een compleet besturingssysteem met alle licenties in de maak was dat zij [Google] aan producenten beschikbaar zouden stellen. Er gingen een heleboel geruchten over een mobiel en hoe ze een besturingssysteem voor een mobiel in elkaar aan het zetten waren, maar volgens mij gaf Apple daar geen moer om omdat ze volgens mij het idee hadden dat ze zo goed waren en zo ver vooruit op ieder ander dat het er niet toe deed. Dus als zij [Google] een besturingssysteem voor Nokia of wie ook zouden gaan maken, zou niemand [van Apple] het iets kunnen schelen. Volgens mij richtte niemand zich [zelfs niet in 2008] op het feit dat dit een zeer machtige concurrent voor Apple zou worden.'

In eerste instantie verwierp deze persoon Jobs' gezondheid als factor in zijn houding ten aanzien van Google. Na enig aandringen bedacht hij zich en zei: 'Luister, ik denk dat je gelijk hebt. Zou hij in die periode strijdvaardiger zijn geweest [als hij niet ziek was]? Vermoedelijk wel.'

Zoal bij iedere scheiding zullen de twee partijen, Googlers en *Appleites*, het misschien nooit eens worden over hoe de ruzie tussen de twee begon, of wanneer Apple precies de zakelijke banden met Google begon door te snijden en waarom het bedrijf honderden miljoenen uitgeeft aan het vervolgen van leden van de Android-gemeenschap overal ter wereld. Werd

Jobs echt verraden door bondgenoten die zijn werk schaamteloos kopieerden, zoals Apple lang na Jobs' overlijden nog steeds volhoudt? Of houdt Apple een verzinsel in stand dat door Jobs was gefabriceerd om zijn blunder te verbergen? Probeerde Jobs te verbergen dat ziekte en/of persoonlijke verhoudingen en/of overmoed ervoor hadden gezorgd dat hij duidelijke signalen had gemist dat zijn relatie met Google aan het veranderen was? Werd Google uitgedaagd om het gevecht met Jobs aan te gaan terwijl het alleen maar een manier zocht om samen verder te kunnen? Of hadden de Google-directeuren hun gedrag van tevoren beraamd en was het misdadig?

Het is in elk geval duidelijk dat, nadat Jobs Google in de zomer van 2008 tot de overgave had gedwongen, ook Google alle zogenaamde vriendschapsbanden begon te verbreken en met ongekende felheid al zijn energie stak in de concurrentiestrijd met Apple. Terwijl Jobs in de winter van 2008 en het voorjaar van 2009 zes maanden verlof had genomen voor zijn levertransplantatie, investeerde Google niet alleen heel veel in de ontwikkeling van een tweede Android-mobiel – de Droid – maar begon het ook al te werken aan een derde, die het zelf zou ontwerpen, vermarkten en verkopen. Gundotra begon direct zijn softwareteam voor mobiel op te jagen om een app voor de iPhone te maken die Google als Trojaans paard zou kunnen gebruiken.

Gundotra's ruzie met Jobs eerder in 2008 had van hem aan het einde van dat jaar een fervent aanhanger van Android gemaakt en hij liet zijn team niet alleen apps voor de iPhone maken voor basisfuncties als Search, Maps en YouTube, maar ook een versie voor mobiel van software genaamd Google Voice. Net als Android zelf kwam Voice van een start-up die in augustus 2007 door Google was overgenomen. Dat bedrijf,

GrandCentral Communications, was op het eerste gezicht een merkwaardige aankoop. Het leek op Skype. Het maakte software waardoor gesprekken verliepen via internet in plaats van een telefoonmaatschappij, wat we nu VoIP, *Voice over Internet Protocol* of internettelefonie noemen. Maar voor veel ontwikkelaars bij Google was dat net zoiets als een grote antenne op je mobiel. Telefoneren was iets wat je ouders deden. Voor hen was het een oude, achterhaalde techniek. Het was zelfs zo dat, toen Google het huidige kantorencomplex liet neerzetten, Brin en Page in het geheel geen telefoonlijnen aangebracht wilden hebben – totdat hun verteld werd dat dat een overtreding was van de voorschriften van de brandweer.[7]

De interne sponsor van GrandCentral, Wesley Chan, bekeek de mogelijkheden in een ander licht: het leek op Gmail. Het was weer zo'n toepassing waardoor Google het centrum zou worden van de wereld van de gebruikers. Het was namelijk een applicatie waardoor Google informatie kreeg over de interesses van die gebruikers. En het was een applicatie waardoor Google meer advertentieruimte zou verkopen. Volgens Levy's *In the Plex* hield Page van de mogelijkheid tot ontwrichting die in GrandCentrals software verborgen lag. Het kon draaien op Android en het was iets waarvoor de providers niet voldoende innovatief waren om het hun gebruikers aan te bieden. Bovendien bood het de mogelijkheid om van Google een stiekeme telefoonmaatschappij te maken.

Google begon in 2008 GrandCentral onder gebruikers te verspreiden onder de nieuwe naam Google Voice, eerst alleen in de VS, na augustus 2011 ook in Nederland. Het uitgangspunt was goed: zet de verschillende telefoonnummers en e-mailadressen die we gebruiken op eenvoudige wijze bij elkaar in één communicatiecentrum. Google wees jou als gebruiker dan één nummer toe, dat aan al je nummers gekoppeld werd. Belde nu iemand jouw Google Voice-nummer, dan stuurde de software het gesprek gratis door naar al je nummers (of zoveel daarvan als jij wilde). Het programma hield al die nummers bij en synchroniseerde die met de namen in jouw lijst contacten van Gmail. Het transcribeerde voicemails – zij het niet zo goed – en stuurde die als e-mail naar je door. Het sloeg de tekstboodschappen van je smartphone op. En het bood iedereen de mogelijkheid om gratis te telefoneren. Sommige telefoonmaatschappijen boden ook enkele van deze diensten aan, maar vaak kostten ze geld en waren ze moeilijker in werking te zetten. Gundotra dacht dat Google Voice juist bijzonder nuttig zou zijn als applicatie op een smartphone. Niet alleen bood het functies die de iPhone nog niet had, maar het zou eigenlijk de belangrijkste functies van de iPhone – bellen, contacten en e-mail – bij Apple weghalen en in plaats daarvan met Google's servers verbinden. 'Vijandelijke overname' behoort tot de terminologie van Wall Street. In Silicon Valley wordt de term nauwelijks gebruikt. Maar als je door alle subtiliteiten van het programma heen keek, dan was dat precies wat Google aan het doen was.

Wat Gundotra's strategie zo briljant maakte, was dat Google nooit kon verliezen. Apple's App Store was op dat moment een jaar oud en een enorme hit. Niet alleen genereerde de winkel miljarden dollars aan nieuwe omzet, ook dwong het de gebruiker bij het platform te blijven, net als Microsoft in de jaren 1990 had gedaan met Windows. Hoe meer software je voor je iPhone kocht, hoe duurder het werd om al die apps voor een ander platform opnieuw te moeten kopen en hoe meer je gedwongen was om bij de aankoop van een nieuwe smartphone voor een iPhone te kiezen. Maar Gundotra begreep ook dat al die macht een enorme verantwoordelijkheid met zich meebracht: hoe moest Apple besluiten welke apps het in de App Store toe wilde staan en welke niet? Besluiten welke muziek, films en tv-programma's via iTunes konden worden gekocht, was veel makkelijker. En als klanten het niet eens waren met Apple's keuze, waren er nog veel meer manieren om aan de door hen gewenste content te komen. Maar de App Store was het enige verkooppunt voor de nieuwe industrie van softwareontwikkelaars voor de iPhone. Ontwikkelaars die geld en tijd gestoken hadden in een applicatie voor de iPhone konden nergens verhaal halen als Apple de app afwees. Apps die duidelijk politiek, pornografisch of gewelddadig waren, waren makkelijk te weigeren. Maar tientallen vielen in een grijs gebied en waren al een netelig pr-probleem geworden voor Jobs en Apple. Een app waardoor gebruikers toegang hadden tot klassieke boeken, werd geweigerd omdat de *Kamasutra* erbij zat. Politiek cartoonist Mark Fiore won in 2010 de Pulitzer Prize voor zijn werk, maar zijn app met cartoons werd geweigerd omdat daarin de draak werd gestoken met politici. Als Apple Google Voice zou afwijzen – als het vond dat het een app van een groot bedrijf en zakenpartner kon weigeren – dan zou dat de grote angst van Silicon Valley over Apple's groeiende macht in de mobiele telefoonindustrie alleen maar bevestigen.

In de zakenwereld gaat nooit iets precies zoals gepland, maar Gundotra's gok met Google Voice werkte bijna precies zoals hij had gehoopt. Op 28 augustus 2009, twee weken nadat Google Voice was aangekondigd voor alle smartphones *met uitzondering van* de iPhone, maar met de toezegging dat de app voor de iPhone snel beschikbaar zou komen, maakte Google bekend dat Apple *alle* software had afgewezen die gebruik zou maken van Google Voice op de iPhone. Een paar dagen later maakte Apple bekend dat Schmidt uit de raad van bestuur stapte vanwege een belangenconflict. En een paar dagen *daarna* maakte beurshond FCC bekend dat het zich in de hele zaak ging verdiepen.

Bijna alle media richtten hun aandacht op Apple's onredelijke en mogelijk onwettige controle op Apple's App Store en schilderden Jobs af als een machtsbeluste despoot. In een poging er niet als despoot uit te zien, probeerde Apple de journalisten in te laten zien dat AT&T, niet Apple, achter die afwijzingen zat. Maar dat maakte de zaak alleen maar erger. De FCC ging zich nu namelijk afvragen of Apple en AT&T geheime, onoorbare afspraken hadden gemaakt.[8]

Twee maanden later maakte de FCC in reactie op de beroepen van de media op de *Freedom of Information Act* de correspondentie met de drie bedrijven openbaar. Het zag er voor Apple niet goed uit. In Google's brief stond dat 'vertegenwoordigers van Apple Google meedeelden dat Google Voice werd afgewezen omdat Apple van mening was dat de applicatie de functionaliteit van de nummerkiezer van de iPhone dupliceerde. De vertegenwoordigers van Apple gaven aan dat het bedrijf geen applicaties wilde die een dergelijke functionaliteit mogelijk konden vervangen.' In Apple's brief stond echter: 'In tegenstelling tot openbaar gemaakte verslagen heeft Apple de Google Voice-applicatie niet afgewezen en bestudeert men deze nog. De applicatie is niet goedgekeurd omdat het, zoals het voor beoordeling werd toegezonden, iPhone's onderscheidende gebruikerservaring schijnt te veranderen door de kernfunctionaliteit van Apple's mobiele telefoon en de Apple-gebruikersinterface te vervangen door een eigen gebruikersinterface voor telefoongesprekken, tekstboodschappen en voicemail.'

Later liet Apple Google Voice en andere VoIP-applicaties wel in de App Store toe. Maar executives van zowel Apple als Google zeiden dat iedereen aan de top van beide bedrijven wist dat Jobs persoonlijk had geëist dat Google Voice afgewezen zou worden. 'In 2009 riepen mensen al dat wij censuur toepasten,' aldus een Apple-executive. 'Dus [welke apps we goedkeurden] was belangrijk voor Apple's image. Niemand wilde die harde eisen stellen, dus moest Steve het zelf maar doen.'

De schermutselingen om Google Voice kregen een heleboel media-aandacht en boden Silicon Valley zijn eerste echte blik op iets waarover al ruim een jaar was gespeculeerd: dat het bondgenootschap Apple-Google om de wereld tegen Microsoft te beschermen, aan het uiteenvallen was, dat ze veel bozer op elkaar en veel banger voor elkaar waren dan ieder van hen voor Microsoft. Maar het gevecht om Google Voice zou al gauw onbenullig zijn als Android niet de bedreiging zou vormen die Jobs en Apple vreesden, dus als Rubin en zijn team geen smartphone wisten te maken die consumenten wilden gebruiken. Dat dat zou gaan lukken, leek aan het einde van 2008, nadat de G1 drie maanden op de markt was, erg onwaarschijnlijk. De G1 was een dusdanige flop onder consumenten dat het ernaar uitzag dat het maken van zijn opvolger *moeilijker* zou zijn, niet makkelijker.[9]

Maar het tegenovergestelde gebeurde: de haperende start van de G1 zette producenten en providers er juist toe aan om van Android een succes te maken. Bij de door de iPhone veroorzaakte revolutie waren niet alleen Apple en Google betrokken, de hele industrie van mobiele telefoons was aan het uitzoeken hoe ze met Apple moest concurreren. Motorola en

Verizon, twee partners die een jaar eerder nog niet beschikbaar waren of geen belangstelling toonden voor Android, waren plotseling bijzonder geïntrigeerd.

Sanjay Jha was in augustus 2008 CEO geworden van Motorola. Het bedrijf had zich voor en na de lancering van de iPhone al zo vaak vergist, dat velen dachten dat het surseance van betaling zou aanvragen en daarna failliet zou gaan. Jha, die Rubin al kende uit de tijd dat hij topman was van chipproducent Qualcomm waar hij vanaf 1994 carrière had gemaakt, nam direct de ongebruikelijke stap om te verklaren dat Android het enige besturingssysteem zou zijn op alle mobiels van Motorola. Tot dat moment maakte Motorola gebruik van een stuk of zes verschillende besturingssystemen en had het voor ieder systeem een eigen team. Nu verloren duizenden programmeurs hun baan.

Intussen was Verizon, dat eind 2007 duidelijk had laten weten dat het de pest had aan Google, gaan beseffen dat het Google misschien toch wel heel erg hard nodig had. De topmannen van Verizon hadden zo graag geloofd dat de deal van concurrent AT&T met Apple – waarmee Apple alle rechten had gekregen op ontwerp, productie en marketing van door AT&T ondersteunde smartphones – een misstap was geweest. In 2007 gaf het 65 miljoen dollar uit aan de LG Voyager en in 2008 nog eens zo'n slordige 75 miljoen aan marketing voor de BlackBerry Storm in de hoop dit te bewijzen. Maar beide pogingen waren commercieel erg teleurstellend en eind 2008 ging John Stratton, Verizons COO, zich toch zorgen maken dat AT&T en de iPhone zijn beste klanten bij hem weghaalden. 'We moesten gaan meespelen,' aldus Stratton. 'En we beseften dat we, als we de concurrentie met de iPhone wilden aangaan, dat niet alleen konden.'

De gedeelde noodzaak – en zelfs wanhoop – van de drie bedrijven om met een reactie op de iPhone te komen, leidde tot allerlei nieuwe manieren van denken bij de topmannen en softwareontwikkelaars. Schmidt, die providers altijd had beschouwd als de belichaming van het kwaad, was ingenomen met Verizons halve toezegging dat het netwerk opengesteld zou worden zodat ook anderen de bandbreedte konden gebruiken om nieuwe ideeën aan te moedigen. Stratton was onder de indruk van Schmidts alleszins redelijke houding; hij was helemaal niet de bommengooier die hij met zijn persverklaringen altijd leek. Jha wilde wanhopig graag met beide bedrijven samenwerken om dat van hemzelf te redden.

Intussen waren het niet alleen de programmeurs van Jha die Android waren gaan begrijpen en waarderen, Verizons programmeurs waren tot dezelfde conclusie gekomen. Ze hadden zich verdiept in ieder besturingssysteem van smartphones – en zelfs geprobeerd er zelf een te bouwen – en waren tot de slotsom gekomen dat Android een van de beste was. Dit was een belangrijke uitspraak van een beruchte provider als Verizon, die alles wat mobiele telefoons aanging zelf wilde beheersen. In 2003 was Verizon zo overtuigd van zijn dominantie op de markt voor draadloos dat het Jobs' aanbod voor een partnerschap om samen de iPhone te bouwen, naast zich had neergelegd. AT&T was Apple's tweede keus. Wat de Verizon-programmeurs zo mooi vonden aan Android, was dat het was geschreven voor de toekomst. De meeste software voor smartphones, ook die voor de iPhone, was zo ontworpen dat regelmatig verbinding met een PC noodzakelijk was. Maar bij het ontwerpen van Android was er al van uitgegaan dat dat ooit niet meer nodig zou zijn – dat iedereen zijn smartphone zou gebruiken als het primaire apparaat om te internetten en voor ander computergebruik.

En Rubin had een partnerschap op papier gezet dat veel vriendelijker was voor providers dan alles wat Apple had voorgesteld. Zowel bij het Apple- als het Android-platform krijgen app-makers ongeveer 70 procent van de opbrengst van de verkoop van hun software. Maar Apple nam de overblijvende 30 procent, terwijl Rubin besloot om dat deel, hoewel het misschien Android wel toekwam, aan de providers te geven. Volgens sommigen was hij geschift dat hij zo veel geld liet schieten. Maar Rubin vond het een zacht prijsje om de Droid de grootst mogelijke kans op succes te bieden. Dat een provider zich achter een mobiel opstelt, kan precies het verschil betekenen tussen slagen en mislukken en Rubin wilde de providers ieder mogelijk motief in handen geven om de Droid op alle mogelijke manieren te ondersteunen. Als de Droid slaagde, zouden Android en Google hiervan op heel veel andere wijzen profiteren – meer zoekverkeer, hogere reclameomzet, toenemende klantentrouw – en dat zou uiteindelijk veel meer waard zijn.

De mogelijkheden van het Droid-partnerschap waren ongekend. Maar volgens Rubin was de mate van stress bij de ontwikkeling van de G1 niets vergeleken met die van de Droid. Eind 2008 had Jha Rubin een toestel beloofd dat veel sneller zou zijn dan iedere andere smartphone. Hij beloofde dat de resolutie van het touchscreen hoger zou zijn dan bij de iPhone en dat het een compleet toetsenbordje zou hebben, vooral voor klanten die niet overweg konden met de virtuele toetsen zoals die van de iPhone. En hij beloofde een mobiele telefoon die dun en chic zou zijn, een die alleen al op design van de buitenkant kon concurreren met de iPhone. Maar toen de eerste prototypes in het voorjaar van 2009 bij Google aankwamen, leken ze in het geheel niet op de ontwerpen die Jha had laten zien. Ze waren ronduit afschuwelijk. Ja, er zat altijd ruimte tussen de schetsen van de producent en het eventuele prototype, maar Rubin en zijn team hadden zo veel vertrouwen in Jha dat ze van hem hadden verwacht dat hij een mobiel zou leveren die veel dichter bij de tekeningen zou komen die hij op tafel had gelegd.

Wanhoop sloeg toe. 'Het leek wel een wapen. Het was zo scherp en hoekig en alles was recht. Het leek wel alsof je je aan de randen kon snijden,' aldus Tom Moss, Rubins hoofd zakelijke ontwikkeling. 'We maakten ons echt zorgen. Er vonden heel veel gesprekken plaats waarbij wij ons afvroegen: is dit echt het toestel dat we willen maken? Moeten we niet proberen Motorola ervan af te houden?' Maar de gevolgen van het afblazen van het hele project zouden enorm zijn. Na weer een fiasco, en dat net na de teleurstellende G1, zou het publiek Android weleens kunnen gaan beschouwen als een flop. De top van Verizon was dan beslist een stelletje klungels. En een mislukking zou wel eens het einde van Motorola kunnen betekenen, het bedrijf dat de mobiele telefoon had uitgevonden. 'Er hing heel veel van af,' aldus Rubin. 'Ik had mijn hele carrière erop gezet.'

Die hele zomer hing het gevoel van onheil – en paniek – rond het project. De smartphone moest met Thanksgiving, de vierde donderdag in november, in de winkels liggen, maar dat leek nu meer op de datum van executie dan iets om naar uit te kijken. Android-programmeurs waren bang dat het ding helemaal niet verkocht zou gaan worden, maar moesten toch weekeinden en vakantiedagen werken om de software verder te ontwikkelen. Jha, Rubin en Stratton spraken elkaar bijna dagelijks om een manier te bedenken om het ontwerp aan te passen zonder alle elektronische componenten opnieuw te hoeven ontwerpen. En de smartphone had nog steeds geen naam. McCann, het reclamebureau waar Verizon al zo lang gebruik van maakte, kwam met een lijstje mogelijkheden – waaronder Dynamite – die weinigen konden bekoren. Nog op Labor Day, de eerste maandag van september, had de mobiel alleen een codenaam, Sholes, naar Christopher Latham Sholes, de man die in 1874 de eerste commercieel succesvolle typemachine had uitgevonden. Stratton kon naar zijn gevoel niet anders dan de hulp inroepen van McGarryBowen, een jong reclamebureau dat al bekend was vanwege hun onconventionele denken. 'We zeiden tegen ze dat ze een week hadden,' vertelde Joe Saracino, Verizons topman belast met de marketing van de nieuwe smartphone. 'Een paar dagen later komt medeoprichter en *chief creative officer* Gordon Bowen binnenlopen en zegt: "Waar denk jij aan als ik *Droid* zeg?"'

Achteraf beschouwd is wat het reclamebureau had gedaan, nogal eenvoudig: het maakte van het lelijke uiterlijk van het toestel zijn aantrekkingskracht door het als anti-iPhone te positioneren. De iPhone was afgerond en chic, en dus moest de Droid neergezet worden als rauw en gereed om aan het werk te gaan. Elektronica en software van de iPhone waren onbereikbaar, dus maakten ze reclame voor het kunnen hacken van dit toestel. 'Als er een mobiel gebruikt was in de film *Black Hawk Down*, dan zou die eruit hebben gezien als de Droid,' vertelde Bowen de directeuren. Een paar weken later, begin oktober 2009, lieten Verizon en het nieuwe reclamebureau een groep van tweehonderd stafmedewerkers van Android kennismaken met de Droid-campagne. In een van de advertenties lieten stealthbommenwerpers smartphones vallen op een boerderij, in een bos en langs een weg. In een andere werd de iPhone aangevallen als een 'digitaal domme, praalzieke schoonheidskoningin'. En in een derde werd alles opgesomd wat de Droid wel kon en de iPhone niet. Toen ze klaar waren, brak de zaal uit in applaus. Het Android-team was eerder nog gedemoraliseerd, maar 'toen ze besloten om een frontale aanval te openen op de iPhone, dat wij ze de oorlog verklaarden, raakten wij juist weer gestimuleerd', aldus Tom Moss.

Toen de Droid – op tijd – werd gelanceerd, werd het een enorme hit en passeerde de verkoop in de eerste drie maanden die van de iPhone. In januari 2010 vuurde Google het volgende salvo op Apple af met een smartphone die het zelf had ontwikkeld, de Nexus One. Het werd commercieel een mislukking, omdat Google probeerde de marketing voor het toestel zelf te doen en het zelf te verkopen in plaats van dat door een provider te laten doen. Maar wat techniek betreft, was het een triomf. Hij had een groter touchscreen dan de iPhone en een geluid dempende microfoon zodat gebruikers in een drukke straat konden praten zonder dat de gesprekspartner aan de andere kant lastig werd gevallen met achtergrondherrie. Hij bezat een chip die op iedere providersfrequentie werkte, zodat gebruikers van provider konden veranderen zonder een nieuwe telefoon te hoeven kopen. Hij had een betere camera en je kon langer bellen zonder te hoeven opladen. En, het allerbelangrijkste, hij had alle multitouchfeatures waarvan Jobs vijftien maanden eerder had geëist dat ze van de G1 werden verwijderd. Motorola had de Droid zonder die features gelanceerd. Maar een week na de aankondiging van de Nexus One gaf Google een software-update voor de Droid uit waardoor daarop ook multitouch kwam te staan.

Voor Jobs deed dit de deur dicht. Hij had Google laten weten dat hij, als ze multitouch op hun smartphones zouden installeren, een rechtszaak zou aanspannen. Hij hield woord en daagde de producent van de Nexus One, HTC, een maand later voor de federale districtsrechter in Delaware. Nu ging hij openbare bijeenkomsten gebruiken om Google en Android zwart te maken. Een maand na de lancering van de Nexus One – en enkele dagen nadat Jobs de iPad had aangekondigd – ging hij tijdens een werknemersbijeenkomst van zijn eigen bedrijf tekeer tegen Google. Apple bemoeide zich niet met zoekmachines. Waarom ging Google zich dan bemoeien met smartphones? 'Google wil de iPhone de nek omdraaien en wij zullen dat niet toestaan. Hun mantra *Don't Be Evil*? Gewoon bullshit.'

In oktober 2010, aan het einde van de vergadering over de kwartaalcijfers met investeerders en analisten van Wall Street, legde Jobs in vijf minuten gedetailleerd uit waarom Android op alle manieren een inferieur product was. Volgens hem was Android voor klanten moeilijk te gebruiken omdat iedere mobiel met Android weer anders werkte. En daarom was het schrijven van software voor de Android juist zo moeilijk. Volgens hem betekende dat, dat Android-software niet heel erg goed kon zijn en niet heel goed zou kunnen werken. Volgens hem was het argument dat Android beter was dan iPhone omdat het Android-platform open was en dat van Apple gesloten, 'een rookgordijn om het werkelijke probleem te verbergen: wat is het beste voor de klant?' Volgens hem steunde de markt deze beweringen. 'Dit wordt een zootje voor zowel gebruikers als programmeurs.'

Zijn zwaarste kritiek, die hij een week uitte nadat Apple de rechtszaak tegen HTC begonnen was, is al honderden keren aangehaald sinds die eind 2011 in Isaacsons biografie verscheen:

> Onze aanklacht luidt: 'Google, je hebt gvd de iPhone leeggeroofd. Je hebt ons compleet beroofd.' Diefstal. Ik zal, als het nodig is, mijn laatste ademtocht eraan wijden en ik zal iedere stuiver van Apple's 40 miljard dollar op de bank eraan besteden om dit onrecht recht te zetten. Ik zal Android vernietigen, omdat het een gestolen product is. Ik ben bereid er een atoomoorlog voor te voeren. Ze zijn doodsbang omdat ze weten dat ze schuldig zijn. Op Search na zijn Google's producten – Android, Google Docs – rotzooi.[10]

Privé was Jobs net zo fel. Altijd al draaide hij in het openbaar om de waarheid heen. In 2004 zei hij dat Apple nooit een mobiel zou maken, terwijl het bedrijf werkte aan een... mobiel. Daarom vroegen sommigen zich af of Jobs' in het openbaar afkraken van Android misschien ook een ander doel kon hebben. Maar tijdens bestuursvergaderingen was Android bijna een obsessie. Dat was een van de redenen waarom hij eind 2009 voor 275 miljoen dollar Quattro Wireless kocht. Quattro was een van de eerste bedrijven met ervaring in het verkopen, creëren en uitzenden van reclame voor smartphones. Google beheerste onlinereclame op desktops en laptops en Jobs wilde niet dat Google die beheersing zou uitbreiden naar smartphones. 'Volgens mij dacht hij dat er bij content [spelletjes en andere apps voor mobiels en tablets] reclame zou gaan komen en dat die app-ontwikkelaars geld wilden verdienen,' aldus Andy Miller, medeoprichter en CEO van Quattro. 'Hij dacht dat ze, als Apple geen team in huis had om hun een cheque te sturen en al hun reclamedollars van Google en Ad-Words kwamen, eerst aan Android zouden denken als ze iets nieuws gingen ontwikkelen. En dus ging hij dat eerst doen voordat hij verlof nam [voor zijn levertransplantatie]. Hij vertelde Scott [Forstall] dat hij dat wilde gaan doen, en daarop kwam Scott naar ons toe.'

Miller vertelde dat het een wonderlijke ervaring was om voor Jobs te werken, maar dat hem al gauw bleek dat Apple niet geschikt was om succesvol te worden als reclamebedrijf, zomin als Google dat was als bedrijf voor consumentenproducten. iAd brengt nu ruwweg 220 miljoen dollar aan inkomsten binnen voor Apple, aldus Miller. Hetzelfde bedrag gebruikt Apple ter financiering van de net geïntroduceerde gratis internet-radiozender. Maar begin 2010 was het nog moeilijk om advertentieverkoop te integreren in Apple's cultuur van 'wij maken en verkopen de mooiste dingen ter wereld'. Miller herinnert het zich als een van de spannendste en uitputtendste ervaringen uit zijn carrière. 'Ik was een directeur die direct verantwoording schuldig was aan Steve en ik moest iedere donderdag een presentatie geven voor hem, Forstall, Eddie Cue en Phil Schiller. Ik legde dus iedere week mijn kaarten op tafel voor de hele raad van bestuur en dat bracht ontzettend veel stress met zich mee. Intussen werd Steve zieker en zieker. We gingen de vergaderingen bij hem thuis houden. Niemand wilde een beslissing [over die reclame] nemen zonder Steve, omdat hij op dat moment meer van reclame begreep dan wie ook in het bedrijf. Ik bedoel, hij was het wonderkind. Hij bleef maar terugkomen en terugkomen. Maar na enige tijd kon je niet meer naar hem kijken [omdat hij duidelijk zo ziek was]. Het was vreselijk. Maar hij was echt ongelooflijk. Volgens mij werkte hij twee dagen voor zijn overlijden nog. Het ergste van alles was dat hij nog bijna altijd gelijk had ook.'

De ironie die in discussies over de ruzie tussen Apple en Google vaak niet ter sprake komt, is dat van alle rechtszaken die nu zijn aangespannen, Apple nog nooit rechtstreeks een dagvaarding heeft laten sturen aan Google. Het heeft alleen rechtszaken aangespannen tegen de *makers* van Android-mobiels als Samsung, HTC en Motorola. De niet openbaar uitgesproken aanname bij Google, en ook bij de producenten van de mobiels, is dat Apple inziet dat het makkelijker is om een rechter en/of jury te overtuigen van diefstal als advocaten twee toestellen naast elkaar kunnen leggen, zoals Apple in 2012 met succes deed voor een jury tijdens een rechtszaak tegen Samsung. Diefstal van software is veel moeilijker te bewijzen, en vooral van software als Android die providers en producenten naar eigen inzicht kunnen aanpassen en door Google gratis wordt weggegeven. Dit heeft in de strijd tot een wonderlijke dynamiek geleid. Hierdoor heeft Google – en met name Schmidt, die nog steeds Google's bekendste gezicht is – zich gek genoeg buiten de rechtszaal kunnen houden, terwijl toch eigenlijk tegen Google en Google's directie wordt gestreden. De titanenstrijd tussen Apple en Google is een van de smerigste, langst durende openlijke zakelijke onenigheden van de afgelopen vijfentwintig jaar. Maar als je naar Schmidt of een ander directielid van Google luistert, lijkt het wel alsof ze toeschouwer zijn. Schmidt heeft zich altijd zo goed buiten het gekrakeel kunnen houden dat hij, als hij het over Apple en Jobs heeft, af en toe overkomt als een ouder die praat over een stout kind.

Over de ontwikkeling van Android zei hij midden 2011 tegen mij: 'Larry en Sergey en ik begrijpen de strategische waarde van Android, maar ik denk dat niemand van ons kon voorzien hoe strategisch het zou worden. Zo af en toe doet zich een volmaakte storm voor. Je concurrenten maken eens een vergissing. Jij zit ineens met het juiste product op het juiste moment. Er is gewoon geen ander goed product om te kiezen. Het gebeurt gewoon op een gegeven moment. Dat is wat er met Android is gebeurd.'

Midden 2012 vroeg ik hem hoe het kwam dat het zo lang duurde voordat Jobs begreep dat Google een concurrent was en hij antwoordde: 'Vergeet niet dat dit [Android] voor Google [in 2008] niet zo veel voorstelde. Het was niet zo belangrijk. Dus wij [Jobs en ik] hielden er een oogje op.'

Hij wilde geen antwoord geven op mijn vragen over Jobs omdat hij het ongepast vond om over hem in deze context te praten nu hij dood was. Maar in 2010 had hij tegen Isaacson gezegd: 'Steve heeft een bepaalde manier om Apple te willen leiden en die is hetzelfde als twintig jaar geleden, en dat is dat Apple een briljante vernieuwer is van gesloten systemen. Ze willen niet dat mensen zonder toestemming op hun platform komen. Het voordeel van een gesloten platform is de beheersing. Maar Google is ervan overtuigd dat open een betere benadering is, omdat dat leidt tot meer mogelijkheden en concurrentie en keuze voor de consument.'[11]

En eind 2012 zei hij tegen *The Wall Street Journal*: '[Onze relatie met Apple] is altijd nogal wisselend geweest. Natuurlijk hadden we liever gehad dat ze onze kaarten [op hun mobiele apparaten] zouden gebruiken. Ze hebben YouTube van het openingsscherm [van iPhone en iPad] gegooid. Ik weet eigenlijk niet waarom ze dat hebben gedaan.' Maar hij vertelde ook dat, wat hun onenigheid ook was, het conflict tussen Google en Apple lang niet zo erg was als wat de media ervan maakten. 'De pers schrijft graag over concurrentiestrijd zoals tieners die zich voorstellen: "Ik heb een pistool, jij hebt een pistool, wie schiet eerst?" De volwassen manier om een bedrijf te leiden, is meer zoals je een land leidt. Er zijn onenigheden, maar toch drijven ze onderling enorm veel handel. Ze sturen elkaar geen bommen.'[12]

Schmidt kent dit soort interacties maar al te goed en is er zelf erg bedreven in. Iedereen die ooit voor Schmidt heeft gewerkt, zal je kunnen vertellen dat hij een van de hardste, competitiefste bazen is die je je maar kunt voorstellen. Vraag Rubin maar hoe het was om een paar reprimandes in de zin van 'Verkloot het niet' van Schmidt te krijgen. 'Niet leuk,' zegt hij dan. Maar in het openbaar komt Schmidt helemaal niet over als de ambitieuze, harde Silicon Valley-magnaat die hij is. Hij ziet eruit en klinkt als een professor in de economie. Gewoonlijk gekleed in kaki broek en een trui of blazer met stropdas doet hij zijn uiterste best om ervoor te zorgen dat journalisten zich in zijn aanwezigheid op hun gemak voelen. Vaak verzoekt hij om een vervolggesprek om er zeker van te zijn, zegt hij vaak, dat hij jouw vragen 'helder' heeft beantwoord. En hij is een van de weinige directeuren die niet bang zijn om vragen voor de vuist weg te beantwoorden. Hij vervlecht feiten, gegevens en geschiedenis met zijn antwoorden. Hij heeft altijd een eigen agenda, maar komt zelden als ontwijkend over. De meeste CEO's gaan gedetailleerde discussies met journalisten het liefst uit de weg. Ze komen liever als ontwijkend over, om maar geen gelegenheid te missen om een punt te herhalen. Schmidt overdondert liever met feiten en kennis. Hij is niet bang om te praten over feiten die zijn eigen standpunt tegenspreken, hij geeft gewoon meer feiten die het ondersteunen.

Schmidts openlijke terughoudendheid dient vele doelen. Veel mensen begrijpen nog steeds niet hoe Google werkt – hoe het geld verdient en wat het doet en niet doet met alle informatie over internet en zijn gebruikers. Schmidt is zo goed in het uitleggen hiervan dat hij Google's opperuitlegger wordt genoemd, ook nu hij zijn taken als CEO in april 2011 heeft overgedragen aan een van de oprichters, Larry Page. Dat hij dat pr-aspect is blijven verzorgen, is een oplossing van twee problemen: het gesprek over Google blijft altijd gericht op de feiten, en de indruk wordt gewekt dat Google minder ambitieus en competitief is dan gebruikers, klanten en concurrenten geneigd zijn te denken.

Het is verbijsterend effectief gebleken, vooral tegen Microsoft. Vijf jaar lang heeft Schmidt ontkend dat Google concurreerde met Microsoft Windows om de controle over het PC-gebruik, en het klonk bij Microsoft alsof ze het geloofden. Maar in 2005 had Google, niet Microsoft, de grootste invloed op wat gebruikers met hun PC deden. Schmidt ontkende dat Google bezig was met de ontwikkeling van een programma om online te concurreren met Microsoft Office. En bovendien dacht Microsoft dat dat toch geen bedreiging zou zijn. Maar in 2010 begonnen grote zakelijke gebruikers, zoals New York City, Google's applicaties te gebruiken om Microsoft te dwingen de prijzen voor Office te verlagen.[13] En Schmidt ontkende dat Google zijn eigen internetbrowser aan het ontwikkelen was om daarmee te gaan concurreren met Microsoft, Apple en opensourcepartner Mozilla, dat Firefox maakt. Tot het in 2008 Chrome op de markt bracht, een eigen browser. Schmidt zei daarover, en het klonk heel redelijk, dat het hem in de loop van de tijd duidelijk was geworden dat een bedrijf als Google, dat afhankelijk was van internettoegang voor mensen om Google-producten te gebruiken, de controle over de browser nooit zou moeten afstaan.[14] Maar het zou minder machiavellistisch overkomen als hij Google's plannen eerder niet zo krachtig had ontkend.

Het lijkt erop dat Google een vergelijkbaar spel heeft gespeeld met Apple wat de ambities met mobiel betreft. Apple en Jobs hadden te horen gekregen dat het niet serieus was met Android, dat ze het misschien wel zouden schrappen, dat het nooit zou concurreren met de iPhone, tot ze op een zekere dag elkaars felste concurrenten waren. Schmidt ontkent altijd dat hij of iemand anders bij Google ooit iets onoorbaars heeft gedaan in de omgang met Apple, en vermoedelijk is dat nog waar ook. Zoals Schmidt zei, innovatie is een warboel; het was een tijdlang helemaal niet duidelijk dat Android een succes zou worden, Google moest nu eenmaal software in mobiele apparaten zien te krijgen, en de relatie van Google met Jobs was nu eenmaal aan verandering onderhevig. Maar ook is het waar dat Schmidt en de rest van Google's top het er in 2008 achter gesloten deuren al over hadden wat Google moest doen als de iPhone net zo dominant zou worden in de mobiele telefonie als de iPod was in de mobiele muziek, dus als de weg naar mobiel internet via Apple zou lopen. 'Het was het grote taboe-onderwerp gedurende al onze Android-vergaderingen,' aldus Cedric Beust, een van de Android-programmeurs. 'Een door de iPhone gedomineerde wereld zou Google financieel kunnen bedreigen [misschien door Google te dwingen een bedrag te betalen voor toegang tot mobiel internet via hun toestel]. Maar ook voelden de softwareontwikkelaars en alle anderen bij Google zich niet gelukkig met het model dat Apple propageert. Het is niet het soort toekomst waarmee ze willen leven. Volgens mij zagen deze mensen in dat Apple misschien nog wel erger was dan Microsoft als je kijkt naar de manier waarop zij alles in hun App Store weigeren dat hen niet aanstaat en zo. Ik denk dat wij die situatie al dicht waren genaderd, maar volgens mij is het voorkomen doordat Android op de markt kwam en Apple dwong wat menselijker en wat nederiger te worden.'

Volgens andere executives van Google was Page agressiever dan Schmidt in het pushen van Android als Google's oplossing voor mobiel en in de concurrentiestrijd vanaf begin 2007 met de iPhone. Executives dicht bij Page zeggen dat ze hierdoor niet verrast zijn. 'Larry had zoiets gezegd als: "Geweldig, laten we dit gebruiken om de strijd met Apple aan te gaan",' legde een van hen uit. 'Hij wil producten maken en gebruikers hebben en de toekomst van ons als bedrijf in de hand houden. Dus [alleen maar leverancier zijn van technologie voor Apple op de iPhone] was echt geen optie, hoewel ik ervan overtuigd ben dat dat is wat Apple het liefst had gehad.' Schmidt vertelde over dit alles beslist niets aan Jobs – dat Google zich meer zorgen was gaan maken om Apple dan om Microsoft en dat Google veel serieuzer was waar het Android aanging dan hij liet merken. Dat zou hij ook niet hebben moeten doen. Maar je vraagt je wel af wat de mogelijkheden zijn van een schikking tussen de twee bedrijven. Iedere keer als Schmidt het heeft over het titanengevecht tussen Apple en Google en dat hij niet begrijpt hoe dat zo vreselijk uit de hand heeft kunnen lopen, moet het bij Apple aanvoelen alsof hij weer een beetje zout in de wond wrijft.

6
Overal Android

In 2010 vielen Apple en Google elkaar in ieder denkbaar strijdperk aan: in de rechtszaal, in de media en in de winkel. De stijging in populariteit van Android was verbijsterend en Rubin, Schmidt en de rest van Google staken hun vreugde niet onder stoelen of banken. Het leek wel alsof ze bij iedere kans die ze dat jaar kregen, vertelden hoeveel keer per maand Android in een telefoon verkocht was en hoe mobiele apparaten de toekomst van Google en de wereld zouden veranderen. In een interview in april met *The New York Times* voorspelde Rubin zelfs onbeschaamd dat Android het hele mobiele universum zou gaan beheersen. Een jaar eerder nog was hij bang geweest dat Google Android zou laten schieten en dat hij en zijn team een nieuwe baan moesten gaan zoeken. Nu verkondigde hij vol zelfvertrouwen: 'Het gaat om aantallen. Als je diverse OEM's [smartphoneproducenten] hebt in diverse productcategorieen, dan is het een kwestie van tijd' voordat Android andere smartphoneplatforms, zoals iPhone en BlackBerry, voorbijstreeft.[1]

Het leek wel alsof al het andere wat betreft Google er niet meer toe deed. Dat was niet helemaal zo, maar het was ook weer niet heel erg overdreven. Android begon het jaar 2010 met 7 miljoen gebruikers. Aan het einde van het jaar waren het er 67 miljoen en kwamen er driehonderdduizend gebruikers per dag bij. Android maakte nog geen winst, maar was daar wel hard naar op weg. Belangrijker was echter dat het de omzet en winst van andere Googsle-applicaties, zoals Search en YouTube, in een stroomversnelling had gebracht; steeds meer mensen openden een Google-rekening (Google Checkout) en gaven Google daarmee onder meer hun creditcardinformatie. Hoe meer mensen Android gebruikten, hoe vaker ze via Google zochten en hoe meer advertenties ze bezochten.[2]

Google verdiende nog steeds het meest aan zoekopdrachten op laptops en PC's, maar iedereen aan de top van het bedrijf wist dat dat niet eeuwig de voornaamste inkomstenbron kon blijven. Steeds minder mensen kochten computers terwijl juist meer en meer consumenten smartphones en andere mobiele apparaten met internettoegang aanschaften. De groei- en winstkansen voor Google die in deze aantallen scholen, waren ronduit schokkend. Consumenten kochten jaarlijks vijf keer zoveel mobiele telefoons als PC's – 1,8 miljard tegen 400 miljoen. Google was nog nauwelijks op deze makt doorgedrongen.

Dankzij Android was Google's potentiële publiek voor advertenties en applicaties *vervijfvoudigd.*

En alles was bijna precies zo gegaan als Rubin had voorzien: producenten en providers wilden met Apple's iPhone concurreren en Rubins succes met de Droid had hen ervan overtuigd dat ze met Android de grootste kans hadden om de strijd aan te gaan. En Rubin greep de gelegenheid met beide handen aan en dreef zijn programmeurs in een meedogenloos tempo op om in 2010 alleen al drie grote updates voor Android te schrijven. Eind 2010 had Android niet alleen een monsterhit met de Droid, maar met nog een handvol andere smartphones als HTC's Inspire 4G en Samsungs Galaxy S. Alles bij elkaar waren er eind 2010 bijna tweehonderd verschillende modellen smartphones met Android in vijftig landen, en providers en producenten overal ter wereld waren nu bereid hun marketingbudget van miljoenen in die toestellen te steken. Bij een elektronische opiniepeiling onder de aanwezigen op een technologiecongres van *Fortune Magazine* in juli 2010 werd gevraagd: 'Wie zou over vijf jaar dominant zijn op de smartphonemarkt?' Het resultaat was duidelijk: 57 procent koos Android, 37 procent iPhone.[3]

Begin 2011 verbaasde Schmidt zich er openlijk over dat de smartphone niet alleen de technologie had veranderd, maar ook een van de grootste stappen in de geschiedenis van de menselijke beschaving was geworden. In een toespraak die hij in München in Duitsland gaf, zei Schmidt:

> We hebben een product waartegen je in het Engels kunt praten en dat eruit komt in de landstaal van degene tegen wie je praat. Voor mij is dit iets sciencefictionachtigs. Stel je een nabije toekomst voor waarin je nooit meer iets vergeet. [Mobiele] Computers, met permissie, herinneren zich alles – waar je geweest bent, wat je gedaan hebt, waar je foto's van hebt gemaakt. Ik vond het heerlijk om te verdwalen, om rond te zwerven zonder te weten waar ik was. Je kunt niet meer verdwalen. Je weet je positie tot op minder dan een halve meter nauwkeurig en trouwens, je vrienden weten die ook, met jouw permissie. Als je op reis bent, ben je nooit meer alleen. Je vrienden reizen tegenwoordig met je mee. Er is altijd ie-

mand om mee te praten of een foto naar op te sturen. Je verveelt je nooit. Je zit nooit zonder ideeën omdat de informatie uit de hele wereld bij je vingertoppen zit. En dit geldt niet alleen voor de elite. In het verleden was dit soort technologie alleen beschikbaar voor de elite en niet voor de gewone man. Druppelde er al iets naar beneden, dan deed dat er een generatie over. Dit visioen is nu voor ieder mens op de planeet beschikbaar. We zullen nog verbaasd staan over hoe slim en knap al die mensen zijn die geen toegang hadden tot onze levensstandaard, onze universiteiten en onze cultuur. Als ze komen, kunnen ze ons nog een en ander leren. En ze komen. Er zijn ongeveer een miljard smartphones op de wereld en in opkomende markten is de groeisnelheid veel groter dan elders. Ik vind dit vreselijk spannend.[4]

De telecomindustrie had ernstig gevreesd dat Rubin hen net zo zou marginaliseren als Bill Gates in de jaren 1990 de PC-industrie had gemarginaliseerd met Microsoft Windows. Maar Rubin bleef erbij dat hij dat niet van plan was en het leek erop dat hij woord hield. Rubin stond alle providers en producenten toe om hun eigen software en applicaties aan Android toe te voegen zodat ze zich van elkaar konden onderscheiden. Bovendien gaf hij de providers de 30 procent van de opbrengst uit Google's app store die Apple voor zichzelf hield.

Voor de bekrompen industrie van de mobiele telefoon was Rubins strategie een echte noviteit. Die was: schep zo veel concurrentie tussen providers en producenten als je maar kunt. Door zo veel mogelijk onderlinge concurrentie zouden ze automatisch ook concurreren met de iPhone. Eerst maakten producenten mobiels die de providers goed moesten vinden in plaats van de consument, omdat ze, in de vs tenminste, afhankelijk waren van het geld en de marketing van de providers om hun toestellen aan de man te brengen. Maar al gauw was duidelijk dat die oude omgangsvormen overboord gezet moesten worden om met de iPhone te concurreren. Verizon en Motorola hadden die les met de Droid geleerd. Nu was het essentieel dat ze toestellen gingen maken die de klanten wilden kopen.

Providers en producenten hadden het hier niet vaak over, maar hun acties spraken voor zich. HTC kocht een ontwerpbureau, One & Co, om zijn smartphones er cooler uit te laten zien. Samsungs ontwerp leek zo sterk op dat van Apple dat het uitgroeide tot onderwerp van een langlopende rechtszaak over octrooien. En providers luisterden naar de klachten van de consument. In het najaar van 2010 probeerde Vodafone de klanten van bepaalde typen mobiels van HTC met Android een heleboel van de eigen apps op te dringen. Toen klanten ontdekten dat ze die niet konden verwijderen, was de reactie zo heftig dat Vodafone er binnen een week op terugkwam. Het gaf een update uit waarmee dit foefje uit de software op de smartphones verdween.[5]

Als Rubin me dit uitlegt in een vergaderzaal in de gang waarin ook zijn kantoor is, praat hij als een man die al heel lang over deze ontwikkeling nadenkt.

> Dus wat in 2008 verdween [waardoor de industrie ging heroverwegen], was de ommuurde tuin – die verdween compleet. En dat kwam niet door de iPhone, dat kwam door internet. De killer-applicatie die consumenten verlangden, was dat ze internet bij zich wilden hebben. Je zou dom zijn als je zou willen concurreren met internet.

> Hoe zou je dat kunnen? Dus stelde Android beide [provider en producent] in staat om op beheerste wijze hun voordeel te doen met internet. Onze voorzet was: jullie maken kosten, wij begrijpen wat die kosten zijn. Jullie willen je onderscheiden en geen bulkproduct worden, dus geven we jullie dit en dit en dit en dit – [en daarmee] de ingang om deze vergelijking op te lossen.

Vertaling: niemand van ons kan Apple in z'n eentje verslaan. Maar als we samenwerken en ieder van ons richt zich op waar hij echt goed in is, dan kunnen we Apple niet alleen verslaan, maar ook onze zakelijke activiteiten sterker en winstgevender maken dan ze al zijn.

Het vrijemarktmechanisme dat Rubin stuurde en de aansporingen waarmee hij kwam, werkten niet altijd volmaakt. Ondanks al zijn inspanningen waren providers en producenten traag in het leveren van updates van de Android-software. Op de ene smartphone zat bij aankoop de laatste versie van Android, maar op een andere zat de vorige versie of zelfs de versie daarvoor. Dat betekende dat niet alle apps van Androids app store op alle smartphones werkten, en ook dat consumenten wel konden denken dat ze een toestel hadden gekocht met de laatste en beste Android-software, om er dan thuis achter te komen dat dat niet het geval was.

Maar de druk van de markt op de industrie was nu veel groter dan die ooit was geweest. En Rubin zorgde ervoor dat er ieder jaar minstens één model smartphone op de markt kwam dat door providers en fabrikanten niet mocht worden voorzien van hun eigen software, zoals in 2010 de HTC Nexus One en de Samsung Nexus S. Als klanten dan niet de HTC Sense, Samsung TouchWiz of een andere mobiel wilden hebben die door de provider of fabrikant was aangepast om zich van de rest te onderscheiden, hadden ze altijd een alternatief.

Maar het belangrijkste was dat Android in 2010 goed genoeg was om de consument iets te kunnen bieden waar hij hevig naar verlangde: keuze. Apple had drie jaar lang het monopolie gehad op smartphones. Maar het maakte slechts één model, het aantal mogelijkheden en aanpassingen was door Apple beperkt en in de VS was hij verkrijgbaar bij slechts één provider, AT&T. In 2010 waren er niet meer dan een paar smartphones met Android te krijgen en die zagen er lang niet zo cool uit als de iPhone, al waren ze in sommige opzichten wel beter. De batterij was makkelijk te vervangen, het geheugen kon worden uitgebreid en de software was aan te passen. De meeste Androids hadden een groter scherm dan de iPhone. Allemaal ondersteunden ze multitasking [het vermogen om meer dan één applicatie tegelijkertijd te draaien], wat iOS van de iPhone niet deed. Iedere softwareontwikkelaar die een idee had, kon dat kwijt in Androids app store zonder goedkeuring vooraf, en dat kon niet in Apple's App Store. Mobiels met Android waren beter om filmpjes op te bekijken omdat ze Adobe Flash bezaten. Apple had dat programma verboden omdat de techniek ondermaats zou zijn, maar het was inmiddels de standaard geworden voor video op internet. En in Amerika kon je met een Android-mobiel de netwerken van T-Mobile en Verizon gebruiken, wat voor velen een concurrentievoordeel betekende. AT&T had de iPhone, maar die was zo populair dat het netwerk eronder leed waardoor internetten langzamer ging en gewone gesprekken vaker werden afgebroken.

Rubin deed wat hij kon om Android overal waar hij kwam te verkopen. En in 2010 wilde iedereen voor het eerst naar hem luisteren. Hij werd bedolven onder aanvragen van de media voor interviews, werd overvallen op congressen en hij had toegang tot de CEO's van iedere telefoonproducent en provider ter wereld, die allemaal van Rubin wilden dat hij hen hielp hun boodschap te verspreiden.

En tot zijn geluk leken zijn concurrenten Apple en AT&T hun uiterste best te doen om hem te helpen. Maanden voordat Jobs de iPhone 4 zou onthullen, verpestte de design- en technologiesite *Gizmodo* de waardevolle verrassing die Apple in iedere productlancering stopt. Een programmeur van Apple, die met toestemming van het bedrijf buiten de Applecampus een toestel met iOS op bugs testte, had het prototype in een bar in Redwood City laten liggen. *Gizmodo* kreeg het in handen en zette foto's op de site. Al gauw nadat de nieuwe iPhone in juni was gelanceerd, ontdekten beoordelaars dat de nieuwe opgerolde antenne dode plekken had. Daardoor werd Jobs gedwongen om een persconferentie bijeen te roepen om de schade zo veel mogelijk te beperken. En dan raakten de klanten ook nog eens steeds ontevredener met AT&T, de provider in Amerika. AT&T was niet in staat geweest de explosie van onlineverkeer die door de iPhone werd veroorzaakt, in goede banen te leiden en in 2010 waren die klanten erg kwaad aan het worden en lieten dat merken ook. Deze drie verhalen haalden dat jaar ook het nieuws in het buitenland en waren voer voor grappenmakers op tv. Ze boden Rubin en de andere leden van de Android-gemeenschap onbeperkte mogelijkheden om de verschillen te benadrukken tussen de Apple-wijze en de Android-wijze. En ze maakten er ten volle gebruik van.

Intellectueel gesproken is het heel goed te begrijpen waarom Jobs zo boos was over het laten slingeren van dat prototype. Hij had het gevoel dat Apple zelf beroofd was. Het waren een paar studenten die het prototype in de bar hadden gevonden, en die belden eerst Apple. Maar toen er van Apple niet direct een reactie kwam, belden ze met enkele media. *Gizmodo* kocht het voor 5000 dollar onder het mom dat ze niet wisten of hij wel echt was. Maar het was natuurlijk niet de financiële waarde van het toestel waar Jobs zich druk om maakte. Dat waren de foto's die Apple waarschijnlijk miljoenen aan gemiste verkoop en marketingdrukte gingen kosten. Weinig klanten zouden nog de iPhone 3 kopen die in de winkel lag, nu ze wisten hoe de nieuwe eruit kwam te zien en wanneer hij zou worden gelanceerd. En Apple zou weleens minder persaandacht kunnen krijgen voor de onthulling van de iPhone 4 nu de verrassing eraf was. Maar Apple en Jobs waren zo rijk en machtig dat ze zich niet als slachtoffers voordeden, maar als boemannen. De politie van Cupertino begon een strafrechtelijk onderzoek naar heling: had *Gizmodo* gestolen goederen aangenomen? De politie kreeg een huiszoekingsbevel voor het huis van de journalist van *Gizmodo* en nam zijn computerapparatuur in beslag. En de indruk was gewekt dat Jobs daarachter zat omdat hij het onderzoek openlijk had gesteund. De journalist werd niet in staat van beschuldiging gesteld en kreeg zijn spullen weer terug. Maar de journalisten konden niet wachten met Rubin te vragen wat hij ervan vond, en die antwoordde maar al te graag. Toen een journalist uit New York hem vroeg wat hij zou doen als een van zijn prototypes met Android in een bar werd gevonden, zei hij: 'Ik zou blij zijn als dat gebeurde en iemand erover schreef. Hoe meer openheid, hoe minder geheimen.' De reclame waarmee van de situatie gebruik werd gemaakt, lag voor de hand: *Als het bezit van een iPhone je het idee geeft dat je in een totalitaire maatschappij leeft, dan komt dat doordat het be-*

drijf dat hem heeft geproduceerd, geleid wordt door een despoot. Probeer Android.[6]

In juni brak 'Antennagate' los en daarmee ontstond de vraag of de iPhone echt de best ontworpen mobiele telefoon ter wereld was. Apple had een manier gevonden om alle antennes van de iPhone aan de buitenkant van het toestel te plaatsen – drie dunne glimmende stukjes metaal die om de rand van de telefoon zijn gebogen. Daardoor zou de ontvangst van de iPhone verbeterd zijn. En Jobs bazuinde dat rond toen hij het toestel aankondigde als het volmaakte voorbeeld van het samengaan van vorm en functie. Maar beoordelaars ontdekten dat, als je hem op een bepaalde manier vasthield, en voor linkshandigen lag die manier voor de hand, je makkelijk een plekje aan kon raken waardoor je twee stukjes antenne met elkaar in contact bracht en het signaal minder sterk werd. Jobs werd uiteindelijk gedwongen om een persconferentie te beleggen om het probleem uit te leggen en een oplossing aan te bieden: gratis nieuwe behuizing.[7]

Jobs kon het ook niet laten om erop te wijzen dat smartphones met Android hetzelfde soort problemen hadden, maar die opmerking kreeg hij terug. Leden van de Android-gemeenschap maakten Jobs' algemeen bekende arrogantie over de schoonheid van Apple-producten gezamenlijk en in het openbaar belachelijk. 'Weet je, ik hoorde dat de populairste voicemail op de iPhone 4 was: "Sorry, ik kan uw telefoontje niet beantwoorden omdat ik mijn smartphone vasthoud." Ik geloof niet dat dit een probleem is met Droid X,' aldus Motorola-baas Sanjay Jha op een technologiecongres van het blad *Fortune*. Hij en andere leden van de Android-gemeenschap noemden het probleem glunderend 'de iPhone-Greep des Doods'.

Maar de Android-gemeenschap had het meeste plezier met 'Connectiongate': het probleem van de betrouwbaarheid van de iPhone op het draadloze netwerk van AT&T. Providers vinden het heerlijk om elkaars netwerk af te kraken en klanten vinden het heerlijk om hun providers af te kraken, maar in werkelijkheid zijn de echte verschillen tussen de draadloze netwerken altijd marginaal geweest. Bij AT&T en de iPhone waren verbinding en de kwaliteit van de gesprekken echter zeer problematisch vergeleken met die bij andere providers en ze leken in 2009 en begin 2010 alleen maar groter te worden. Het probleem was eenvoudig: voordat de iPhone bestond, had niemand een zakcomputer gemaakt waarmee je niet alleen kon internetten, maar ook films kon streamen. Dat betekent dat AT&T's voorspellingen over dataverkeer er heel ver naast zaten. Maar de oplossing was niet eenvoudig. Het zou twee tot drie jaar duren en het zou AT&T 50 miljard dollar kosten om het netwerk te upgraden om al dat nieuwe verkeer aan te kunnen. Dat is geen bevredigend antwoord voor klanten die twee jaar aan een contract vastzitten en minstens 100 dollar per maand betalen.

Weinigen zouden dit consumentenprobleem goed kunnen oplossen en AT&T en Apple deden het minder dan goed. Apple legde alle schuld bij AT&T, ook al was de iPhone zelf de bron van een paar verbindingsproblemen. Apple weigerde de manier aan te passen waarop de iPhone data verwerkte, al zou dat al veel hebben geholpen. AT&T intussen reageerde – althans in het begin – verdedigend in plaats van proactief. Eind 2009 sloeg Verizon AT&T om de oren met een reeks advertenties op de kaarten op de plaats van een restaurant of ander bedrijf en beweerde dat het instabiele 3G-netwerk van AT&T schuldig was aan de slechte service van het bedrijf. AT&T-klanten begonnen nieuws van afgebroken gesprekken onder de Twitter-hashtag #ATTFAIL te zetten. En AT&T maakte het debacle nog erger door Verizon te vervolgen voor smaad in plaats van de beledigende onderdelen van Verizons advertenties te beantwoorden met een eigen reclamecampagne.[8]

In 2010 kochten veel consumenten in de VS toestellen met Android zodat ze niet naar provider AT&T hoefden. Jobs had de AT&T-top al sinds de introductie van de iPhone in 2007 aangespoord om snel met het upgraden van het netwerk te beginnen. Maar tot begin 2011 had hij weinig in te brengen – toen liep het alleenrecht van AT&T af en kon ook Verizon de iPhone aanbieden. Hij had al een keer of zeven overwogen om met AT&T te kappen en op Verizon over te gaan, maar was iedere keer weer tot de conclusie gekomen dat het risico van een overstap te groot was. Het vereiste een nieuw ontwerp voor de iPhone omdat Verizons mobiels grotere zender-ontvangers gebruikten dan die van AT&T, maar daar was geen ruimte voor in de behuizing. Bekend was dat Verizons zender-ontvangers echte stroomslurpers waren. En ten slotte was het op het hoogtepunt van het probleem in 2009 niet duidelijk of Verizon in staat zou zijn iPhone-dataverkeer beter af te handelen. 'Er werden een heleboel gesprekken gevoerd, zo van: waarom blijven we eigenlijk vastzitten aan dit zware anker [AT&T],' aldus Bob Borchers, de Apple-executive. 'Maar iedere keer als we het erover hadden, kwam het weer neer op het feit dat de technische problemen te groot waren om het werk te rechtvaardigen.'[9]

Jobs probeerde zijn boosheid over al die problemen in 2010 niet eens meer te verbergen.[10] Hij sputterde zelfs zo hard dat hij in het najaar defensief, humeurig en pedant begon te klinken. Hij boorde niet alleen Android de grond in omdat die slecht zou zijn voor de klanten, maar hij begon nu ook de juistheid van de door Google opgegeven aantallen verkopen en activeringen openlijk in twijfel te trekken. Het ging er niet alleen om dat Google hem in de rug had gestoken of dat hij zich schaamde voor het feit dat hij Androids aantrekkingskracht verkeerd beoordeeld had. Hij had het idee dat de toekomst van Apple zelf op het spel stond als Android niet werd afgeremd, zei hij tegen zijn executives. Een van hen, die hem erover hoorde praten, beschreef Jobs' emoties als volgt: '[Android] was een existentiële bedreiging. Apple bestond van de verkoop van zijn apparaten voor veel meer geld dan het kostte om ze te maken en gebruikte de winst voor het ontwikkelen van nieuwe producten. Androids benadering was exact tegenovergesteld. Google ging over het laten groeien van het platform zonder rekening te houden met de kosten of de winst van de apparaten. Het verdiende geld aan advertenties, niet aan apparaten.' En Jobs meende dat die twee benaderingen niet naast elkaar konden bestaan.

Jobs had in 2007 de iPhone gelanceerd in de veronderstelling dat hij niet alleen een prachtig en revolutionair nieuw apparaat het licht had laten zien, maar ook dat hij het dominante contentplatform in de wereld, iTunes, dat al sinds 2001 bestond, een nieuwe prikkel had gegeven. Dankzij de iPod, waarvan er in 2007 al meer dan honderd miljoen waren verkocht, beheerde en kocht bijna iedereen met een computer zijn of haar muziek met behulp van die software.[11] Er waren weinig redenen om een andere draagbare muziekspeler te kopen dan een iPod, en voor gezinnen waren er juist heel veel redenen om er meer dan één aan te schaffen. Apple had drie modellen van de iPod in verschillende kleuren en met verschillende hoeveelheden geheugen, meer dan enige andere producent. En Apple zorgde ervoor dat het erg moeilijk was om hardware of software van de concurrent te gebruiken. De enige makkelijke manier om muziek op je iPod te krijgen, was via iTunes. De iTunes Store had de beste muziekselectie, als je tenminste niet je eigen cd's wilde rippen. En met apparaten van een ander merk dan Apple kon je geen verbinding maken met iTunes en kon je geen nummers spelen die in de iTunes Store waren gekocht, althans niet tot november 2003, toen een Windows-versie op de markt gebracht werd.

De iPod-iTunes-symbiose was iets heel machtigs en moest intact blijven. Net als Microsoft Windows in de jaren negentig versterkte die symbiose zichzelf en in 2007 leek zij niet te verslaan. Apple had daardoor in de praktijk het monopolie op muziekspelers en een marktaandeel van ruim 70 procent. Maar iedereen bij Apple wist dat de dynamiek van de wereldwijde markt van mobiele telefoons anders was dan die van muziekspelers. Die was vele malen groter en werd gedomineerd door een paar van de grootste bedrijven ter wereld. Toen de verkoop van de iPhone begon te stijgen, was het moeilijk voor Jobs en de rest van Apple om zich niet af te vragen of de geschiedenis zich zou gaan herhalen, of de iPhone niet net zo snel zou gaan domineren als de iPod.

Jarenlang waren ze bezorgd geweest dat een van de potentiële concurrenten in die markt – RIM, Nokia, Walmart, Amazon, Dell, Microsoft en verscheidene providers – de strijd om de dominantie van de iPod zou gaan winnen. In plaats daarvan gebeurde het tegenovergestelde. Iedere concurrent ging die strijd aan, maar faalde. En intussen nam Apple's dominantie dankzij de iPhone alleen maar toe. Apple had de klanten aan de iPod gebonden door alle muziek in iTunes beschikbaar te stellen. Nu gebeurde er net zoiets dankzij de liefde die opbloeide tussen de eigenaar van een iPhone en Apple's App Store. Al na korte tijd hadden veel gebruikers voor 50 of 100 dollar aan apps gekocht, en dat betekende dat ze dat bedrag weer zouden moeten uitgeven als ze een Android of een telefoon met een ander platform kochten en daar dezelfde applicaties op wilden hebben.

Maar in 2010 was duidelijk dat Rubin en Android een veel fijnzinniger spel speelden dan Apple's eerdere concurrenten ooit hadden gespeeld. Voor hen werd het basisstation van de consument niet gevormd door de PC of de laptop, maar door de miljoenen naamloze machines die 24 uur per dag, zeven dagen per week in Google's gigantische netwerk van *server farms* stonden te draaien – en tegenwoordig vaak de *cloud* worden genoemd. Verbinden en synchroniseren met een PC, de manier waarop iTunes werkte, was noodzakelijk toen apparaten nog niet draadloos werkten of de bandbreedte van draadloos te langzaam was om nuttig te zijn. Maar in 2010 was geen van beide nog het geval. Dat riep bij Rubin en het Android-team de vraag op waarom gebruikers nog met *een specifieke* computer verbonden moesten worden, als wifi en chips in smartphones snel genoeg waren om toegang tot hun content te verkrijgen op *iedere willekeurige* computer.

Android synchroniseerde nu draadloos met bijna alle e-mail, contacten en kalender – of die nu waren opgeslagen bij Google, Yahoo! of Microsoft of op een server van het bedrijf waar de klant werkte. Behalve van de iTunes Store konden muziek en films ook worden gedownload van Amazon. Spotify en Pandora boden voor een laag bedrag per maand abonnementen op muziek aan. Programmeurs deden hun uiterste best om ervoor te zorgen dat alle programma's in Apple's App

Store ook in Androids app store gevonden konden worden. Voor de content die in iTunes vastzat, schreven Google en de rest van de software-industrie programma's die het steeds makkelijker maakten om het aan te schaffen en te uploaden naar Google – of waar naartoe dan ook.

Nu er zo veel nieuwe manieren waren om content te downloaden met, en ervan te genieten op Android-apparaten, was de straf voor het gebruik van een niet-Apple-apparaat dat geen verbinding legde met iTunes, aanmerkelijk afgenomen. Gebruikers, bevrijd van deze beperking, kozen in grote aantallen voor Android-apparaten en Jobs maakte zich grote zorgen dat deze trend door zou zetten, herinneren toenmalige Apple-executives zich. De monopolistische macht van iTunes als *content hub* begon te verdampen.

Duidelijk werd zo een dikwijls vergeten component van Jobs' genie: zijn fundamentele visie op technologie was niet veranderd sinds hij in 1976 met Apple begon en in 1984 de Macintosh bouwde. Terwijl de meeste executives in hightech zich slechts met moeite aanpasten aan een constant veranderende wereld, bleef Jobs altijd geloven dat de consument aangetrokken zou worden door de beste en mooiste producten. Hij bleef geloven dat hij de enige was die wist wat dit ongelooflijk subjectieve ding was. En hij bleef geloven dat de enige manier om zijn visie succesvol te laten zijn, was door de hele gebruikerservaring te beheersen – software, hardware en content. De opkomst van Android betekende een zware aanslag op dat geloof.

Jobs zei altijd dat de overeenkomst tussen zijn gevecht met Android en zijn gevecht met Bill Gates en Microsoft in de jaren tachtig hem nooit was opgevallen, maar zo ongeveer ieder ander in en buiten Apple zag die overeenkomst wel.[12] Android en iOS leverden een platformstrijd, en de afloop van een platformstrijd is meestal *winner takes all.* Die winnaar krijgt meer dan 75 procent van de markt in handen en de verliezer moet hard zijn best doen om te blijven bestaan.

In de strijd tussen Apple en Microsoft won de laatste door software veel breder te verspreiden, waardoor een grotere keuze uit applicaties ontwikkeld werd en te koop kwam, wat meer klanten trok. Had een klant eenmaal honderden dollars uitgegeven aan applicaties die op slechts een van de platforms draaiden, dan was het veel moeilijker om hem over te laten stappen. Uiteindelijk begon iedereen PC's te gebruiken met Microsoft DOS en later Windows, omdat iedereen dat deed. Dit was niet dom na-apen, maar volstrekt rationeel gedrag. Computers waren alleen nuttig als werk dat op de ene machine was gedaan, op een andere machine kon worden geopend en gebruikt.

Deze strategie was zo goed als identiek aan die van Android. In 2010 was de staat waarin Android verkeerde nog verre van stabiel. Androids app store was slecht georganiseerd en ontwikkelaars van apps moesten hard werken voor hun geld. Apple had dankzij de voorsprong van drie jaar al bijna zestig miljoen iPhones aan de man kunnen brengen, had een app store met bijna tweehonderdduizend applicaties en een ecosysteem voor ontwikkelaars dat jaarlijks meer dan 1 miljard dollar opleverde.[13] Maar omdat iedere telefoonfabrikant een toestel kon maken dat op Android draaide, explodeerde de omvang van dat platform. Eind 2010 was het net zo groot als dat van de iPhone. En het leek nog slechts een kwestie van tijd voordat Google de problemen met de Android-app store had opgelost.

Zorgelijker voor Apple was dat Rubin succes kon hebben zonder veel iPhone-klanten ervan te hoeven overtuigen om over te stappen. Het aantal mensen in de wereld dat de komende jaren zou overgaan van mobiel op smartphone was zo groot, dat hij zich alleen maar op die groep hoefde te richten – en niet op iPhone-gebruikers – om het grootste marktaandeel te verwerven. Het leek onbegrijpelijk dat Jobs met een tussenpoos van een generatie op dezelfde wijze twee keer een titanengevecht zou gaan verliezen. Maar er waren zo veel overeenkomsten tussen de twee gevechten dat het moeilijk was dat niet te denken.

Er bestonden toen goede redenen om aan te nemen dat het titanengevecht tussen Apple en Google anders zou aflopen dan dat tussen Apple en Microsoft. Programmeurs leken nu beter in staat dan in 1980 om programma's voor twee verschillende platforms te schrijven. Ook was overstappen naar een ander platform veel goedkoper geworden. In de jaren tachtig kostte een PC meer dan 3000 dollar en een nieuw programma minimaal 50 dollar. Nu waren de kosten gedaald tot minder dan een tiende daarvan. Een nieuwe mobiel, met korting van een provider, kost 200 dollar en iedere nieuwe app 3 dollar of minder, en vaak niets. En dan is er nog een derde partij – de providers – die er groot belang bij heeft dat de klanten op zo veel mogelijk manieren in verbinding kunnen komen met hun netwerk, en ervoor betalen.

Maar wat de top van zowel Apple als die van Google nu begreep, was dat als de strijd die kant op zou gaan, als de twee mobiele platforms op een of andere wijze in vrede naast elkaar zouden kunnen bestaan, dit zou afwijken van de gebruikelijke gang van zaken. Dankzij de enorme media-aandacht veertien jaar eerder voor de rechtszaak tegen trustvorming van Microsoft, is bekend hoe Microsoft zijn Windows-monopolie in de PC-wereld opbouwde: als je maar voldoende mensen zover krijgt dat ze jouw technologieplatform gaan gebruiken, ontstaat er na verloop van tijd een draaikolk die iedereen meesleurt. Maar die economische kracht is niet uniek voor Microsoft. Ieder groot hightechbedrijf heeft sindsdien geprobeerd dezelfde soort draaikolk voor zijn producten te laten ontstaan.

Het was natuurlijk hoe Jobs de markt van de muziekspelers was gaan domineren met de iPod. Het was ook hoe Google in 2004 begon met het uitdagen van Microsoft om de dominantie op de softwaremarkt, en hoe het Yahoo! op de rand van de afgrond had gebracht. Google's zoekmachine van topkwaliteit zorgde voor het meeste zoekverkeer. Daardoor kreeg het de nauwkeurigste gegevens over de interesses van de gebruikers. Die gegevens zorgden ervoor dat de advertenties die naast de zoekresultaten verschenen, het effectiefst waren. En die opklimmende spiraal leidde tot meer zoekverkeer, meer gegevens en nog betere zoekreclame. Hoezeer Microsoft en Yahoo! ook probeerden meer zoekverkeer te lokken met lagere advertentieprijzen en betere zoekresultaten, Google was altijd in staat om een nog betere deal te sluiten.

Hetzelfde gebeurde met eBay en een twintigtal andere veilingbedrijven, zoals OnSale en uBit. Door kopers en verkopers makkelijk met elkaar te laten communiceren en elkaar te laten beoordelen, ontstond er een gemeenschap met sociale controle. Dat leidde tot een snelle groei in het aantal mensen dat bood. Hoe meer bieders eBay kreeg, hoe betrouwbaarder de prijzen werden. Hoe betrouwbaarder de prijzen, hoe meer nieuwe bieders eBay wilden gebruiken. Hoe meer bieders eBay wilden gebruiken, hoe minder ze naar andere veilingsites wilden uitwijken. Het socialemediaplatform Facebook is het recentste voorbeeld van macht in de platformeconomie. Door een superieure technologie kon het gebruikers betere functies bieden dan het concurrerende MySpace. Betere functies maakten Facebook bruikbaarder. Hoe bruikbaarder het was, hoe meer gegevens gebruikers deelden. Hoe meer gegevens gebruikers deelden, hoe meer functies Facebook kon aanbieden. Al gauw kwamen mensen bij Facebook omdat iedereen op Facebook zat.

Terwijl de strijd om het mobiele platform doorgaat, zouden de ecosystemen van Google en Apple lange tijd naast elkaar kunnen bestaan en beide bedrijven enorme winsten en veel innovaties opleveren. Maar gezien de recente geschiedenis zullen ze het moeten uitvechten alsof het *niet* op die wijze zal aflopen. 'Het lijkt op de strijd om monopolies die de mannen van de kabel en die van de mobiele telefoons dertig tot veertig jaar geleden uitvochten,' aldus Jon Rubinstein, die het kan weten omdat hij lange tijd topman van Apple was en daarvoor CEO van Palm. 'Dit is de volgende generatie daarvan. Iedereen – Apple, Google, Amazon en Microsoft – probeert zijn eigen ommuurde tuin aan te leggen en de toegang tot content te beheersen en zo. Het gaat echt om heel veel.' Met andere woorden: het is niet iets waarin Apple of Google het zich kan permitteren ongelijk te hebben.

7

De iPad verandert alles – opnieuw

Jobs tegenzet op Google's overal-Android-strategie was eenvoudig en vermetel: hij onthulde de iPad. Als Google zou gaan proberen de strijd om het mobiele platform op breedte te winnen, wilde Jobs de wereld laten weten dat hij het zou gaan winnen op diepte. Misschien zouden meer mensen op de wereld een smartphone met Android hebben dan een iPhone, maar degenen die een iPhone hadden, zouden ook een iPad, een iPod Touch en een hele rits andere Apple-producten bezitten die allemaal op dezelfde software draaiden, die allemaal verbinding zochten met dezelfde online app store en die allemaal veel meer winst genereerden voor alle betrokkenen.

Alleen iemand met het zelfvertrouwen van Jobs zou het lef hebben de lat zo hoog te leggen, maar juist dat maakte het zo fascinerend om hem aan het werk te zien. Het enige wat Rubin hoefde te doen om Android uit te breiden, was het op meer en meer telefoons zien te krijgen. Net als Gates van Microsoft interesseerde het hem niet welke producten hits werden en welke niet, zolang de verspreiding van Android in totaal maar toenam. Om Apple's strategie te laten werken – om het iOS-platform verticaal te laten groeien – moest Jobs de bal iedere keer van het veld slaan. Ieder nieuw product dat Apple lanceerde, moest een succes worden, evenals iedere update van de oudere producten. Dus terwijl topmannen binnen en buiten Apple zich afvroegen of Jobs dezelfde vergissing aan het maken was als hij met Microsoft had gedaan – dat hij zijn platform zo goed als ondoordringbaar zou houden – leek het erop dat Jobs die ondoordringbaarheid juist aan het versterken was. Vanaf 2010 had Jobs alle Apple-producten in elkaar laten zetten met speciale schroefjes die het iemand met een gewone set schroevendraaiers heel moeilijk maakten om de behuizing van zijn apparaten te openen.[1] Het leek iets onbenulligs, maar voor de mensen in Silicon Valley was de symboliek groot. Een van de leuke dingen voor klanten van Android was nu juist de flexibiliteit van software en toestel. Jobs maakte hiermee duidelijk dat Apple geen belangstelling had voor klungelaars als klanten.

Enkele ogenblikken nadat Jobs op 27 januari 2010 de iPad had onthuld, leek het alsof hij meters hoger had gesprongen dan de lat die hij voor Apple had gelegd. Toen hij het podium betrad, was hij was nog net zo broodmager als voor zijn levertransplantatie negen maanden eerder. Maar de presentatie verliep even vlekkeloos als altijd. Het verrassingselement werkte ook in Jobs' voordeel. Iedereen had een telefoon verwacht toen hij de iPhone onthulde. Nu verwachtten slechts weinigen een tablet. Hij had het hele idee in 2003 openlijk verworpen. 'Het blijkt dat mensen toetsenborden willen... Wij hebben naar de tablet gekeken en volgens ons wordt het een mislukking,' vertelde Jobs toen aan Walt Mossberg van *The Wall Street Journal*.[2] Maar hij had er blijkbaar nog eens een nachtje over geslapen. Al maanden ging het gerucht dat Apple een tablet aan het maken was en de CEO van een van Jobs' uitgeefpartners had de onthulling een dag daarvoor op tv bevestigd. De iPad was echter zo zorgvuldig ontworpen dat mensen toch verrast waren.

Jobs profiteerde direct van de schok die hij nu veroorzaakte. Hij demonstreerde zijn nieuwe uitvinding langzamer aan de wereld dan anders, alsof hij zijn publiek hielp met het leggen van een grote puzzel. Hij liet op het scherm een plaatje zien van een iPhone en een MacBook, een laptop van Apple, zette er een vraagteken tussen en stelde een eenvoudige vraag: 'Is hier tussenin ruimte voor een derde categorie van apparaten? Hierover hebben we jarenlang gewikt en gewogen. De lat ligt behoorlijk hoog. Om een nieuw apparaat te ontwikkelen, moet het veel beter zijn in een paar basistaken. Beter dan de laptop. Beter dan de smartphone en met bepaalde dingen beter dan een laptop en een smartphone... Anders is er geen reden voor zijn bestaan.'[3]

Daarna stelde en beantwoordde hij de vraag die hier gewoonlijk op volgt: 'Volgens sommige mensen is dat een netbook. Het probleem is dat een netbook niet beter is dan *wat dan ook*. Ze zijn langzaam. Ze hebben een scherm van lage kwaliteit. En ze draaien op lompe ouwe software [Windows]. Ze zijn niet beter dan een laptop in wat dan ook. Ze zijn alleen goedkoper.'

En toen pas, na meer dan twee minuten inleiding, zei hij waar de wereld op zat te wachten: 'Wij denken dat wij het antwoord hebben.' En op dat moment zakte de tekst 'iPad' keurig tussen de iPhone en de MacBook op het scherm en even daarna verscheen een afbeelding.

Iedereen die getuige was van de lancering, was lyrisch over het uiterlijk van de iPad, maar velen vroegen zich tegelijkertijd af of ze niet zaten te kijken naar hoe de grootste ondernemer ter wereld een enorme vergissing maakte. De tabletcomputer was de meest afgekraakte soort consumentenelektronica die er bestond. Ondernemers hadden al geprobeerd tablets te bouwen voordat de PC was uitgevonden. Het was al zo vaak geprobeerd, dat iedereen wist dat het onmogelijk was.

Alan Kay, die volgens sommigen voor de computerindustrie is wat Neil Armstrong voor het ruimtevaartprogramma was, maakte in 1968 al plannen voor de Dynabook en legde die plannen in 1972 vast in een artikel met de titel 'Een persoonlijke computer voor kinderen van alle leeftijden'. Hij is nooit gebouwd en Kay ging iets doen dat zonder meer nog belangrijker was. Hij werd bij Xerox Parc een van de uitvinders van de grafische gebruikersinterface. De eerste Macintosh en later Microsoft Windows kwamen voort uit Kays werk. Apple maakte in 1983 een prototype van iets dat ze Bashful noemden, maar nam het niet in productie. De eerste tablet die enige aandacht van de consument trok, kwam van Jeff Hawkins, de man achter de PalmPilot eind jaren negentig. Hij bouwde voor Tandy de GRiDPad, die in 1988 werd gelanceerd. Die tablet werkte met een stylus, woog zo'n twee kilo en kostte rond de 2500 dollar. In het Amerikaanse leger gebruikten boekhouders hem om elektronische formulieren op in te vullen en de inventaris bij te houden. Hij werd korte tijd later gevolgd door concurrenten als de NCR 3125. Maar geen van die apparaten deed veel meer dan wat het leger ermee deed en ze waren net zo duur als een PC. Die NCR-machine kostte zelfs 4700 dollar.[4]

In 1991 deed GO Corp. de volgende poging met de EO. Het bedrijf was in 1987 opgericht door Jerry Kaplan, een executive van Lotus Development Corporation uit de beginperiode, Robert Carr, hoofd wetenschap bij Ashton-Tate (een topsoftwarebedrijf), en Kevin Doren, die met Kaplan een van de eerste digitale muzieksynthesizers had gebouwd. GO Corp. heeft nog altijd een klinkende reputatie in Silicon Valley vanwege de uitstekende mensen die er werkten en de software die voor die tijd erg vooruitstrevend was. De EO was voorzien van een mobiele telefoon, een fax, een modem, een microfoon, een kalender en een wordprocessor. Tot de eerste werknemers behoorden Omid Kordestani, Google's eerste directeur, en Bill Campbell, in de jaren 1980 Apple's directeur marketing. Permanente geldproblemen leidden echter tot verkoop van GO Corp. aan AT&T, dat het bedrijf in 1994 ophief.

In 1994 onthulde Apple de Newton. Deze baanbrekende PDA, een *personal digital assistent*, werd het symbool van waarom tablets nooit verkocht zouden kunnen worden. Ook werd het symbolisch voor Apple's Jobs-loze tijdperk, toen het bedrijf geleid werd door een rijtje steeds minder succesvolle CEO's – John Scully, Michael Spindler en Gil Amelio – en bijna failliet ging. De Newton was betaalbaar – minder dan 1000 dollar – maar werd op de markt gebracht als een zakapparaat, waarvoor het te zwaar was. De levensduur van de batterij was heel erg kort en de meest opgehemelde functie, handschriftherkenning, deed het niet al te goed. Het was, met recht, een van de eerste projecten die Jobs na zijn terugkeer in 1997 de nek omdraaide. Als je draagbare computerkracht bij je wilde hebben, kon je een laptop kopen. Bij al het andere moesten er te veel compromissen gesloten worden. De reden waarom de PalmPilot en dat soort apparaten in het volgende halve decennium zo populair waren, was nu juist dat ze niet te veel wilden doen. Ze waren klein en goedkoop en liepen lange tijd op een paar AAA-batterijen. Maar het waren eigenlijk elektronische kalenders en adresboeken, geen tablets.

De meest recente stap in tablets was in 2002 gezet door Bill Gates en Microsoft. In samenwerking met bedrijven die desktops en laptops maakten die op Windows draaiden, verkochten ze machines met software waarmee je, onder andere, aantekeningen kon maken die gesynchroniseerd werden met de stemopname van de spreker. Raakte je een stukje van je aantekeningen aan met de stylus, dan hoorde je het juiste deel van de opname. Maar hij was niet lichter dan een laptop en de levensduur van de batterij was niet langer. En er stond Windows op, een programma dat nu eenmaal niet was ontworpen voor tablets. In 2009 leek het, al waren ook andere tabletcomputers verkrijgbaar, dat de Kindle van Amazon de enige tablet was die daadwerkelijk werd verkocht. Eind 2007 was Amazon met die lompe e-reader gekomen, die steeds populairder werd. Maar het was eigenlijk geen tablet. Het had een zwart-witscherm waar je geweldig teksten op kon lezen. Maar dat is dan ook in feite het enige wat je ermee kon. Tekeningen en foto's kwamen er slecht op over en de internetverbinding was alleen te gebruiken voor het downloaden van boeken.

Dit alles maakte Jobs' stap naar een tablet wel riskant, vooral nu Google in zijn nek hijgde. Dat is waarom zo weinigen de aankondiging verwachtten. Daardoor werd de tablet ook het perfecte project voor Jobs om aan te pakken. Hij had de PC al opnieuw uitgevonden, de draagbare muziekspeler en de mobiele telefoon. Hij had ze beter gemaakt en gewoner – zoals Henry Ford de auto opnieuw had uitgevonden.

En Jobs heeft met de iPad de tablet werkelijk opnieuw uitgevonden. De iPad deed bijna hetzelfde als de laptop. Bovendien was hij slechts een kwart zo zwaar – 460 gram. De levensduur van de batterij was drie keer zo lang – tien uur. Hij had een touchscreen zoals de iPhone en startte ook zo op, dus zonder te booten. En omdat er een telefoon- en een wifi-chip in zaten, was hij altijd met het internet verbonden. Verbindingen voor mobiel waren altijd dure uitbreidingen op laptops. De iPad had dit alles al voor 600 dollar, toen de meeste laptops nog twee keer zo duur waren. En kopers hoefden er nauwelijks iets extra's voor te leren, want de iPad maakte gebruik van zo goed als hetzelfde besturingssysteem, iOS, als de iPhone. Dezelfde apps als voor de iPhone draaiden erop. En voor hen die geen gebruik wilden maken van het touchscreentoetsenbord, kon het vlekkeloos verbonden worden met een echt toetsenbord. Volgens Apple hadden ze ook hun kantoorsoftware – Pages, Numbers en Keynote – herschreven om ten volle gebruik te kunnen maken van het touchscreen.

De basis van Jobs' iPad was eigenlijk contra-intuïtief. De meeste mensen kopen geen laptop voor de taken waarvoor ze zijn ontworpen – gewone kantoorwerkzaamheden als schrijven, het maken van presentaties of van financiële overzichten met spreadsheets. Het meest worden ze gebruikt om te communiceren via e-mail, sms, Twitter, LinkedIn en Facebook, om op het internet te browsen en om media als boeken, films, tv-programma's, foto's, spelletjes en video's te gebruiken. Volgens Jobs kon je dit allemaal op de iPhone, maar het scherm daarvan was te klein om je er lekker bij te voelen. Je kon dit ook allemaal op een laptop, maar toetsenbord en trackpad maken die te groot en door de korte levensduur van de batterij moest je vaak opladen aan het stroomnet. Wat de wereld nodig had, was een apparaat daar tussenin dat het beste van beide combineerde, iets dat 'intiemer was dan een laptop en zoveel meer kon dan een smartphone', zei hij.

Als de vader van de Macintosh was Jobs geloofwaardiger dan wie ook om de PC opnieuw uit te vinden en de algemene wijsheid over tablets ter discussie te stellen. Maar toch probeerde hij gedurende de eerste vijf minuten van zijn presentatie de wereld duidelijk te maken dat hij het probleem echt van alle kanten had bekeken. Daarna liet hij zich in de Le Corbusier-stoel vallen en de volgende vijftien minuten liet hij die wereld zien hoe hij, alsof hij thuis zat, *The New York Times* en *Time Magazine* las, bioscoopkaartjes kocht, dierenplaatjes bekeek op *National Geographic*, een e-mail verzond, door een fotoalbum bladerde, naar de Grateful Dead en Bob Dylan luisterde, naar een satellietfoto van de Eiffeltoren navigeerde en met Google Maps een sushirestaurant vond in San Francisco, de beroemde video van de surfende hond op YouTube bekeek, en naar de films *Up* en *Star Trek* keek. Later onthulde hij iBooks, Apple's winkel voor elektronische boeken, en liet zien dat deze beter was en makkelijker in gebruik dan een Kindle; hij zei dat Amazon een mooi apparaat had gemaakt, maar dat 'Apple op hun schouders was gaan staan om nog een beetje verder te reiken.'[5]

Technisch was er geen verschil in gebruik tussen een iPad of een iPhone, maar het verschil in gebruikersverwachtingen was enorm. Jobs en anderen die bij de onthulling betrokken waren, zoals iPhone/iPad-baas Scott Forstall, benadrukten dit keer op keer. Mobiele telefoons waren ontworpen om in een zak te passen en met je vingers te bedienen. Maar voor het gebruik van iets als de iPad met een scherm ter grootte van een laptop was altijd een stylus nodig geweest of een trackpad/muis en een toetsenbord. 'Als je iets op het scherm ziet, ga er dan met een vinger naartoe en tap erop. Het gaat volkomen natuurlijk. Je denkt er niet eens over na. Je doet het gewoon,' zei Forstall.

De eerste reacties op de iPad bestonden ten tijde van de lancering alleen maar uit bewondering en ontzag. *The Economist* zette op de omslag de beroemde foto van Jobs als Jezus met een iPad in zijn handen. 'HET EVANGELIE VAN JOBS. HOPE, HYPE EN APPLE'S IPAD' stond erboven. Maar de reactie was in de weken en maanden die volgden tamelijk lauw. Van alle kanten werd gezeurd dat de iPad geen camera had en geen multitasking en er verschenen plaatjes van maandverband omdat de naam daar volgens sommigen naar leek te verwijzen.[6]

De zwaarste kritiek was die waarvan Jobs dacht dat hij die in zijn presentatie had weerlegd: waar heb ik hem voor nodig? Hij zag eruit als een iPhone, maar was vier keer zo groot. Een concurrent als Schmidt zei, naast zijn gebruikelijke 'Ik geef geen commentaar op het product van een concurrent', sarcastisch: 'Je zou me eens uit moeten leggen wat het verschil is tussen een grote telefoon en een tablet.' En Gates zei: 'Ik denk toch dat een of ander mengsel van stem, een pen en een echt toetsenbord de voornaamste trend zal blijven.' En: 'Het is een mooie e-reader, maar als ik ernaar kijk, zit er niks op de iPad waarvan ik zeg: "O, ik wilde dat Microsoft dat had verzonnen".' Hij zei dat hij dat idee *wel* had gehad bij de iPhone. Het waren niet alleen concurrenten die de iPad afkraakten. *Business Insider*, een veel bezochte nieuwssite, stelde in een commentaar: 'Apple's iPad is de Newton van dit decennium.' *MacRumors*, eveneens een drukbezochte nieuwssite, wees erop dat de tv-reclames voor de iPad een opvallende overeenkomst vertoonden met die voor de Newton in 1994.[7]

Juist omdat er zo veel op het spel stond in zijn strijd tegen Google, was Jobs ziedend over de ontvangst die de iPad ten deel viel. De avond na de presentatie zei hij tegen zijn biograaf Isaacson: 'Ik heb de afgelopen vierentwintig uur zo'n achthonderd e-mails ontvangen. De meeste zijn klachten. Er is geen usb-kabel! Er is geen dit, geen dat. In sommige staan dingen als: fuck you. Hoe kun je dat nu doen? Ik schrijf mensen gewoonlijk niet terug, maar dit keer antwoordde ik: "Je ouders zouden trots zijn op hoe je geworden bent." En sommigen houden niet van de naam iPad, enzovoorts, enzovoorts. Ik werd er vandaag wat gedeprimeerd van. Het verbijstert je, zoiets.'[8]

Maar voor de lauwe ontvangst door het publiek was een eenvoudige verklaring: niemand had ooit zoiets als een iPad gezien en het duurde nog twee maanden voordat de eerste in de winkel lag. Consumenten wisten instinctief dat ze een telefoon en een laptop nodig hadden omdat die al langere tijd bestonden. De enige tablets die ze wel hadden gezien, waren apparaten die ze niet wilden hebben. Zelfs zij die bij Apple aan de iPad werkten, waren in het begin sceptisch. 'Om je de waarheid te zeggen, ik herinner me dat ik, de eerste keer dat ik hem zag, dacht dat het een zinloos ding was,' aldus Jeremy Wyld, een Apple-programmeur die aan de software voor de iPhone en iPad werkte. 'Ik dacht: dit ding is belachelijk.' Wyld had recht van spreken. Hij was een van de eerste programmeurs die in de jaren negentig aan de Newton had gewerkt voordat hij als softwareontwikkelaar vertrok naar Excite en Pixo. Toen hij naar de eerste iPad keek, zag hij een grote iPhone die niet langer in je zak paste. 'Ik zag dat als we dingen groter maakten, mensen ze niet meer wilden hebben.'

Toen Wyld met een van de prototypes zat te spelen, moest hij zijn mening compleet herzien. 'Ze gaven me er een om kennis mee te maken en ik begon mijn e-mail te checken of zoiets... en ik zei meteen: "Nu heb ik het door. Ik ben er doodziek van om 's morgens op een laptop te moeten kijken om mijn e-mail te lezen. Dit is veel persoonlijker dan een laptop. Een laptop is een heel koud ding. Je krijgt een veel warmer gevoel als je je e-mail bijwerkt op een iPad terwijl je koffie drinkt.'

Wat Wyld ontdekte, was dat het eigenlijk een nieuw soort laptop was, terwijl een iPad eruitziet als een grote iPhone omdat hij op dezelfde software draait en een touchscreen heeft. Je zou je smartphone nooit weggeven om een iPad te bezitten, maar je zou je laptop wel degelijk kunnen missen. Het feit dat hij eruitzag als een grote iPhone, was in het begin een punt van kritiek. Maar het bleek dat het grotere scherm, zo eenvoudig als het was, precies was wat van de iPad een zo nieuw en indrukwekkend apparaat maakte.

Het belang van de schermgrootte lag zo voor de hand volgens Joe Hewitt, die in 2007 de Facebook-app voor de iPhone had geschreven en in 2002 had meegewerkt aan het bedenken en ontwikkelen van de internetbrowser Firefox, dat hij de dag na de onthulling van de iPad een blogpost van negenhonderd woorden schreef waarin hij zei dat de iPad het belangrijkste apparaat was dat Apple ooit had gemaakt. Een jaar eerder had Hewitt nog felle kritiek geleverd op het beleid van Apple om apps slechts beperkt toe te staan in de Apple App Store. Maar dankzij alle jaren waarin hij software ontwikkeld had voor allerlei apparaten en platforms wist hij dat de iPad een fundamenteel probleem had opgelost.

'Ik ben anderhalf jaar bezig geweest met pogingen om een grote, complexe website van een sociaal netwerk te reduceren tot een vorm voor in een apparaat om in je hand te houden,' vertelde hij over de uitdaging om Facebook geschikt te maken voor de iPhone.

In het begin was mijn doel om een mobiele sloep te maken voor het moederschip Facebook.com. Maar toen ik eenmaal tevreden was met het platform, raakte ik ervan overtuigd dat het mogelijk moest zijn om een versie van Facebook te scheppen die gewoon beter was dan de website! Van alle platforms die ik in mijn carrière ontwikkeld heb, van PC tot internet, gaf het iOS van iPhone me het meest het gevoel dat het kon en het had de hoogste standaard om de kunst van het ontwerp van een gebruikersinterface te verbeteren.

Er was echter één ding dat me ervan weerhield om naar dat plafond te streven: het scherm was te klein... Hij moest meer dan één kolom informatie tegelijk ondersteunen. Ik kon niet voldoende tools op het scherm kwijt voor wat voor soort geavanceerd creatief werk dan ook. Foto's waren te klein om aan mijn bijziende ouders te laten zien. Internet vereiste te veel *panning* en *zooming* om lezen plezierig te maken. Niet alleen Facebook, ook de meeste andere apps die ik op mijn iPhone het vaakst gebruikte, leden onder deze beperkingen, zoals Google Reader, Instapaper en alle tools voor beeld-, video- en tekstbewerking. Waar het op neerkomt is dat veel apps die op de iPhone leuke speeltjes waren, machtige tools met alles erop en eraan kunnen worden op de iPad, waardoor je de voorgangers, PC en laptop, vergeet. We hoeven ze alleen maar uit te vinden.[9]

In tegenstelling tot de iPhone, die sneller werd ontwikkeld dan had gemoeten, was de reis van de iPad langs Apple's hardware-, software- en ontwerpteams lang en zwaar. Jobs vertelde Isaacson dat die reis in 2002 was begonnen tijdens een etentje ter gelegenheid van de verjaardag van de echtgenoot van een vriendin. De man was een van de programmeurs die aan de software van de zojuist gelanceerde tablet van Microsoft had gewerkt en hij maakte van deze gelegenheid gebruik om op te scheppen over hoe dit apparaat de wereld zou gaan veranderen. Gates, die er ook was, ergerde zich omdat hij bang was dat de man bedrijfsgeheimen prijs zou geven. En Jobs ergerde zich omdat hij door niemand van Microsoft in verlegenheid wilde worden gebracht.

'Die man bleef me maar lastigvallen met hoe Microsoft de wereld compleet zou veranderen met die tablet-pc-software en alle laptopcomputers zou elimineren, en dat Apple een licentie moest nemen op de software van Microsoft,' vertelde Jobs aan Isaacson. 'Maar hij maakte het toestel totaal verkeerd. Het had een stylus. Zo gauw je een stylus hebt, ben je er geweest. Dit etentje was zo'n beetje de tiende keer dat hij er tegen mij over begon en ik werd er zo ziek van dat ik, toen ik thuiskwam, zei: "*Fuck this*, laten we hem maar eens laten zien wat een tablet echt kan zijn".'[10]

De man tot wie Jobs zich nu wendde, Tim Bucher, kende hij al jaren, maar was pas een jaar eerder bij Apple gekomen als hoofd van de afdeling hardware van de Macintosh. Hij genoot de reputatie van creatief denker en meesterknutselaar. Eerder was hij drie jaar hoofd softwareontwikkeling bij WebTV geweest en nadat Microsoft dat bedrijf in 1998 had gekocht, werd hij daar directeur consumentenproducten. Voordat hij bij Apple kwam, was hij een bedrijf begonnen in onlineopslag voor consumenten, en met succes. Bij Apple maakte hij direct indruk. Tijdens een willekeurige ontmoeting met Jobs haalde hij een berg onderdelen uit een boodschappentas die hij had meegesjouwd en zette voor Jobs' ogen een prototype van de Mac mini in elkaar. Hij had hoofdontwerper Jony Ive de behuizing laten ontwerpen en van reserveonderdelen van laptops had hij thuis in de garage het binnenste in elkaar geknutseld. Die tas met onderdelen had hij al weken bij zich; hij wachtte op het juiste moment om de mini aan Jobs te laten zien.

Nadat Jobs Bucher had opgedragen om onderzoek te doen naar het bouwen van een tablet, kocht hij in korte tijd tientallen op Windows gebaseerde tablets van verschillende PC-fabrikanten en zat hij uren met Ive en Jobs in Ive's ontwerpstudio al die dingen te beoordelen. 'Zijn mantra,' aldus Bucher, 'was: ik wil de krant lezen, en hij noemde de wc als plaats om dat te doen. Hij zei nooit: "Ik zal die Bill Gates eens iets laten zien." Het ging meer van: "Dit is een stuk stront. Wij kunnen dat zo veel beter. Waarom hebben ze dit gedaan? Waarom hebben ze dat gedaan? Laten we iets heel anders gaan ontwikkelen".'

Merkwaardig genoeg schoot het werk dat het moeilijkst leek – het maken van een multitouchscherm waarvan nu iedere tablet en smartphone is voorzien – het hardst op, terwijl het ogenschijnlijk nogal ongecompliceerde werk – een manier uitdokteren om de rest van het apparaat te bouwen – al snel vastliep.

Het werk aan multitouch kreeg deels vaart doordat een van de softwareontwikkelaars, Josh Strickon, een primitief multitouchscherm had gemaakt voor zijn afstudeerscriptie aan het Massachusetts Institute of Technology, MIT. En in 2003 had hij met Steve Hotelling en Brian Huppi, die beiden nog bij Apple werken, een veel verfijndere manier uitgeknobbeld die hij aan Fadell liet zien. Ogenschijnlijk was het nogal rommelig. Als scherm werd een van de prototypes van de tablet gebruikt. Maar de chips die het scherm moesten vertellen dat het op vingeraanrakingen moest reageren, zaten op een losse printplaat van 60 bij 60 cm die met draden met het scherm verbonden was. Om dat allemaal van stroom te voorzien en de aanrakingen iets tot gevolg te laten hebben, moest het via een usb-kabel verbonden worden met de zware Apple-desktop Mac Pro. En om het te kunnen tonen aan een aantal mensen in een vergaderzaal, moest de Mac Pro verbonden worden met een projector. Het doel van deze demonstratie was dat het multitouchteam – toen alleen bekend als de 'Q79 group' – 2 miljoen dollar wilde krijgen om te besteden aan het onderbrengen van alles op de printplaat in een enkele chip die in een mobiel apparaat paste.

De demo verliep uitstekend. Ze toonden het virtuele toetsenbord en de features van het knijpen en spreiden van de vingers die in de hedendaagse technologie zo voor de hand liggen en kregen Fadells instemming. En toen kwamen ze er al gauw achter dat de hardware van de tablet onbruikbaar was. De energiearme ARM-processor, die later het hart van de iPhone en de iPad zou worden, was toen nog niet krachtig genoeg om software mee te laten draaien die de consument zou willen gebruiken. Omdat flashgeheugen nog te duur was in de hoeveelheden die zij nodig hadden, was een harddrive noodzakelijk, die echter te veel ruimte in de behuizing in beslag zou nemen. Wat overbleef, was een apparaat zonder toetsenbord dat niet veel lichter, goedkoper of krachtiger was dan een laptop.

Jobs had gehoopt Gates te laten zien dat hij een veel betere tablet kon maken, één waar geen stylus voor nodig was. Maar hij ontdekte dat Gates' probleem niet zozeer een zaak was van het ontbreken van verbeeldingskracht, maar dat het te maken had met een idee dat vooruitliep op de techniek die nodig was om het te realiseren. 'We hadden het idee voor een apparaat en we hadden de interface [multitouch] en al die dingen, maar er was geen haalbaar platform,' aldus Strickon. Het leek hem zo voor de hand te liggen dat het project dood zou lopen dat hij Apple verliet en naar een start-up in mobiele marketing ging en daarna softwareontwikkelaar werd bij *The New York Times*. Hij had geen ongelijk. Apple legde het project in de ijskast totdat Jobs het daar uithaalde voor het maken van de iPhone.

Pas na het uitkomen van de iPhone in 2007 begon Jobs opnieuw na te denken over een tablet. Hoofdontwerper Jony Ive had al eens netbookontwerpen bekeken. Het boeide hem hoe je zo'n klein apparaat kon bouwen met een scharnierend toetsenbord, dat zowel mooi was als functioneel. Volgens Isaacsons biografie vroeg Ive aan Jobs of ze dat scharnierende gedeelte weg konden laten en het toetsenbord op het scherm konden laten verschijnen, net als ze bij de iPhone hadden gedaan, en Jobs' hernieuwde interesse in netbooks zou al gauw de wedergeboorte betekenen van Apple's tablet.

Maar pas in het najaar van 2009, niet meer dan een paar maanden voor de onthulling, besloot Apple wat voor soort product de iPad zou moeten worden. Apple ging hoe dan ook een tablet bouwen. Jobs had dat al sinds 2003 geprobeerd en hij dacht er al aan sinds de jaren tachtig, volgens video's van hem uit die tijd. En de techniek was eindelijk zover: er was nu pas voldoende bandbreedte, de processoren waren nu pas krachtig genoeg en de batterijen waren eindelijk sterk genoeg om een tablet nuttig te maken. Multitouch in de iPhone was razend populair, zodat het idee om een virtueel toetsenbord te gebruiken om e-mails te schrijven of internetadressen in te typen niet langer vreemd overkwam. En omdat Apple zo veel iPhones verkocht, was de prijs voor componenten van een tablet naar een aanvaardbaar niveau gedaald.

De vraag die nog niet beantwoord was toen Jobs in de zomer van 2009 terugkeerde van zijn levertransplantatie, was wat voor soort apparaat de tablet nu eigenlijk zou worden. Werd het een iPhone met een heel groot scherm, of zou er een aparte set apps voor ontwikkeld worden zodat het een apart apparaat werd? In het begin neigde Jobs ertoe dat het alleen een grotere iPhone werd. Hij dacht eraan als een zuiver consumptieproduct, vertelde iemand die dicht bij hem stond. Je zou er geen documenten of spreadsheets op kunnen wijzigen. En hij wilde niet dat het een e-reader zou worden zoals de Kindle, die nu bijna twee jaar uit was. Naar zijn mening lazen mensen toch steeds minder, en zij die nog steeds boeken lazen, zouden toch liever een papieren versie hebben dan een elektronische.

Eddy Cue, hoofd van iTunes, Phil Schiller, hoofd marketing, en anderen namen het op zich om Jobs te helpen meer inzicht te krijgen in de tablet. Schiller zorgde ervoor dat Jobs zijn visie herzag op wat een 'consumptieproduct' werkelijk was. Als iemand een document of spreadsheet of PowerPoint stuurde, dan moest de iPad-gebruiker daarin wijzigingen kunnen aanbrengen. Cue had zich ten doel gesteld Jobs nog eens te laten nadenken over e-boeken. Amazons Kindle liep veel beter dan ze hadden verwacht. Midden 2009 waren er naar schatting anderhalf miljoen van verkocht. En de gebruikers downloadden wonderbaarlijk veel e-boeken.

Cue besefte heel goed welke bedreiging dit vormde. Twee jaar lang was Apple met iTunes steeds concurrerender geworden wat betreft het downloaden van muziek, films en tv-series. Als Apple boeken en tijdschriften volledig zou laten passeren, zou dat Amazon een enorm concurrentievoordeel opleveren. 'Feit is dat als we geen deals over boeken hadden, een heleboel mensen zouden zeggen: "Nou, ja, dit is geen concurrent voor de Kindle." We hadden die overeenkomsten met de uitgevers nodig zodat mensen terecht zouden zeggen: "Ik kan [de kwaliteit van] een Kindle Fire krijgen als ik een iPad koop",' vertelde een vertrouweling van Jobs me.

In zijn getuigenis tijdens de antitrustzaak van Justitie tegen Apple in juni 2013 vertelde Cue hoe de ontwikkeling van e-boeken op de iPad was verlopen. 'Toen ik voor de eerste keer de kans kreeg de iPad aan te raken, was ik er direct helemaal van overtuigd dat dit een fantastische gelegenheid voor ons was om de beste e-reader te bouwen die de markt ooit had gezien. En ik ging naar Steve en vertelde hem waarom ik dacht dat [de iPad] een geweldig apparaat voor e-boeken kon worden... en na een paar gesprekken kwam hij erop terug en zei: weet je, je kunt weleens gelijk hebben. Volgens mij is dit geweldig. En toen begon hij zelf met ideeën te komen over wat hij ermee zou willen doen en hoe [de iPad] nog beter zou zijn als e-reader en opslagruimte [van e-boeken].'[11]

Cue zei dat de 'ezelsoren' in de iBooks-app, die verschijnen als je een bladzijde van een iBook om wilt slaan, Jobs' idee was geweest. Het was ook zijn idee geweest om *Winnie-the-Pooh* gratis weg te geven aan iedereen die de iBooks-app downloadde. Hij vond dat dat boek op de beste manier de mogelijkheden van iBooks liet zien. 'Het heeft prachtige kleurentekeningen, die nooit eerder in een digitaal boek stonden,' aldus Cue.[12]

Het probleem, aldus Cue, was dat die conversatie had plaatsgevonden in november 2009. 'We zouden de iPad in januari lanceren. En dus zei Steve: "Je kunt dit gaan doen, maar het moet in januari klaar zijn... Ik wil het op het podium kunnen demonstreren." En dat was dus een soort uitdaging waar ik voor kwam te staan.'[13]

Volgens Cue had die uitdaging speciale betekenis voor hem. 'Steve was aan het einde van zijn leven toen we de iPad lanceerden en hij was er echt trots op... Ik wilde dat op tijd [voor de lancering] voor elkaar kunnen krijgen omdat het zo belangrijk voor hem was... Ik wil mijn werk altijd af hebben en ben blij als me dat lukt, maar dit had extra betekenis voor me.'

Toen de eerste iPads eind maart 2010 op de markt kwamen, was duidelijk dat de lauwe reactie van het publiek volkomen misplaatst was geweest. In de eerste week verkocht Apple er 450.000, in de eerste maand 1 miljoen, en in het eerste jaar 19 miljoen. Apple had zes maanden nodig om zich aan te passen aan de snelheid waarmee het publiek ze kocht en in 2011 had de iPad de dvd-speler verdrongen als best verkochte stuk elektronica aller tijden.[14]

8

'Mr. Quinn, alstublieft, laat me u niet bestraffen.'

Het hoogtepunt in de strijd tussen Apple en Google vond volgens velen plaats in de zomer van 2012. Na bijna drie jaar juridische schermutselingen stond Apple tegenover een van zijn belagers in een rechtszaal. Het was niet Google, maar een even waardige tegenstander: het Zuid-Koreaanse Samsung Electronics. Een rechtszaak tegen Google zou moeilijk te winnen zijn. Google maakte en verkocht immers geen smartphones met Android en gaf Android zelfs gratis weg. Maar Samsung was op dat moment de grootste producent van telefoons en tablets met Android en het was Apple's grootste concurrent om marktaandeel. Apple had sinds 2010 rechtszaken tegen drie Android-telefoonproducenten in alle geïndustrialiseerde landen aangespannen. Maar nog geen daarvan was zover gekomen als de zaak tegen Samsung, die werd gevoerd voor een jury in de San Jose Federal Court in Californië.[1]

Jobs kon de zaak niet meer meemaken; hij was in oktober 2011 overleden. Maar Apple's standpunt was nog net zo onwrikbaar. In zijn aanvangsverklaring klonk Harold McElhinny, een van Apple's advocaten, bijna vaderlijk terwijl hij Samsungs zonden uit de doeken deed. Apple had honderden miljoenen besteed aan het ontwikkelen van de iPhone en de iPad. De werknemers hadden hun ziel en zaligheid in het maken van deze apparaten gestoken. En als met name de iPhone geen succes was geworden, zou Apple's toekomst als bedrijf op het spel hebben gestaan, zei hij. Ondanks dat heeft 'Samsung niet alleen het uiterlijk van Apple's telefoon en tablet nagemaakt. Samsung kopieerde ieder detail... Dit was geen toeval. Samsungs kopiëren was doelbewust,' aldus McElhinny. 'Samsungs verkoop heeft Apple's verkoop doen afnemen en met die verkoop heeft Samsung meer dan 2 miljard dollar winst gemaakt – winst, zoals uit de bewijsvoering zal blijken, die het behaalde door gebruik te maken van ons [Apple's] intellectueel eigendom.'

Rechtszaken tussen bedrijven kunnen uitermate saai zijn, maar deze was dat beslist niet. Sommige van de specifieke wetstechnische aangelegenheden waren ronduit mysterieus. Maar iedereen op de wereld snapt dat je verondersteld wordt niet werk van iemand anders te kopiëren zonder diens toestemming. En omdat beide bedrijven over voldoende geld beschikten om de beste juristen voor deze zaak in de arm te nemen, waren beide bedrijven er klaar voor om ieder punt krachtig te bestrijden, hoe belangrijk of onbenullig ook. Beide partijen hadden alleen al in de rechtszaal een tiental advocaten en er waren er buiten de rechtszaal nog honderden meer voor hen aan het werk. Onder ede afgelegde verklaringen en bewijsstukken namen per getuige meestal een half dozijn archiefdozen in beslag. Met een hoogte en breedte van anderhalve bij anderhalve meter leken ze meer op een slordig opgebouwde afscheiding in een studentenkamer, zoals ze door een bode op een wagentje iedere ochtend om 7 uur de rechtszaal binnen werden gebracht.

Aan het begin van de rechtszaak raakte de discussie zo verhit dat rechter Lucy Koh dreigde John Quinn, wiens firma Quinn Emanuel Urquhart & Sullivan Samsung vertegenwoordigde, te bestraffen. Quinn wilde voor de jury aantonen dat Apple slechts Sony 'slaafs gekopieerd' had bij het ontwerpen van de iPhone zoals Samsung de iPhone 'slaafs gekopieerd' had. Wat Quinn duidelijk wilde maken was, zoals ook in de verklaring van Samsung vóór de rechtszaak stond, dat 'Samsung dezelfde designconcepten uit het publieke domein had gebruikt die Apple van andere concurrenten, waaronder Sony, had overgenomen om de iPhone te ontwikkelen.' Rechter Koh had het bewijs uitgesloten, omdat het te laat was ingediend. Maar Quinn wist van geen opgeven.

Quinn: Mag ik ingaan op de zaak van afbeelding 11 tot 19 waarmee ik bereid was te bepleiten...
Koh: Nee. We hebben daarover drie heroverwegingen gehad, oké? U heeft uw verslag. Ik heb beslist. We moeten verder.
Quinn: Edelachtbare, ik verzoek de rechtbank.
Koh: Samsung heeft tien moties ingediend voor heroverweging. Ik neem, zo snel als ik kan, beslissingen om uw team zo lang mogelijk van tevoren op de hoogte te brengen voor uw voorbereiding op getuigen en bewijsstukken.
Quinn: Edelachtbare, ik ben nu zesendertig jaar advocaat. Ik heb de rechtbank nooit verzocht zoals ik de rechtbank nu verzoek om ons argument over deze zaak te horen. Dit hangt samen met een centraal probleem dat vanaf het allereerste begin bij de zaak is betrokken. Ze [Apple] zeggen in de stukken die ze gisteravond hebben ingediend dat we

dit bij het verzoek om aanvullende informatie, niet hebben ingebracht. Edelachtbare, een dergelijk verzoek waarin ons verplicht wordt dit bekend te maken, bestaat niet en we hebben het gedaan. Dat alles was openbaar gemaakt in februari...
Koh: Ik heb u...
Quinn:... in de opschortende uitspraak...
Koh:... gisteren een aanvullende gelegenheid geboden om dit probleem in te dienen, oké? Ik heb gisteren bekeken wat u heeft ingediend. Ik heb gisteren de argumenten hierover gehoord.
Quinn: Goed, edelachtbare, wat is het punt...
Koh: Ik heb u drie moties voor heroverweging gegeven.
Quinn:...van de rechtszaak? Wat is het punt? Zij willen de totaal valse indruk wekken, edelachtbare, dat wij met een ontwerp zijn gekomen na januari 2007 [toen de iPhone onthuld werd] en, edelachtbare, wat dit suggereert, wat zij proberen is om onaanvechtbaar bewijs uit te laten sluiten dat wij dat ontwerpoctrooi in 2006 [voor de onthulling van de iPhone] al hadden. En wij kwamen met dat product uit in februari 2007.
Koh: Mr. Quinn, alstublieft, alstublieft. We hebben hierover drie heroverwegingen gehad en we moeten verder. Er zit een jury te wachten. U heeft uw vastlegging, u heeft uw verslag voor een beroepszaak. Oké?
Quinn: Goed. Mag ik de rechtbank om enige uitleg vragen, edelachtbare? Er is geen verhoor volgens welke het verplicht was. We hebben het in het verhoor over de stellingname bekendgemaakt. We hebben hun [Apple] de documenten overhandigd...
Koh: Mr. Quinn, alstublieft, laat me u niet bestraffen.

Alstublieft, alstublieft.
Quinn: Dus ik krijg geen...
Koh: U heeft drie heroverwegingsmoties gekregen. U had twee, zo niet drie, zo niet vier keer de gelegenheid hierover te informeren. Oké? Alstublieft, gaat u zitten.

Dit betekende niet het einde van de discussie. Later die dag besloot Samsung dat, ook al mocht de jury niet kennisnemen van de bewijsstukken, de rest van de wereld dat wel mocht. Het bedrijf gaf een persverklaring uit met alle uitgesloten documenten. Apple's McElhinny beschuldigde Samsung daarop van een poging om 'de jury te bezoedelen' en voegde daaraan toe: 'Ik weet niet precies wat de juiste remedie of straf is. Maar dit is minachting van de rechtbank. Ik heb in mijn hele carrière nog nooit zoiets doelbewusts gezien als dit.' Koh eiste van Quinn een beëdigde verklaring. En ze vroeg ieder jurylid persoonlijk om er absoluut zeker van te zijn dat zij geen enkel verhaal over de zaak hadden gelezen of gehoord. Uiteindelijk werden de pogingen om elkaar de loef af te steken zo fel, nog eens ondersteund door tientallen moties die 's avonds werden ingediend ter voorbereiding op het vervolg van de zaak de volgende dag, dat Koh uiteindelijk besloot dat alle moties voor de jury beargumenteerd moesten worden en dat de tijd die daarmee verloren ging, afging van de tijd die iedere partij had om zijn zaak te verdedigen.

Apple liet drie topmannen getuigen. Christopher Stringer, een van de hoogste industrieel designers, Phil Schiller, directeur marketing, en Scott Forstall, verantwoordelijk voor alle softwareontwikkeling van de iPhone en iPad, brachten ieder een dag door in de getuigenbank. Stringer, die er met schouderlang haar en gekleed in een wit linnen pak daadwerkelijk als kunstenaar uitzag, sprak over het zonderlinge proces waarin hij en zijn team van vijftien personen prachtige producten scheppen. 'Er staat een tafel in de keuken. Daar zitten we het lekkerst. Daar zijn we het meest ongedwongen onder elkaar. We strooien daar met ideeën en we... het is een ontzettend eerlijk rondje discussiëren. We voelen ons daar het meest op ons gemak. Daar ontstaan de ideeën,' vertelde hij.

Phil Schiller sprak over de organisatie, coördinatie en discipline die noodzakelijk zijn om een product als de iPhone of iPad te lanceren. Hij vertelde dat het marketen van de iPad in de VS gedurende het eerste jaar meer had gekost dan het aan de man brengen van de iPhone. In 2008 gaf Apple 97,5 miljoen dollar uit aan advertenties voor de iPhone, en in 2010 spendeerde het 149,5 miljoen dollar aan reclame voor de iPad.

Scott Forstall vertelde over wat ervoor nodig was geweest om zijn team samen te stellen en de ongelooflijke druk die hij op zijn medewerkers had gelegd om de producten op tijd te leveren. Hij legde ook uit hoe sommige van de kenmerkende features ontworpen waren, zoals de feature 'veeg om te ontgrendelen' als de iPhone en de iPad worden aangezet, het tappen om in te zoomen dat hij zelf zou hebben uitgevonden, en het 'terugspringen' van het 'elastiek' als het einde van een lijst of bladzijde bereikt is. In de rechtszaal droeg hij een blauw pak, kleding waar weinigen hem ooit in hadden gezien. Toen een medewerker hem ernaar vroeg toen hij het gebouw verliet om te gaan lunchen, antwoordde hij: 'Ik heb het twee keer gedragen, een keer naar het Witte Huis, en nu hier.'

Alle drie benadrukten ze hetzelfde: hoe geschokt, beledigd en kwaad ze waren toen ze voor de eerste keer Samsungs Android-telefoons en tablets zagen. Schiller zei dat hij bang was dat consumenten hun telefoons door elkaar zouden gaan halen en dat hij dacht dat dat later ook echt gebeurd was. Schiller was bijzonder emotioneel. 'We zijn bestolen. Dat was duidelijk te zien,' zei hij toen hem werd gevraagd hoe hij had gereageerd toen hij Samsungs Android-telefoons voor de eerste keer zag. 'Er is een enorme sprong in verbeeldingskracht nodig om iets volkomen nieuws te verzinnen [zoals de iPhone]. Het is een proces waarin je alles wat je weet, overboord moet zetten... omdat je, als je aandacht aan de concurrentie besteedt, eindigt met ze na te doen. En zo werken wij niet. Wij wilden oorspronkelijkheid creëren. Het is een heel moeilijk proces. Er is een enorme hoeveelheid tijd voor nodig en geld en overtuiging om het te doen. Dus waren we beledigd [door wat Samsung had gedaan].'

Quinn en de andere advocaten van Samsung probeerden aan te tonen dat Apple's zaak pietluttig was. Ze zeiden dat de uitvindingen waarvan Apple beweerde dat Samsung ze had gekopieerd, óf ongeldige octrooien hadden óf er helemaal geen octrooi op mogelijk was omdat ze te zeer voor de hand lagen. Je kunt vormen en ontwerpen niet octrooieren als ze nodig zijn om iets te laten functioneren. Je kunt bijvoorbeeld geen octrooi krijgen op het gegeven dat een mobiele telefoon een rechthoek is, met bovenin een speaker en onderin een microfoon. En ze wezen erop dat Samsungs telefoons weliswaar leken op iPhones in die zin dat ze allemaal touchscreens hadden en ongeveer dezelfde vorm, maar dat Apple niet de uitvinder van het touchscreen was.

De advocaten lieten zien dat er duidelijke verschillen tussen de toestellen waren die iedereen kon zien, zoals de plaats waar de knopjes zaten en wat de gebruikers te zien kregen als ze het apparaat aanzetten. Tijdens het kruisverhoor deed Samsungs advocaat Charles Verhoeven zijn uiterste best om ieder van hen, en vooral Stringer, toe te laten geven dat Samsung-telefoons een ander homescreen hadden waaruit blijkt dat de telefoon aan staat, en dat Samsungs telefoons vier virtuele knoppen hebben om de software op het toestel te gebruiken, terwijl Apple slechts één echte knop heeft.

> Verhoeven: Herinnert u zich, ja of nee, toen u de Samsung-telefoons zag om u een mening te vormen en te getuigen zoals u voor de jury deed, of ze vier zachte knoppen hadden onderaan?
> Stringer: Ik heb veel Samsung-telefoons gezien. Ik herinner me niet de exacte details van softwareknoppen.
> Verhoeven: Dus u herinnert zich niet of ze onderaan knoppen bezaten?
> Stringer: Zoals ik zei, ik heb heel veel Samsung-telefoons gezien. Ik weet niet of ze allemaal hetzelfde zijn wat betreft de plaatsing van knoppen onderaan.
> Verhoeven: Heeft u ooit Samsung-telefoons gezien die vier zachte knoppen hadden onderaan?
> Stringer: Zou u mij zo'n telefoon kunnen laten zien? Dit kan een strikvraag zijn. Ik weet het niet.
> Verhoeven: Ik vraag u alleen maar of u ooit een Samsung-telefoon heeft gezien met vier zachte knoppen onderaan.
> Stringer: Als u me de telefoon laat zien, kan ik bepalen of er vier zachte knoppen op zitten.
> Verhoeven: Dat is niet mijn vraag, mijnheer. Mijn vraag is: heeft u een Samsung-telefoon gezien met vier zachte knoppen onderaan?
> Stringer: Ik kan me niet herinneren of het er drie of vier waren. Ik kan het me niet herinneren.

Verhoeven: Heeft u ooit een telefoon gezien, welke smartphone dan ook, die vier zachte knoppen onderaan had?
Stringer: Heel goed mogelijk.
Verhoeven: Vond u ze mooi?
Stringer: Ze zijn duidelijk niet bij me blijven hangen.
Verhoeven: Wel, u heeft getuigd over knoppen en hoe u soms wel vijftig verschillende modellen van een knop maakt [als onderdeel van het ontwerpproces]. Herinnert u zich dat?
Stringer: Dat is correct.
Verhoeven: Hoeveel modellen heeft u van de homeknop gemaakt?
Stringer: Ik kan u geen exact aantal geven, maar ik ben ervan overtuigd dat het er veel waren.
Verhoeven: Meer dan tien?
Stringer: Heel waarschijnlijk.
Verhoeven: Meer dan honderd?
Stringer: Dat misschien niet.
Verhoeven: Wat is dan uw beste schatting?
Stringer: Ik maak geen schatting omdat ik het niet weet.
Verhoeven: Heeft u aan verschillende versies van de homeknop gewerkt?
Stringer: Ja.
Verhoeven: En waarom waren er zo veel modellen van de homeknop gemaakt?
Stringer: Om hem precies goed te krijgen.
Verhoeven: Omdat kleine details ertoe doen, nietwaar?
Stringer: Beslist.

De zaak was niet alleen boeiend omdat de eiser Apple was die probeerde de iPhone en de iPad te beschermen, maar ook omdat het ongelooflijk niet-Apple was om over iets een rechtszaak te beginnen. In het algemeen voeren bedrijven liever geen rechtszaken. Het zijn openbare aangelegenheden waarin alle getuigenissen, onder ede en onderworpen aan kruisverhoor, worden vastgelegd. Slechts zo'n 3 procent van alle octrooiovertredingen komt voor de rechter.[2] En Apple is een van de meest gesloten, controlerende bedrijven ter wereld. Jury's zijn in iedere juridische situatie onvoorspelbaar en ze zijn des te onvoorspelbaarder in bedrijfstechnische en technologische aangelegenheden. De verslaggeving door de pers is meestal niet gunstig voor het moreel of de focus van de werknemers. En een zakelijk conflict voor de rechter brengen kost tientallen miljoenen dollars aan juridische bijstand.

Het leek erop alsof Samsung een ijzersterke verdediging had, maar de jury werd het niet eens. Drie weken na het begin van de rechtszaak begonnen de besprekingen van de jury, die bestond uit zeven mannen en twee vrouwen. De instructies van Koh namen twee uur in beslag en de juridische informatie voor de jury besloeg 109 pagina's. Maar tweeëntwintig uur later, opmerkelijk snel voor zo'n ingewikkelde zaak, werd Samsung schuldig bevonden aan zo goed als alle aanklachten die Apple had ingebracht. De tegeneis van Samsung werd verworpen. En Samsung werd veroordeeld tot het betalen van meer dan 1 miljard dollar schadevergoeding.

Op Amerikaanse scholen wordt geleerd dat octrooien tot de grondslagen behoren van Amerika's innovatieve economie, dat ze moeilijk te verwerven zijn en in beton gegoten, en dat je er direct een rechtszaak over kunt beginnen. De verhalen over hoe een stelletje knullen met hersenen, drang en lef een bedrijf opbouwde dat de wereld beter maakt, spreken aan tot in het oneindige. De verhalen over mensen die van hen stelen, zijn net zo pijnlijk als die over pestkoppen op het schoolplein. Eens was Apple een van de start-ups en door Jobs' aanval op Android hulde hij zichzelf en Apple op slinkse wijze in de mantel van publieke verontwaardiging. Na zijn dood werd dat de grondslag van alles wat Apple deed en zei in de aanloop naar, tijdens en na de zaak tegen Samsung. CEO Tim Cook legde het binnen enkele uren na de uitspraak uit aan het personeel:

> Vandaag was een belangrijke dag voor Apple en alle andere vernieuwers waar dan ook. We kozen zeer tegen onze zin voor een juridische benadering, en pas nadat we Samsung herhaaldelijk hadden gevraagd te stoppen met het kopiëren van ons werk. Voor ons is deze rechtszaak altijd over iets veel belangrijkers gegaan dan octrooien of geld. Het gaat om waarden. Wij waarderen originaliteit en innovatie en stellen ons leven in dienst van het maken van de beste producten op aarde. En dat doen we tot genoegen van onze klanten, niet voor concurrenten om dat grof te kopiëren. We zijn dank verschuldigd aan de jury die er tijd in heeft gestoken om naar ons verhaal te luisteren. We vonden het geweldig om eindelijk de gelegenheid te krijgen om het te vertellen. De berg bewijzen die tijdens de rechtszaak naar voren is gebracht, liet zien dat het kopiëren door Samsung nog veel verder ging dan we dachten. Nu heeft de jury gesproken. We loven hen omdat ze Samsungs gedrag als moedwillig bestempelen en omdat ze de luide en duidelijke boodschap uit-

> dragen dat stelen niet goed is. Ik ben heel trots op het werk dat jullie allemaal doen. Vandaag hebben waarden gewonnen en ik hoop dat de hele wereld luistert.[3]

Het was briljante retoriek. Jobs was negen maanden dood, maar het leek alsof hij deze notitie zelf had geschreven. En het publiek stelde zich op achter Apple. De uren en dagen na de uitspraak waren voor Apple's public relations een onverwacht succes. Media overal ter wereld bleven maar over de zaak schrijven en vroegen zich af hoe Samsung en Google hiervan zouden herstellen. In de weken na de uitspraak daalde de koers van aandelen Samsung 6 procent. En de toch al hoge koers van Apple's aandelen steeg nog eens 6 procent. Midden september, enkele dagen voor de onthulling van de iPhone 5, bereikte de aandelenkoers zijn hoogste stand ooit en was het bedrijf 656 miljard dollar waard en daarmee de grootste kapitalisatie, dat wil zeggen het bedrijf met de hoogste waarde, in de VS ooit.

De waarheid is natuurlijk dat Apple's klacht in het geheel niet door principes werd geleid, maar door tactiek en strategie, zoals de meeste rechtszaken om octrooien. Samsung laten vervolgen was gewoon weer een wapen waarmee Jobs en zijn opvolgers Android wilden aanpakken. Het marktaandeel van Samsungs telefoons en tablets met Android haalde dat van Apple's iPhone en iPad gauw in. Apple en Google leken in een oorlog over het platform terecht te zijn gekomen met één winnaar en één absolute verliezer als enig mogelijke uitkomst. En Apple ging ervan uit dat een vuile, doorlopende rechtszaak de opkomst van Samsung en Google zou vertragen.

De juridische aanval op Samsung en Android was een wonder van Jobs' machtsdenken, volgens een van de advocaten.

Niet alleen had Apple een lid van de Android-familie aangeklaagd in bijna ieder geïndustrialiseerd land ter wereld, het had tegelijkertijd het grootste advocatenkantoor op octrooigebied ter wereld geschapen om die zaken te voeren. Apple hield de eigen juridische staf klein. Maar in de tijd van de rechtszaak tegen Samsung hadden de vier advocatenkantoren samen wereldwijd zo'n driehonderd juristen in dienst die bijna fulltime met de zaak bezig waren. De Apple-jurist schat dat de kosten voor juridische bijstand ongeveer 200 miljoen dollar per jaar beliepen. In 2012 liepen er in tien landen samen zo'n vijftig rechtszaken alleen al tegen Samsung.

Terwijl outsiders met bewondering Apple's bereidheid aanschouwden om het risico te lopen om een zaak voor een jury te verliezen, wisten executives dat ze helemaal geen groot risico namen. Voor een bedrijf met meer dan 100 miljard dollar op de bank was 200 miljoen een afrondingsverschil. Het bedrijf had het voordeel van de thuiswedstrijd. San Jose Federal Court ligt 15 kilometer van de Apple-campus en 8000 kilometer van Samsungs hoofdkwartier. In de drie weken van getuigenverklaringen die het proces in augustus 2012 in beslag nam, stonden de media overal ter wereld vol verklaringen van topmannen van Apple die Samsung ervan beschuldigden dat ze hun werk hadden gekopieerd en hun bedrijf benadeeld. Daardoor zouden er ongetwijfeld meer iPhones en iPads worden verkocht. En verloor Apple, dan won het toch. Juridisch zou Apple's positie niet anders zijn geworden, maar wel was de boodschap aan de concurrentie uitgegaan dat het bedrijf zich door niets zou laten tegenhouden – ook niet door de gevreesde juryrechtspraak – om iedereen die het waagde Apple openlijk uit te dagen, een kopje kleiner te maken.

Het is misschien cynisch om op deze manier te kijken naar

Silicon Valley en de ingrijpende innovaties die door de bedrijven daar worden ontwikkeld. Maar in de praktijk kun je nu eenmaal geen succesvol ondernemer zijn zonder juristen die je helpen met het beschermen van je ideeën. En zij moeten in staat zijn niet alleen goede octrooiaanvragen op te stellen en te verdedigen, maar ook agressief mee te doen aan het systeem van octrooieren om te slagen – om de aanval te kiezen. Ondanks wat de meeste mensen over octrooien denken kan bijna iedere uitvinding met voldoende juridische steun op een octrooi rekenen. Ieder octrooi kan in de rechtbank worden bestreden, en dat gebeurt dan ook vaak. En, met uitzondering van octrooien op medicijnen – waar een octrooi wordt toegekend aan een nieuwe en onderscheidende molecule – slepen octrooizaken zich gewoonlijk jarenlang voort. Komt er eindelijk een uitspraak, dan is de winnaar vaak niet de uitvinder, maar de partij met het grootste budget voor juridische kosten.

Dit geldt vooral voor de hedendaagse software-industrie waar, in tegenstelling tot de farmaceutische industrie, geen enkel octrooi doelmatige bescherming biedt tegen kopiëren. Als in octrooirecht gespecialiseerde juristen met bedrijven praten over hun intellectueel eigendom, maken ze van de berg twee stapeltjes. Aan de ene kant ligt het stapeltje uitvindingen waar het bedrijf echt trots op is. En dan is er een grotere stapel uitvindingen – door de juristen aangevuld met kleine of voor de hand liggende ideeën om belangrijker te lijken – waar het bedrijf octrooi op probeert te krijgen.

En deze gesprekken gaan niet alleen over hoe de snoodaards weggehouden moeten worden, maar ook hoe de concurrentie kan worden belaagd. Ondernemers, directeuren en juristen kijken naar hun strijd om octrooien zoals de VS en de voormalige Sovjet-Unie naar de Koude Oorlog keken: er zijn bondgenoten en vijanden. Beide kanten zijn verwikkeld in een wapenwedloop. Ze willen wel ophouden met het bouwen van wapens, maar ze vertrouwen de tegenpartij niet voldoende om dat ook te doen. Beide zijn bang dat, als een van hen een voordeeltje krijgt, hij ook zal aanvallen. En dus zoeken ze, vreemd genoeg, veiligheid in gelijkheid, hoe hoog de kosten daarvoor ook zijn.

Weinigen begrepen deze dynamiek beter dan Steve Jobs. Begin jaren tachtig had hij geprobeerd de ideeën achter de Macintosh te beschermen tegen kopiëren. Hij kreeg Gates zover dat die beloofde geen vergelijkbare software te maken tot een jaar nadat de Macintosh in januari 1983 in de winkel stond. Het grote probleem was dat de Mac pas een jaar later klaar was, en in de overeenkomst stond niets over wat er bij zo'n vertraging zou moeten gebeuren. Hoe kwaad Jobs ook was, Gates had alle recht om eind 1983 de wereld kennis te laten maken met wat Windows zou gaan heten. Het probleem op lange termijn was dat later, toen Apple een aanklacht indiende tegen Microsoft omdat dat het auteursrecht zou hebben overtreden door uiterlijk en gevoel van de Mac te stelen, de diverse rechtbanken het hier niet mee eens waren. Ondanks meer dan tien jaar van juridische gevechten constateerden de rechtbanken dat het auteursrecht weinig bescherming bood voor software als het programma niet 'woord voor woord' overgenomen was. Jobs had daar niets tegen in te brengen. In de begintijd van de software-industrie bestond er nog geen octrooirecht op software.[4]

Een aantal Apple-executives zei hierover ongeveer hetzelfde tegen me, wat een van hen als volgt verwoordde: 'Steve was sterk beïnvloed door het gevoel dat zijn bedrijf met afstand het eerste was geweest om te innoveren [de PC gebruiksvriendelijker te maken]... en dat, toen Apple probeerde een einde daaraan te maken [aan de diefstal door Microsoft], het daarin niet geslaagd was. Zijn visie op octrooien was dan ook: "We hebben geen octrooien om er geld aan te verdienen. We hebben geen octrooien om die te verhandelen. We hebben octrooien om de innovatie te beschermen en de investering in de innovatie van het bedrijf." En voor hem kwam dat neer op een heel eenvoudige stellingname, die luidt dat als je octrooien bezit, je iemand kunt zeggen dat die moet stoppen met het gebruik van jouw technologie, en doet hij dat niet, dan klaag je hem aan.'

Niets illustreert Jobs' bezetenheid met octrooien als wapen beter dan zijn opmerkingen hierover tijdens de lancering van de eerste iPhone in 2007 en de privégesprekken die hij er in 2006 over voerde. In het najaar van 2006, terwijl de ontwikkelaars van Apple hard vochten om de iPhone gereed te krijgen voor de presentatie in januari, kwam tijdens een van Jobs' wekelijkse bijeenkomsten met het topmanagement het onderwerp ter sprake op welke technieken in de iPhone Apple octrooi moest aanvragen. De discussie was kort. Voordat iemand erover had kunnen nadenken, zei Jobs afgemeten en beslist: 'We vragen overal octrooi op aan.'[5]

Deze opmerking had ogenblikkelijk gevolgen binnen Apple. Softwareontwikkelaars werd gevraagd deel te nemen aan maandelijkse 'uitvindingsonthullingssessies'. Volgens *The New York Times* had een groepje softwareontwikkelaars op een dag een ontmoeting met drie in octrooirecht gespecialiseerde advocaten. De eerste ontwikkelaar besprak een stukje software dat de voorkeuren van gebruikers analyseert tijdens het browsen van het internet. 'Dat is een octrooi,' zei een advocaat terwijl hij aantekeningen maakte. Een andere ontwikkelaar beschreef een kleine aanpassing aan een populaire applicatie. 'Dat is een octrooi,' zei een advocaat. En weer een andere ontwikkelaar vertelde dat zijn team wat software gestroomlijnd had. 'Dat is er ook een,' zei een advocaat.

De agressieve registratieprocedures waren niet zozeer ontwikkeld met het oog op zo veel mogelijk bescherming, maar zo veel mogelijk diefstal. Registraties van octrooien zijn openbaar en Apple's concurrenten waren er altijd naar op zoek om erachter te komen wat de plannen waren van het bedrijf. Jobs registreerde ze dan ook in hele pakketten tegelijk. Op die manier zagen de spionnen een hele hoop ideeën die elkaar allemaal tegen leken te spreken, aldus Andy Grignon, iPhone's softwareontwikkelaar van het eerste uur. Grignon vertelde dat het octrooi op een van de eerste nummerkiezers van de iPhone – waarmee van het wieltje op de iPod een draaischijf met cijfers werd gemaakt – begin 2005 werd geformuleerd, maar pas eind 2006 werd geregistreerd. Dat was niet alleen meer dan een jaar na het ontstaan van het idee, maar ook bijna een jaar nadat Apple had besloten de uitvinding niet in de iPhone te gaan gebruiken. 'Eigenlijk probeerden we op alles een octrooi te krijgen,' aldus een Apple-advocaat. 'En we probeerden dat op zo veel verschillende manieren als we maar konden verzinnen, en zelfs dingen waarvan we niet honderd procent zeker wisten of ze wel in een product zouden gaan komen,' omdat dat andere bedrijven ervan zou weerhouden octrooi aan te vragen op een idee waar Apple het eerst aan had gedacht.

Jobs was heel slim als hij het over dit soort zaken had. De presentatie van de eerste iPhone in januari 2007 was zevenenhalve minuut aan de gang toen hij het touchscreen als volgt introduceerde: 'We hebben een nieuwe techniek uitgevonden genaamd Multitouch en die is fenomenaal. Het werkt als toverkunst. Je hebt geen stylus nodig. Het is veel nauwkeuriger dan enig aanraakscherm dat ooit in de winkel heeft gelegen. Onbedoelde aanrakingen worden genegeerd. Het is superslim. Je kunt er bewegingen met meer vingers op maken. En reken maar dat wij daar octrooi op hebben gevraagd.'[6]

Een uitspraak waar je om kon lachen, maar Jobs had vooral tactische redenen om dit te zeggen. Hij wist dat het verdedigen van octrooien net zozeer ging om het veroorzaken van spektakel als om handhaving van de wet. Apple introduceerde een product in een bedrijfstak – mobiele telefoons – die werd aangevoerd door grote, goed gefinancierde bedrijven met enorm dikke dossiers vol octrooien. Nokia was de grootste producent van mobiels ter wereld. RIM was de toonaangevende producent van smartphones voor het zakenleven. En Motorola had de mobiel in 1973 uitgevonden. Als de iPhone succesvol zou zijn, dan zouden zij en andere leden van die bedrijfstak Apple waarschijnlijk willen aanklagen voor het schenden van octrooien als een manier om de opkomst van de iPhone te vertragen. Jobs wilde er zeker van zijn dat ze daar eerst maar eens diep over nadachten, aldus Nancy Heinen, tot 2006 Apple's voornaamste juridisch adviseur.

Jobs had multitouch niet uitgevonden en iedereen binnen Apple wist dat, maar hij had het wel degelijk verbeterd door het geschikt te maken voor de iPhone en andere innovaties toe te voegen, en die innovaties wilde hij beschermd hebben. Hij speelde dus het eeuwenoude spelletje wie er het eerst bang is: imponeer je vijanden dusdanig dat ze het niet eens in hun hoofd zullen halen achter je aan te gaan.

'Vergeet niet dat Jobs de beste marketingman ter wereld

was,' aldus Heinen. Hij hoefde niet zozeer multitouch uitgevonden te hebben, als hij de bedrijfstak van mobiele telefoons er maar van kon overtuigen dat hij het geld en de wil bezat om die bewering voor de rechtbank tot het uiterste te verdedigen. 'Hij gaf dus een boodschap af... Ik heb een moker en die zal ik iedere keer gebruiken als jij te dichtbij komt,' zei ze. 'Het is een zakenstrategie. Er zaten echte innovaties in de iPhone, maar wij waren in de verste verte niet de eersten op dit gebied. En als je niet de eerste bent, moet je heel onbesuisd iedere mogelijke uitvinding of functie of dingetje afdekken omdat het er al zo vol is. Je weet niet wat [het octrooibureau en de juridische strijd] zal overleven en je weet niet welke andere dingen er van de concurrenten in de ruimte zullen verschijnen.'

De uitspraak in de zaak Apple vs. Samsung produceerde een hele stroom ach en wee van juristen, ondernemers en topmannen van andere bedrijven, die Apple beschuldigden van het roekeloos misbruiken van het rechtsproces in eigen voordeel. Amerika's innovatie-economie zou op de lange termijn niet overleven als die onderhevig wordt aan dit soort intimidatie. Het probleem was volgens hen dat vooruitgang in de technologie, en met name in de software, zo snel ging dat het Amerikaanse octrooibureau, het United States Patent and Trademark Office (USPTO), niet langer in staat was de aanvragen voor octrooiregistratie te lezen, te beoordelen en toe te kennen.

Hier zit een kern van waarheid in. Het aantal octrooiaanvragen blijft maar stijgen. In 1990 ontving het USPTO 176.000 aanvragen, in 2000 waren het er 315.000 en in 2010 verwerkte het er 520.000 en in 2012 577.000. En terwijl de achterstand in de verwerking van de octrooiaanvragen in 2013 afnam, was dat voor het eerst in minstens tien jaar. Het bureau had onvoldoende beoordelaars in dienst genomen om de stijgende werklast bij te houden. Ten tijde van de veroordeling van Samsung was de gebruikelijke wachttijd tussen aanvraag en toekenning van een octrooi opgelopen van 25 maanden in 2000 tot 32,4 maanden in 2012, en de achterstand was gestegen van 158.000 in 2000 tot meer dan 600.000 in 2012.[7]

Het is ook waar dat de regels op grond waarvan voor software een octrooi verkregen kan worden, veel drassiger zijn dan die op basis waarvan een octrooi op een medicijn kan worden geregistreerd. Bij een medicijn moet je een nieuwe molecule gemaakt hebben. Bij software kun je al een octrooi krijgen voor een nieuwe methode om iets te doen, ook al zijn er veel verschillende manieren om de software te schrijven waarmee je dat bereikt. Een van de beroemdste en controversieelste voorbeelden hiervan is de knop 'Koop nu met één klik' van Amazon.com. Amazon heeft octrooi op 1-Click, wat betekent dat iedere website die klanten wil laten kopen met één muisklik, Amazon een vergoeding moet betalen.

Het bestelsysteem werd door Amazon in 1999 geregistreerd als 'methode en systeem om een bestelling te plaatsen via een communicatienetwerk'. Amazon heeft wereldwijd licenties uitgegeven, onder andere aan Apple, dat de 1-Clickmethode in 2000 overnam voor gebruik in de Apple Store en later voor iTunes. Het heeft inmiddels ook rechtszaken overleefd. In 2006 werd het octrooi bestreden door een kenner van octrooien en acteur in Auckland, Nieuw-Zeeland, die een jaar eerder dan Amazon een dergelijk octrooi registreerde voor een bedrijf genaamd DigiCash. De acteur, Peter Calveley, zei tegen verslaggevers dat hij Amazons octrooi had aangevochten 'omdat hij zich verveelde'. De USPTO bestudeerde Amazons aanvraag opnieuw, Amazon verbeterde de aanvraag en de USPTO registreerde het octrooi in 2010 opnieuw.[8]

Er steekt echter iets misleidends achter al dat geklaag. De retorische vooronderstelling is dat we in een bijzondere tijd leven. Dat is onjuist. Als je voldoende tijd zou uittrekken om te praten met octrooihistorici en juristen, dan zou je horen dat langdurige, uitgesponnen gevechten over octrooien voor nieuwe en belangrijke technieken opmerkelijk veel voorkomen sinds de oprichting van het USPTO in 1871.

Wij prijzen ondernemers in onze geschiedenisboeken, en dat moet ook. Maar het indikken dat noodzakelijk is om deze boeken verteerbaar te maken – en ondernemers als helden af te schilderen – zorgt er meestal voor dat de intriges en complotten en het harde werken om deze erkenning te krijgen, niet worden vermeld. Bijna allemaal zijn ze niet in dat geschiedenisboek terechtgekomen omdat ze iets hadden uitgevonden, maar omdat ze in de rechtszaal in staat zijn geweest die uitvinding te verdedigen tegen de concurrentie.

Alexander Graham Bell en Elisha Gray hebben een decennium lang gevochten over wie zich de uitvinder van de telefoon mocht noemen. Die vraag is onder liefhebbers van de geschiedenis van de telefoon nog steeds controversieel. Bell en Gray dienden hun octrooiaanvragen op dezelfde dag bij het USPTO in, maar Bell was de vijfde octrooiaanvrager van die dag en Gray de negenendertigste. Het USPTO negeerde het feit dat het voor Grays octrooiaanvraag noodzakelijk was om die van Bell op te houden tot beide aanvragen met elkaar vergeleken konden worden. En ondanks bijna zeshonderd klachten vanwege deze omissie schaarden de rechtbanken zich steeds achter Bell.[9]

De gebroeders Wright verdedigden decennialang hun octrooi op een vluchtcontrolesysteem. De langdurigste zaak, tegen hen ingebracht door luchtvaartpionier Glenn H. Curtiss, nam negen jaar in beslag. Rechtszaken tegen de Wrights over octrooien zouden nog veel langer hebben kunnen duren als de Eerste Wereldoorlog niet was uitgebroken. De Amerikaanse regering had heel snel vliegtuigen nodig om luchtgevechten aan te gaan en dwong de industrie alle octrooien samen te voegen en elkaar licenties te verlenen zodat het geruzie ophield en ze konden bijdragen aan de nationale oorlogsinspanning.[10]

In de jaren vijftig wist de uitvinder van de laser, Gordon Gould, niet hoe je octrooi moest verkrijgen. In plaats van onmiddellijk een aanvraag in te dienen liet Gould zijn boek hierover notarieel vastleggen. Tegen de tijd dat hij het octrooi wilde aanvragen, waren zijn ideeën geregistreerd door een andere natuurkundige, Charles Townes. Gould was de dertig daaropvolgende jaren bezig met pogingen om al die octrooien bij Townes weg te halen en de rechten te verkrijgen op de lasertechnologie. Het proces kostte zo veel geld dat hij uiteindelijk 80 procent van de opbrengst moest betalen aan advocaatkosten. 'De langzaam tikkende klok van het recht kan de financiële en emotionele reserves van een uitvinder totaal uitputten; grote, rijke corporaties en hun advocaten hebben veel claims van onafhankelijke uitvinders zo lang tegengewerkt dat zij wil en vermogen verloren om terug te vechten,' aldus Nick Taylor in zijn boek *Laser: The Inventor, the Nobel Laureate, and the Thirty-Year Patent War*.[11]

Een van de beruchtste octrooioorlogen was tevens een van de eerste en speelde zich in het midden van de 19de eeuw af. Isaac Singer, de man die we vooral in verband brengen met de uitvinding van de naaimachine, was twintig jaar lang betrokken in een proces over een of ander naaimachineoctrooi. Hij lijkt net zo veel rechtszaken te hebben verloren als gewonnen. Maar omdat Singer voldoende geld had om door te vechten en beter was in het vermarkten en verkopen van zijn bedrijf aan het publiek dan zijn concurrenten is hij het die wordt herinnerd, en niet een van de vele andere uitvinders van naaimachines.[12]

En Singer was niet eens de eerste die octrooi aanvroeg op een naaimachine. Hij was zelfs een van de laatsten. Het eerste octrooi ging in 1840 naar uitvinder Elias Howe Jr. Zijn machine was nog wel wat grof. Het was een combinatie van slechts drie van de tien onderdelen waaruit een naaimachine minimaal bestaat. Hij naaide verticaal terwijl de naald horizontaal heen en weer bewoog – niet zo handig als je een rechte lijn wilt naaien en je het stuk stof in de lucht moet houden en zo door de machine moet voeren. Moderne machines naaien horizontaal terwijl de naald verticaal op en neer gaat, zodat de naaier de tafel kan gebruiken om de stof op te laten rusten.

Van 1840 tot 1850 kregen uitvinders nog minstens zeven octrooien op naaimachines, maar commercieel succes hadden ze nauwelijks. Het was in 1850, nadat hij had gezien hoe anderen faalden, dat Singer zijn machine op de markt bracht. Die had als voordeel dat ze een trappedaal bezat voor de aandrijving, waardoor de stof onder de naald door werd getrokken en kon worden genaaid met negenhonderd steken per minuut. Gebruikelijk in die tijd was dat machines met een handslinger veertig steken per minuut haalden.

Het hele volgende decennium bestreden Singer en Howe elkaar ongekend gemeen. Singers succes maakte Howe woedend; hij vond dat Singer alleen maar zijn ideeën had verbeterd en helemaal geen naaimachine had uitgevonden. Deze beschuldiging deed Singer weinig. Singer was bekend om de uitspraak dat hij 'geïnteresseerd was in de centen en niet in de uitvinding', volgens Adam Mossoff, hoogleraar rechten en intellectueel eigendom aan de George Mason University, in zijn artikel 'The Rise and Fall of the First American Patent Thicket: The Sewing Machine War of the 1850s.' Toen Howe in Singers winkel in New York verscheen om royalty's te eisen, wees Singer hem de deur en dreigde hem van de trap af te schoppen. 'Singer was een heetgebakerd mens die een kleurrijk leven leidde; hij bedreef polygamie door onder verschillende namen met minstens vijf vrouwen te trouwen, verwekte minstens achttien onwettige kinderen en had een opvliegend karakter waarmee hij vaak de leden van zijn gezin, zakenpartners en collega's terroriseerde,' aldus Mossoff.

Midden jaren vijftig van de 19de eeuw was I.M. Singer & Co. verwikkeld in twintig rechtszaken in de VS, in sommige als aangeklaagde, in andere als aanklager van zijn grootste concurrenten. Howe won enkele van de eerste zaken, maar dat spoorde Singer alleen maar aan om nog harder te vechten. Aan alle onenigheid kwam pas een einde toen duidelijk werd dat de verschillende naaimachinefabrikanten allemaal veel meer geld zouden verdienen als ze de vrede tekenden in plaats van door te vechten. De naaimachine had een revolutie teweeggebracht in een van de grootste markten op de wereld: de kledingmarkt. Nu kon kleding in massale hoeveelheden geproduceerd worden en verkocht voor een fractie van wat ze eerder kostte. Dat veroorzaakte een piek in de vraag naar kleren, wat weer een piek in de vraag naar naaimachines tot gevolg had.

De oplossing was er een die, zoals velen nu suggereren, Apple's enige uitweg is uit het octrooienwoud: de elkaar bestrijdende partijen Singer, Howe en nog vier andere schoven hun geschillen opzij en schiepen Amerika's eerste *patent pool,* een octrooitrust. De groep genaamd The Sewing Machine Combination kwam overeen dat alle deelnemers recht zouden hebben op een evenredig deel van de techniek die nodig is om de eenvoudige naaimachine te maken en stelden over en weer overeenkomsten op voor gebruik van octrooien, waardoor ieder bedrijf zich kon specialiseren en met de andere kon blijven concurreren.

De overeenkomsten tussen de octrooigevechten van Singer en Howe en de smartphone-oorlogen van vandaag zijn opvallend. Het is verleidelijk om de laatste af te doen als anders omdat software zo veel moeilijker te begrijpen zou zijn. Maar USPTO, rechters en jury's hebben altijd moeite gehad met technologie. In 1912 kreeg rechter Learned Hand een octrooizaak te behandelen uit de biomedische industrie, met als probleem de vraag of synthetisch gemaakte adrenaline een octrooi kon krijgen of niet. Hij oordeelde dat dat kon, maar hij vroeg zich in zijn uitspraak openlijk af waarom hem werd gevraagd hierover te beslissen. 'Ik kan niet eindigen zonder de aandacht te vestigen op de buitengewone omstandigheid van de wet die het mogelijk maakt voor een man zonder enige kennis van zelfs maar de grondslagen van de chemie, hierover een oordeel uit te spreken. De buitensporige hoeveelheid tijd die het mij kost, is nog het minste van het kwaad dat hieruit voortvloeit, want slechts een ervaren chemicus is werkelijk in staat over dergelijke feiten een oordeel te vellen.'

Wat wel anders is aan de hedendaagse softwareoctrooien is dat er, ondanks dertig jaar recht, over de juridische precedenten die uitmaken wat een goed en wat een slecht octrooi is, nog altijd onenigheid heerst. In de begintijd van de PC-industrie was het antwoord op deze vraag eenvoudig: op software was *geen* octrooi mogelijk. Het werd niet beschouwd als een product dat los van de PC zelf bestond. En bovendien dachten rechtbanken dat software niet veel meer deed dan een machine instrueren om sneller wiskundesommen uit te rekenen. En wiskunde maakte deel uit van de natuur en daar was geen octrooi op te krijgen.[13]

Maar in 1981, toen de PC in de zakenwereld in een stroomversnelling raakte en er een hele bedrijfstak van softwareondernemers ontstond, bracht het Amerikaanse Hooggerechtshof hier verandering in in de zaak Diamond vs. Diehr. Volgens de uitspraak kon op een computerprogramma dat uitrekende hoe lang een machine rubber moest verhitten en vulkaniseren, wel degelijk octrooi worden verleend. De software was meer dan een reeks wiskundige vergelijkingen, aldus het hof. Het was een nieuw en uniek proces voor het bepalen van de beste manier om rubber in de gewenste vorm te brengen. Het octrooi op het in vorm gieten van rubber was allang verlopen. Maar het toepassen van software had een nieuwe, unieke en octrooieerbare wijze voor het procedé in het leven geroepen.[14]

In de jaren negentig bleek die uitspraak voor ondernemers in Silicon Valley van het grootste belang. Tot op dat moment was het gewoonterecht geworden om software te beschermen met het auteursrecht, gezien de weerstand van de rechtbanken om op software octrooien toe te staan. Software schrijven is net zo creatief als het schrijven van boeken of muziek, dus moet het onder dezelfde wetten vallen, vonden advocaten. In de Engelse taal worden letters gebruikt om woorden te vormen waarmee ideeën worden geuit. In de taal van de muziek worden noten gebruikt om musici te vertellen welke klanken ze op hun instrumenten moeten spelen. In de taal van de software worden programma's geschreven om machines te vertellen wat ze moeten doen.

Maar in 1987 zocht Quattro, een spreadsheetprogramma van Borland, de grenzen van het auteursrecht met betrekking tot software op en maakte een einde aan die toepassing. In die tijd waren er vele spreadsheetprogramma's voor de PC, waarvan Lotus 1-2-3 de dominantste en succesvolste was. In een poging om hun product makkelijker te maken in gebruik kopieerde Quattro de woorden en de menuhiërarchie van Lotus exact. Het gebruikte niets van de achterliggende code van Lotus, het verschafte de gebruikers alleen een 'Lotus Emulation Interface' waardoor zij konden wisselen tussen het uiterlijk van Lotus en dat van Quattro.[15]

Lotus begon een rechtszaak omdat het menu door het auteursrecht beschermd zou zijn. Maar tot verrassing van heel Silicon Valley verloor het de zaak. 'Op vele wijzen lijkt de menuhiërarchie van Lotus op de knoppen om bijvoorbeeld een videocassetterecorder [VCR] te bedienen,' aldus rechter Norman Stahl van het First Federal Circuit Court of Appeals in New Hampshire in 1995. 'Een VCR is een apparaat dat mensen in staat stelt videobanden te bekijken en op te nemen. Gebruikers bedienen VCR's door op een reeks knoppen te drukken die gewoonlijk voorzien zijn van de aanduidingen "Record, Play, Reverse, Fast Forward, Pause, Stop/Eject". Dat de knoppen in een bepaalde volgorde zitten en van een aanduiding zijn voorzien, maakt van hen nog geen "literair werk", noch maakt het van hen een "expressie" van de abstracte "bedieningswijze" van een VCR met behulp van een reeks knoppen met aanduidingen. In plaats daarvan zijn de knoppen zelf de "bedieningswijze" van de VCR.'

De gevolgen waren gigantisch. Zo mislukte bijvoorbeeld Apple's rechtszaak tegen Microsoft die was gerekt tot dit moment, lang nadat Jobs het bedrijf had verlaten. Er was nu geen ander middel meer om de scheppingen van ondernemers te beschermen en advocaten wendden zich tot de zaak Diamond vs. Diehr om het octrooirecht in te gaan zetten.

Het gebruik van octrooien om software te beschermen is maar weinig effectiever dan het gebruik van het auteursrecht. Eén groot probleem is gek genoeg slechts technisch van aard: de database van het octrooibureau is doorzoekbaar, maar de zoekmachine is lang niet zo verfijnd als die van bijvoorbeeld Google. Google's zoekmachine vindt niet alleen de onderwerpen waar je naar zoekt, maar ook onderwerpen die lijken op wat je zoekt op basis van je eerdere zoekgedrag. Dat betekent dat wanneer het octrooibureau probeert eerder verstrekte octrooien op ideeën te vinden, een relevante registratie vaak niet wordt gevonden.

In 2003, twee jaar voordat Apple zelfs maar begon te werken aan de iPhone, verkreeg het bedrijf Neonode een octrooi op de software die nodig was om hun handapparaat te activeren door met een vinger over het scherm te vegen. Later kreeg Apple een octrooi voor precies hetzelfde, bij velen bekend als de knop 'ontgrendel' onder aan het scherm van de iPhone en iPad. Het octrooibureau wist niet dat het dit octrooi al eerder had verstrekt omdat Apple en Neonode hetzelfde gedrag iets anders beschreven. In Neonode's octrooiaanvraag heet het proces 'het laten glijden van het voorwerp langs het aanrakingsgevoelige gebied van links naar rechts' in plaats van 'vegen om te ontgrendelen'. Hoewel Apple's octrooi in Europa is aangevochten, is het nog steeds geldig in de Verenigde Staten. En het bedrijf houdt vol dat in de octrooiaanvragen van hen en van Neonode verschillende dingen beschreven worden. 'Apple's juristen beweren dat het continu heen en weer bewegen van de vinger niet eerder als kunstgreep gespecificeerd is,' aldus James Bessen, toen econoom aan Boston University, tijdens een congres over octrooihervorming in Santa Clara. 'We komen in een wereld van magische woorden, van woordspelletjes. Rechtbanken en octrooigemachtigden spelen woordspelletjes.'[16]

Volgens Mark Lemley, hoogleraar rechten en voorzitter van Stanfords studierichting Recht, Wetenschap en Technologie en een man die door velen wordt beschouwd als de goeroe op het gebied van de hervorming van het octrooirecht op software, is het probleem eerder een fout van het octrooibureau: het denkt nog steeds over software zoals het oorspronkelijk bedacht is, als een reeks processen die op een computer draaien. Niemand anders denkt nog zo over software, zegt hij. Mensen denken aan software-innovatie door de oplossing die vernieuwing biedt. Het gaat er niet om of de code zelf uniek is of dat het proces uniek is, het gaat erom of de software als geheel iets unieks doet.[17]

'We laten mensen wegkomen met een octrooi op de uitvinding van de oplossing van een probleem, niet met de oplossing zelf. Op geen enkel ander gebied nemen we daar genoegen mee. We laten mensen geen octrooi krijgen op de configuratie van atomen om kanker te genezen. Je oplossing is een bepaalde chemische stof.'

9

Weet je nog, samenvoegen? Het gebeurt nu

Binnen een jaar na de lancering van de iPad lijkt het vreemd dat Jobs zich ook maar een seconde zorgen had gemaakt over de opkomst van Android in 2009 en 2010 – of waarom hij zich überhaupt zorgen gemaakt heeft. Android bleef met verbazingwekkende snelheid groeien, maar de verkoop van de iPhone ging net zo snel. De kwartaalverkoop van de iPhone 4, gelanceerd in 2010, was twee keer zo groot als die van de iPhone 3GS. De verkoop van de iPhone 4S, gelanceerd in 2011, was weer twee keer zo groot als die van de iPhone 4. In het najaar van 2011 verkocht Apple bijna 40 miljoen iPhones per kwartaal. Google deed het ook goed. Volgens het bedrijf was Android winstgevend. Maar de financiële gevolgen van Android voor het bedrijf waren niet echt waarneembaar. Intussen dreven de iPhone en de Apple App Store de winst van het bedrijf naar recordhoogte. In 2011 verdiende Apple 33 miljard dollar, meer dan Microsoft en Google samen. In 2010 was het Microsoft al voorbijgegaan als grootste bedrijf in de technologie wat beurswaarde betreft. In 2011 ging het Exxon voorbij als grootste bedrijf in beurswaarde in wat dan ook. Eind 2011 bezat het zo veel geld – 100 miljard dollar – dat als het met dat geld een bank wilde beginnen, het in de top tien van banken wereldwijd zou komen.[1]

En nog opmerkelijker is dat de iPad midden 2011 bewees een nog revolutionairder product te zijn dan de iPhone, en zeker dan de iPod. De iPod en iTunes veranderden de manier waarop mensen muziek kochten en ernaar luisterden. De iPhone veranderde wat mensen konden verwachten van een mobiele telefoon. Maar de iPad zette *vijf* mega-industrieën op z'n kop. Hij veranderde de manier waarop mensen boeken, kranten en tijdschriften kochten en lazen én hoe ze naar films en tv keken. De totale omzet van deze zaken was ongeveer 250 miljard dollar, zo'n 2 procent van het BBP, het bruto binnenlands product van de VS.[2]

Zonder de iPhone was de iPad niet mogelijk geweest. In 2007 zou hij te duur zijn geworden om hem te produceren en te verkopen voor 600 dollar. De noodzakelijke, weinig stroom verbruikende ARM-chips waren niet snel genoeg om iets op zo'n groot scherm te laten draaien. En zonder alle content in de App Store zouden consumenten niet hebben geweten wat ze ermee moesten doen. Dat is tenminste wat Apple dacht. Maar in 2011, nu de Apple App Store volledig uitgerust was en mensen gewend waren aan het gebruik van Apple's touchscreen, kwamen er schijnbaar eindeloos veel nieuwe manieren om content in zich op te nemen en te gebruiken.

De iPad zette ook nog eens de PC-industrie op z'n kop. Hij knaagde aan de verkoop van PC's zoals PC's aan de verkoop van minicomputers en mainframes van bedrijven als Digital Equipment en IBM hadden geknaagd. Sommige kopers van de iPad maakten er hun derde apparaat van, precies zoals Jobs had voorspeld. Maar veel anderen besloten dat ze er maar twee nodig hadden en begonnen steeds vlotter afstand te doen van hun laptops van Dell, HP, Toshiba, Acer en Lenovo. De klap kwam bij Dell zelfs zo hard aan dat het bedrijf begin 2013 probeerde in het geheim te bezuinigen.

Jobs was uitermate tevreden met deze ontwikkeling, vertelde een vertrouweling, al was dat nauwelijks meer dan een voetnoot in de context van de andere aardverschuivingen die de iPad veroorzaakte. Vijfendertig jaar nadat Jobs met Steve Wozniak Apple had opgericht, kon hij eindelijk doen wat hij al de hele tijd had willen doen: hij transformeerde wat consumenten en bedrijven verwachtten van hun PC's. In 1984 werd van de Macintosh – de eerste consumenten-PC waarbij een muis gebruikt werd – verwacht dat hij dat al zou doen. Die zou een gecompliceerd apparaat – de PC – vervangen als consumentenproduct dat door iedereen bediend kon worden. Dat mislukte. Zoals de meesten van ons weten verdwenen de Macs niet, maar Microsoft Windows en Office kregen de eer dat ze de PC populair hadden gemaakt.

Maar in 2011 was de cirkel toch rond. Als je de besturingssystemen van desktops *en* mobiele apparaten bij elkaar optelt, is Apple's computerplatform nu *groter* dan dat van Microsoft met Windows en Windows Mobile.[3] Toen Jobs in 1997 bij Apple terugkeerde, zei Michael Dell, oprichter van Dell Inc., dat hij zo weinig vertrouwen had in de wederopstanding van Apple dat hij, als hij Jobs was, 'Apple zou sluiten en het geld terug zou geven aan de aandeelhouders'. 'Steve vond het vreselijk dat de Macintosh niet direct de populairste computer werd, dat niet iedereen zich in het zweet werkte om er een te bemachtigen,' aldus Jobs' vertrouweling. 'En dus hadden we het er vaak over hoe we ervoor konden zorgen dat de iPad direct aansloeg.'

Andy Rubin en het Android-team bij Google moesten vechten om de meedogenloze snelheid van Apple's innovaties bij te kunnen houden. Maar in 2011 werden ze aan bijna alle kanten voorbijgestreefd. Ja, er waren meer Android-apparaten dan iPhones en iPads. Maar platformomvang bleek slechts één, en niet de enige maatstaf voor dominantie in de strijd tussen Apple en Google. Met de iPhone *en* de iPad bezat Apple nog steeds de coolste, meest geavanceerde apparaten, het had er de beste content voor, de software was het makkelijkst in gebruik en het had het beste platform voor contenteigenaren en softwareontwikkelaars om geld te verdienen. Wat Jobs inzag – en waar Google-executives wanhopig probeerden achter te komen – was dat dit meer was dan een gevecht om welk bedrijf de toekomst van de technologie zou gaan beheersen. De iPod was een fantastisch uitziend apparaat, maar wat het zo populair maakte, was dat muziekliefhebbers er zo makkelijk muziek voor konden kopen. De verkoop van de iPhone nam pas een echt hoge vlucht toen Apple's App Store geopend werd. En de iPad werd pas gewoon nadat Jobs grote mediabedrijven ervan had weten te overtuigen dat ze gebruikers een eindeloze stroom boeken, kranten, tijdschriften, films en tv-series konden laten kopen.

En hoe meer succes Apple had, hoe meer Google en Android neigden naar Apple's benadering van 'wij beheersen alles'. Om ervoor te zorgen dat de Android-software er cooler uit ging zien en makkelijker in gebruik werd, nam Rubin halverwege 2010 Palms ontwerper Matias Duarte in dienst. En om de verkoop van Android-smartphones en -tablets te bevorderen, begon hij de hardwareproducenten te dicteren hoe de nieuwe generatie eruit moest zien. Deze zogenaamde Nexus-apparaten worden gebouwd door fabrikanten als Samsung, LG en HTC, maar ze zijn grotendeels ontworpen en soms zelfs in de handel gebracht door Google.

Dit was voor de vooral op softwareontwikkeling gerichte cultuur van Google en Android geen eenvoudige omschakeling. Pas toen Google eind 2010 de Nexus S op de markt bracht, was er een mobiel die op deze manier was geproduceerd. En pas met de Nexus 7 in 2012 had het een goed verkopende tablet. Google had geen concurrent van enige betekenis voor iTunes totdat het in 2012 begon met Google Play, dat de Android-app store combineerde met de verspreiding van films, boeken, spelletjes en tv-series.

Je zou denken dat Google in de loop der jaren wel *enige* affiniteit had opgedaan met de verkoop- en marketingvaardigheden die noodzakelijk zijn om de wereld van de media binnen te dringen. Zo goed als alle inkomsten kwamen uit de advertenties en Google was de eigenaar van YouTube, zonder meer de grootste verspreider van video ter wereld. Maar Google was juist zo succesvol omdat het sociale en zakelijke gebruiken *afwees*. Het had technologie juist gebruikt om advertentieverkoop en marketing weg te halen bij de traditionele media en er een enorme winstmachine van gemaakt.

Nu probeert het zich die vaardigheden van verkoop en marketing zelf eigen te maken, maar in 2012 en 2013 bleef het demonstreren dat er nog een lange weg te gaan is. In 2012 lanceerde Google een bol apparaat genaamd de Nexus Q – dat draadloos muziek, tv-series en films naar ieder geschikt apparaat in huis streamde – maar de reactie van het publiek was zo negatief dat Google besloot het project helemaal te schrappen en het ding niet eens in de verkoop te brengen.[4] De Nexus Q had moeten concurreren met de dominante apparaten voor streaming media, die door Apple en Roku gemaakt worden. Maar Google zei erbij dat de Nexus Q drie keer zo duur zou worden als de apparaten van de concurrentie. Ook zei het dat hij alleen werkte met de bestaande amusementsbibliotheek van de eigenaar en met content die alleen door Google's store geleverd werd. Consumenten konden er bijvoorbeeld niet mee naar Netflix of Hulu Plus kijken. Midden 2013 ging Google radicaal de andere kant op met de Chromecast, een tv-dongel die van iedere smartphone een afstandsbediening maakt.

In 2013 kwam Google ook met de Chromebook Pixel, een laptop met touchscreen dat tot de scherpste behoorde die ooit zijn gemaakt.[5] Maar het leek meer een experiment dan een echt product dat iedereen wel wilde kopen. Conceptueel werkte het als een smartphone of tablet, dat wil zeggen dat de meeste gebruikersinformatie niet in de machine zelf werd opgeslagen, maar in de cloud. Het had een harde schijf van 64 GB en geen DVD-drive en het draaide niet op een besturingssysteem van Microsoft of Apple, maar op Google's eigen, van de browser afgeleide Chrome. Microsoft Office was niet bruikbaar.

Consumenten hadden die aanpassingen misschien wel geaccepteerd als de Pixel lichter was geweest dan de gebruikelijke laptop, er cooler had uitgezien met een functioneler design of een accu had bezeten met een langere levensduur. Maar hij was niet lichter, cooler, mooier of minder energie slurpend. En hij kostte meer dan 1300 dollar, tweemaal zo veel als een iPad met een vergelijkbaar scherm.

Achteraf is het merkwaardig dat de iPad ervoor nodig was en niet de iPhone om de mediabusiness een toekomst te laten zien waarvan ze deel uit wilden maken en die ze niet wilden bestrijden. Een van de heilige gralen van de media is altijd geweest dat kopers overal moesten kunnen worden bereikt. Niets was daarvoor geschikter dan een iPhone met internetverbinding. Geen enkel ander apparaat kon klanten altijd *overal* bereiken, niet alleen wanneer zij een boek wilden gaan lezen of naar een film wilden gaan kijken, maar ook gedurende al die momenten tussendoor: terwijl ze in de rij stonden, op de wc zaten, zich even verveelden tijdens een vergadering of tv-uitzending. Maar toen dacht de top van de content-industrie nog dat het scherm daarvoor te klein was – men kon zich niet voorstellen dat klanten daarop een film gingen bekijken of een boek lezen. En adverteerders konden zich geen flitsende, dure reclamecampagne op het toestel voorstellen.

Maar de iPad had een scherm met het formaat van sommige tijdschriften en bood talloze mogelijkheden. Konden uitgevers digitale abonnementen aanbieden waar consumenten echt voor wilden betalen, en konden ze hen van het idee afbrengen dat nieuwscontent altijd gratis zou zijn? Konden ze advertentieruimte voor dezelfde prijs verkopen als voor hun gedrukte versies? Kon Hollywood de manier veranderen waarop het kabel- en satellietbedrijven kon aanslaan voor content door die geschikt te maken voor mobiel en interactieve functies aan te bieden?

Het antwoord op de meeste van deze vragen bleek ja te zijn. Tegen de tijd dat Jobs in oktober 2011 overleed, konden eigenaren van de iPad zo goed als alles lezen en zien wat ze maar wilden. De iPad, gevoed met boeken, kranten, tijdschriften, films en tv-programma's van iTunes en de Apple App Store, live-tv van de kabel, en content van onlinediensten als Amazon, Netflix, Hulu en HBO, was het belangrijkste nieuwe apparaat voor het gebruik van media geworden sinds de tv. Abonnementen op honderden tijdschriften waren beschikbaar via iTunes, ruim een miljoen boeken konden direct gedownload worden via Amazone's app voor de Kindle of via de iTunes

Store.[6] Bijna iedere film en ieder tv-programma dat je maar kunt verzinnen, kon bij een van die streamingdiensten worden gevonden.

De onderhandelingen van media-executives met Apple en met elkaar verliepen eerst nogal hortend. Uitgevers van kranten en tijdschriften waren bang dat Apple hun abonneebestand, misschien wel hun kostbaarste bezit, in handen zou krijgen door het verkopen van hun content via iTunes. Tv-producenten als Viacom en NewsCorp. waren bezorgd dat de kabelbedrijven de iPad zouden gebruiken om hun klantenkring uit te breiden en zo inkomsten te verwerven zonder hun er een cent voor te betalen.[7]

Anderhalf jaar lang leek het alsof maar weinig van deze problemen konden worden opgelost. In 2010 en 2011 maakten teams van topmannen van Condé Nast en Time Inc., de twee grootste tijdschriftenuitgevers van het land, bijna maandelijks een bedevaart naar Apple's hoofdkwartier in Californië om daar uit te leggen waarom ze nooit zouden onderhandelen over hun abonneebestand. Maar na een stuk of tien van zulke vergaderingen leek het alsof Apple hun standpunt nog steeds niet begreep. Apple's enige grote concessie was dat het een knop 'opt-in' op het scherm zou plaatsen iedere keer als iemand een abonnement nam via iTunes. Daarmee vroeg Apple de abonnees feitelijk: 'Ga je ermee akkoord dat we naam, adres en contactinformatie die je ons zojuist hebt gegeven, doorgeven aan de uitgever?' Condé Nast en Time Inc. waren ervan overtuigd dat dit aanbod een minder confronterende manier was van Apple om hun verzoeken af te wijzen. Uit onderzoek van hun kant bleek dat abonnees bijna altijd nee antwoordden als ze een dergelijke vraag kregen voorgeschoteld.

Maar de meesten gaven die toestemming wel. Binnen een

halfjaar verkochten alle grote uitgevers van tijdschriften en kranten abonnementen op hun content via de Apple App Store. Ze moesten 30 procent van al het abonnementsgeld afstaan aan Apple, maar gezien de kosten van het verkrijgen van nieuwe abonnees op analoge wijze leek dit een koopje. Het binnenhalen van een nieuwe tijdschriftabonnee kost alles bij elkaar tien tot vijftien dollar. Bovendien kost productie en distributie gemiddeld nog een dollar per exemplaar, terwijl dat voor de digitale versie tien cent bedraagt. 'De respons in die eerste tijd [toen abonnees gevraagd werd of hun informatie mocht worden doorgegeven] was meer dan vijftig procent en nu [in 2013] is het meer dan negentig procent,' aldus Scott Dadich, hoofdredacteur van *Wired*. Hij maakte toen als design director van het blad deel uit van het onderhandelingsteam van Condé Nast.

Het rumoer in de tv-industrie was nog luidruchtiger. Begin 2011 hadden Time Warner Cable, Cablevision en Comcast allemaal mooie apps waardoor de gebruikers hun iPad konden gebruiken als draagbare tv in de verschillende kamers van hun huis. Mediaconglomeraten als Viacom en News Corp. zeiden dat het kijken naar hun programma's op iets anders dan een televisie de waarde verminderde en inbreuk maakte op hun copyrights. Vanaf april 2011 haalde Time Warner Cable programma's van News Corp. en Viacom, zoals de *Daily Show*, uit de app van de iPad. En in juni begon Viacom zelfs een rechtszaak tegen Cablevision omdat die hun programma's niet uit de iPad-app had gehaald. Het leek belachelijk. Hoe kon het dat een klein tv-scherm wel voldeed en een iPad niet? Dat verklaart ongetwijfeld waarom de zaak drie maanden later in stilte in der minne werd geschikt. En het illustreert hoe belangrijk en ontwrichtend de iPad was geworden.

Toen de zorgen van de media om de iPad eenmaal waren weggenomen, omhelsden de meesten hem. Hij wakkerde zelfs een golf nieuwe, innovatieve en populaire manieren aan van het consumeren van nieuws en amusement zoals de media-industrie die in geen tientallen jaren had meegemaakt. Boekuitgevers haastten zich om al hun titels beschikbaar te stellen in een te downloaden format. Kranten en tijdschriften repten zich om mooie edities voor de iPad te maken. Kabelbedrijven als Comcast en Time Warner Cable ontwikkelden hun eigen kijk-tv-waar-je-wilt-software. Een van de hotste nieuwe iPad-apps was midden 2011 HBO GO, van de HBO-tak (Home Box Office), de kabel-tv-zender van het saaie Time Warner.

Met een abonnement op HBO was voor abonnees met HBO GO iedere aflevering van ieder tv-programma dat HBO ooit geproduceerd had, vrij beschikbaar. Als je een aflevering van *The Sopranos, Curb Your Enthusiasm* of *Entourage* had gemist, dan kon je die daar vinden, om nog maar niet te praten over de ongeveer tweehonderd films die iedere HBO-abonnee ter beschikking stonden op zijn of haar tv. Eerder hadden de liefhebbers van die programma's honderden dollars moeten uitgeven om de dvd's te kopen als ze een gemiste aflevering wilden zien of een serie in zijn geheel. HBO GO werd begin 2011 gelanceerd en had vier maanden later al 4 miljoen abonnees; nu heeft het er ongeveer 7 miljoen, zo'n 20 procent van alle 35 miljoen HBO-abonnees. De vraag die HBO-bestuursvoorzitter Eric Kessler nu het meest te horen krijgt is wanneer consumenten HBO kunnen krijgen als ze *geen* kabel hebben.

En de iPad wakkerde een stroom van start-ups aan die de iPad niet alleen beschouwden als weer een ding om te lezen en naar te kijken, maar als een apparaat dat die hele ervaring kon veranderen. Softwareondernemer Mike McCue en voormalige Apple-werknemer Evan Doll begonnen in 2010 Flipboard voor de iPad met de simpele vraag: wat als webpagina's er nu eens uitzagen als tijdschriftpagina's in plaats van die typische warboel van koppen op een beeldscherm waaraan we gewend zijn geraakt? Wat als ze real time geüpdatet werden en gepersonaliseerd met de eigen Facebook- en Twitter-feeds? 'Met het web is niets mis, het heeft alleen een facelift nodig,' zegt McCue graag.

Het was een fascinerend idee: het World Wide Web had een revolutie in de wereld ontketend, maar bijna twintig jaar nadat Netscape begonnen was met de eerste internetbrowser was het nooit vernieuwd. Aangezien de iPad gebruikers nu dwong om de manier aan te passen waarop ze de computer bedienen, namelijk met hun vingers in plaats van een muis, waarom zouden we dan niet ook de veronderstellingen veranderen over het ontwerp dat achter de content steekt? En als we toch bezig zijn, aldus McCue, waarom dan in dit vernieuwingsproces niet ook aandacht besteden aan de zorgen van adverteerders? Adverteerders beschouwden het kopen van advertentieruimte op nieuwssites nog altijd als een noodzakelijk kwaad in plaats van iets waar ze iets aan hadden. Waarom niet een platform scheppen dat bewezen aantrekkelijk is en effectief voor de adverteerders?

McCue had ervaring in het start-upspel. Hij was midden jaren negentig vicevoorzitter van Netscape's raad van bestuur voordat hij medeoprichter werd van TellMe Networks, een bedrijf dat telefoonbeantwoordingssoftware maakte voor bedrijven. In 2007 kocht Microsoft het voor 800 miljoen dollar. Dus toen McCue en Doll begonnen met Flipboard, hadden ze al de geloofwaardigheid en de contacten om aandacht voor hun idee te krijgen. Jobs zelf nam de tijd om naar de app te kijken voordat Flipboard werd gelanceerd en eind 2011 werd hij uitgeroepen tot de app van het jaar en was hij een van de bekendste start-ups in Silicon Valley. Naast aandacht stroomde geld van grote durfinvesteerders als John Doerr binnen. Evenals cv's, en niet alleen van mensen van tophightechbedrijven als Google, Apple en Facebook, maar ook van topmediabedrijven als Time Inc. McCue nam toen Josh Quittner in dienst om alle partnerschappen van Flipboard met de media te managen. Niet alleen was hij een topschrijver over technologie voor *Time*, hij was ook hoofdredacteur van *Business 2.0* geweest en had aan het hoofd gestaan van de ontwikkeling van de app van Time Inc. voor de iPad.

De iPad stond ook aan de wieg van The Atavist, een nieuwe visie op hoe een tijdschrift voor lange artikelen er in het digitale tijdperk uit zou moeten zien. Toen de journalisten Evan Ratliff en Nick Thompson in 2010 samen met programmeur Jefferson Rabb begonnen, vroegen ze zich af of een geheel nieuw bedachte publicatie alleen uit tekst, foto's en tekeningen moest bestaan of dat er ook video en audio aan toegevoegd moesten worden. Zou de lezer moeten kunnen kiezen hoeveel of hoe weinig hij buiten de woorden wilde ervaren? Eerdere pogingen om het geschreven woord te ondersteunen hadden toch altijd meer op afleiding geleken dan op versterking. Was er een methode om die nieuwe manieren om een verhaal te ervaren in te zetten, zodat het echte toevoegingen en verrijkingen werden?

Ze noemden hun bedrijf The Atavist (van het Latijnse *atavus*, 'voorvader') omdat ze probeerden het ouderwetse vertellen van verhalen en de langere journalistieke artikelen nieuw leven in te blazen. Het was mode geworden om te zeggen dat er binnenkort helemaal geen langere journalistieke artikelen meer zouden bestaan, maar The Atavist wilde het tegendeel bewijzen door die vorm van journalistiek te herdefiniëren, en hoe die ontstond.[8] Het was niet zozeer dat journalisten met dit concept wilden experimenteren, maar dat The Atavist aanbood ze op een andere basis dan gewoonlijk te betalen. Traditioneel wordt een freelancejournalist betaald per woord, maar het kan behoorlijk moeilijk zijn hiermee een goedbelegde boterham te verdienen. Een doorwrocht stuk van vierduizend woorden kan, inclusief de tijd voor het redigeren, makkelijk drie maanden in beslag nemen en maar 8000 dollar opleveren. Maar The Atavist ontwikkelde een ander bedrijfsmodel. Zij verkochten downloads in de nieuwe categorie Singles van Amazons Kindle en deelden wat er overbleef nadat Amazon zijn deel, 30 procent, had genomen, met de auteur. Een door David Wolman voor The Atavist geschreven verhaal werd in 2012 genomineerd voor een National Magazine Award. Byliner, een start-up die werd opgericht door een voormalige redacteur van het blad *Outside*, werkte met *The New York Times* samen aan het project 'Snow Fall' van John Branch. In 2013 won het de Pulitzer Prize voor Feature Writing. Beide schrijvers verdienden nu veel meer geld dan wanneer hun verhalen op traditionele wijze gepubliceerd waren.

Wat echter echt de aandacht trok van investeerders en de media, was hoe goed de software van The Atavist was. Rabb had die zo ontworpen dat die met alle bestaande formats van e-boeken en e-tijdschriften werkte. Dus terwijl Amazon met Kindle e-boeken en Apple met iBooks probeerden de auteurs in het format te persen waarvan zij eigenaar waren, was The Atavist een aantrekkelijke tussenvorm. Eric Schmidt van Google en geldschieters Marc Andreessen, Peter Thiel en Sean Parker behoorden midden 2012 tot een externe groep van investeerders. Eind 2012 hadden mediagiganten Barry Diller en Scott Rudin de handen ineengeslagen en Brightline opgericht. The Atavist zou met zijn software hun exclusieve online-uitgever worden.

De invloed van de iPad bleef niet beperkt tot de media, hij leek wel alles te veranderen. Piloten hoefden niet meer met stapels navigatiekaarten, startbaangegevens en weerrapporten te sjouwen, alles paste op één iPad en was ook nog eens meer up-to-date.[9] Omdat kinderen lang voordat ze leerden omgaan met een PC ontdekten wat ze met een iPad konden doen, gingen onderwijsmedewerkers ze al vanaf de kleuterschool opnemen in het onderwijsprogramma. Artsen begonnen iPads te gebruiken bij het doen van hun rondes omdat ze makkelijker met één hand aan het bed van de patiënt te hanteren zijn dan een laptop en de batterij de hele dag meegaat. Dezelfde aantrekkingskracht had de iPad op de sets van Hollywood, waar veel werk verricht wordt te midden van de beheerste chaos van het filmen. Hij maakte een einde aan het tijdrovende proces van het uitdelen van veranderingen in het script.[10] Bedrijven waren dol op de iPad en eind 2011 kon Apple vertellen dat meer dan 90 procent van de bedrijven van de Fortune 500 hem op een of andere manier gebruikten.[11] Professionele honkballers werden datajunkies: slagmannen gebruikten algoritmes om met meer zekerheid te kunnen bepalen hoe de volgende bal gegooid zou gaan worden en veldspelers berekenden waar de slagmannen de bal waarschijnlijk naartoe zouden gaan slaan.[12] Zelfs ontstond er dankzij de iPad een nieuwe wijze van schilderen: op een iPad-doek in plaats van een echt doek.

Dat zo veel media tegelijkertijd samenkwamen op één apparaat, de iPad, ging zo snel in zijn werk dat zelfs als de mediabazen zich er sterk tegen hadden willen verzetten, dat voor niets zou zijn geweest. Een van de clichés over de Amerikaanse media is dat ze kijken in de richting waarin de klanten kijken en in 2012 was duidelijk dat een groot aantal van hen naar iPads keek. In dat jaar was er in 16 procent van de Amerikaanse huishoudens een iPad te vinden.[13] Dertig jaar lang hadden die mediabazen gedroomd en gepland hoe voordeel te trekken uit de onvermijdelijke botsing tussen gedigitaliseerde content en de geïntegreerde schakeling, de siliciumchip waar alles om draait, van server tot iPod Nano. Maar hun gok over hoe dat zou gaan gebeuren was zo vaak fout en zo catastrofaal gebleken dat de meesten het hadden opgegeven om erop vooruit te lopen. En nu moesten ze hard werken om zo snel mogelijk zo veel mogelijk van hun content te digitaliseren om al die consumenten tevreden te stellen die plotseling bereid bleken ervoor te betalen.

Op de lijst van topfiguren die compleet verrast werden door dit samengaan van media stonden niet de minsten; ertoe behoorden de slimste, rijkste en succesvolste ondernemers en directeuren van de wereld.[14] Bill Gates gaf eind jaren 1990 meer dan 6 miljard dollar van Microsofts geld uit aan aandelen in grote kabel- en telecombedrijven en nog eens 425 miljoen om WebTV te kopen. Hij had gehoopt Microsofts dominante positie op de PC-markt te kunnen gebruiken om een positie te verwerven van waaruit hij kon overzien waar wij op onze tv naar keken.

Begin jaren negentig probeerde John Malone, medeoprichter van TCI (Tele-Communications Inc., een kabelbedrijf) dat samenvoegen te bevorderen door het grootste kabelnetwerk van de VS aan te leggen en belangen te kopen in ruim vijfentwintig zenders die van de kabel gebruikmaken, zoals CNN,

TNT en Discovery Channel, en in 1993 te proberen dat allemaal te laten fuseren met Bell Atlantic, een van de grote telefoonmaatschappijen. Was die overeenkomst niet vijf maanden later afgeblazen, dan zou Malone de controle hebben gehad over een derde van alle televisies in de VS. Zelfs toen al, voordat iemand het had over breedband of draadloos, had Malone het over een toekomst waarin iedere tv toegang had tot vijfhonderd kanalen – vergeleken met de twee dozijn van toen – en een hele trits interactieve diensten die zij met behulp van een geavanceerde decoder konden aanspreken. Zo denken we nu ongeveer over internet, maar in die tijd spraken slechts weinigen daar nog over. Malone's boude voorspellingen prikkelden wel tientallen grote bedrijven om interactieve televisie te omarmen. Een van de beruchtste initiatieven was het beroemde Orlando Project, Time Warners mislukte avontuur in Florida om vierduizend huizen van kabel-tv te voorzien waardoor zij films on demand konden downloaden. En nog verder terug, in de jaren tachtig, was dit ook de gedachte achter het telefonisch contact zoeken met het internet door diensten als Prodigy en Compuserve, om America Online maar niet te noemen.[15]

De mensen in de media-industrie als Malone dachten dat het beheersen van de televisie in de huiskamer onmisbaar zou zijn voor het samengaan. Zij dachten dat de software en hardware die ze gebouwd hadden voor de tv, net zo makkelijk op onze PC zou draaien. Silicon Valley, dat wil zeggen vooral Bill Gates en Microsoft, geloofde dat de portal van dit alles in huis onze PC zou worden – ofwel Microsoft Windows.

De voormalige Amerikaanse vicepresident Al Gore heeft Malone eens de Darth Vader van de informatiesnelweg genoemd. Maar de angst die hij opriep, verbleekte in het licht van wat Bill Gates en Microsoft van plan waren. Het was niet alleen een stelletje technologiestart-ups als Netscape en Sun Microsystems die bevreesd waren voor Gates, ook directeuren van telefoon- en kabelmaatschappijen en van ieder nieuwsblad, tijdschrift, tv-station en filmstudio werden bang. De eindpunten van het netwerk had Gates met Windows al in beheer. Als hij ook nog voldoende kanalen zou gaan controleren van telefoonmaatschappijen en kabelbedrijven, dan zou hij die twee steunpilaren wel eens kunnen gaan gebruiken om controle te krijgen over de content die via die kanalen verspreid werd. Daarom was er eind jaren negentig uiteindelijk zo'n overweldigende steun voor de overheid die toen de beroemde antitrustzaak tegen Microsoft aanspande.

Het bedrijfsmodel achter deze investeringsovereenkomsten voor de distributie van digitale content was niet moeilijk te begrijpen. Bijna iedereen was het erover eens dat hoe meer je de arbeid van het kopen van kranten, tijdschriften, boeken, tv-series en films kon beperken, hoe meer klanten je kreeg. Wat ze niet konden weten, was dat het niet lang zou duren voordat de technologie iedereen in staat stelde om hieraan geld te verdienen. Het deed er niet toe of ze een achtergrond hadden in technologie of media. Maar ze verzetten zich allemaal te vroeg.

Toen Gates verlekkerd naar content keek als het volgende terrein waarop hij met Microsoft Windows wilde gaan heersen, hadden de meeste huizen nog geen breedbandaansluitingen waardoor tv- en internetcontent bij elkaar konden komen. Iedereen bij Microsoft had al wel een supersnelle verbinding en zij konden die verandering dus aan zien komen. En Gates dacht dat zijn investeringen van vele miljarden in kabelbedrijven die verandering konden versnellen. Maar de aansluiting van huizen op breedband ging zo langzaam dat het niet aannemelijk is dat Gates hiermee iets te maken had. Het had net zo makkelijk zonder zijn invloed zo kunnen gebeuren. In die tijd hadden de meeste PC's thuis een internetaansluiting met een downloadsnelheid van 56 kb/s – 1 procent van wat de meeste huizen nu hebben. Het duurde nog vijf jaar voordat de meeste huizen breedband hadden en nog eens vijf voordat ze allemaal over de snelheid beschikten waardoor al die dingen gedaan konden worden waar Gates en al die anderen van hadden gedroomd. Als Microsofts investeringen al iets deden, dan was het sneller verbreiden van breedband vooral goed voor concurrenten als Apple en Google. In 2009 verkocht Microsoft alle investeringen uit alle mediaholdings voor een niet bekendgemaakt bedrag.[16]

Mediabedrijven probeerden ook op andere wijze winst te halen uit het samengaan dan door te investeren in andere bedrijven, namelijk door overnames, en er kwam een stroom fusies op gang, waaronder een paar van de slechtst overdachte deals in de geschiedenis van het Amerikaanse zakenleven. Binnen een tijdsbestek van tien jaar kocht Time voor 15 miljard dollar Warner Brothers. Er was bijna acht jaar voor nodig voordat de aandelenkoers weer op peil was. En net toen het zover was, legde Time 7 miljard neer voor Turner Broadcasting, de eigenaar van CNN en van een gigantische filmotheek. En lang voordat aan die deal verdiend kon worden, besloot het conglomeraat in 2000, op het hoogtepunt van de internetbubbel, zichzelf te verkopen aan America Online, AOL, voor 164 miljard dollar in aandelen AOL. In 2009, toen het bedrijf zich eindelijk weer los had weten te maken van AOL, hadden de eigenaren van aandelen in Time Warner de waarde van hun bezit zien dalen tot 18 procent van die in 2000. Aan het begin van de 21ste eeuw stond het samengaan van media en technologie in een zo slecht daglicht, dat alleen al het noemen ervan op congressen topmannen een traantje liet wegpinken.

Na al deze mislukte pogingen om samen te gaan rond 2000 leek het eerder minder waarschijnlijk dan waarschijnlijker dat het ooit zou gebeuren. Toen muziekliefhebbers nummers begonnen uit te wisselen via illegale sites als Napster, klopte de muziekindustrie niet aan bij Silicon Valley om hier iets tegen te doen. Ze stuurde hele bataljons advocaten op pad om de sites uit de lucht te halen en gebruikers aan te klagen – waarvan er velen best geld hadden willen betalen om hun muziek op die manier binnen te krijgen. Media-toplieden als Edgar Bronfman, die aan het hoofd stond van Universal, en Michael Eisner, baas van Disney, beschuldigden hun collega's in de technologie ervan dat ze aan het hoofd stonden van een misdadige organisatie, een stel maffia-godfathers die diefstal aanmoedigden en steunden.[17]

Die technologiebazen werden niet moe om uit te leggen dat de filmstudio's zich in de jaren zestig net zo veel zorgen maakten over de opkomst van de tv, in de jaren tachtig over de video en in de jaren negentig over de dvd en dat die nieuwe technieken er juist voor hadden gezorgd dat de studio's *meer* winst waren gaan maken. De top van de amusementsindustrie was bezorgd geweest dat consumenten niet meer naar de bioscoop zouden gaan als ze thuis keken. Maar in plaats daarvan ging de consument dankzij de nieuwe technieken juist meer tijd en geld besteden aan amusement. Dat argument maakte de muziekbazen alleen maar kwader. Zelfs Jobs kon het gemopper van de amusementsindustrie niet stoppen, ook al had hij een deal gesloten waardoor de muziek in iTunes kwam waar het uitsluitend legaal gekocht kon worden. Hij en anderen in Silicon Valley zeiden dat hij de muziekindustrie had gered van de ondergang aan piraterij. De industrie bleef maar volhouden dat, aangezien de omzet van de muziekindustrie sinds de opkomst van iTunes en iPod met twee derde was teruggelopen – omdat consumenten muziek per nummer waren gaan kopen in plaats van per album – ze zelf wel een veel betere oplossing zouden hebben gevonden.[18]

Maar in 2010 was de situatie zo zorgwekkend dat nieuwe technieken, benaderingen of wat dan ook beter leken dan de status quo. Executives van kranten-, tijdschriften- en boekuitgevers en filmstudio's hadden gezien hoe de omzet in de muziekindustrie gehalveerd was en dat kwam grotendeels omdat ze tegen de technologie vochten in plaats van er gebruik van te maken. Ze wilden niet dat hetzelfde met hun bedrijven zou gebeuren, en dat leek er wel op als ze geen enkel risico zouden nemen. Het internet had de directe verkoop van kranten en tijdschriften en de advertentieomzet al uitgehold. Amazons Kindle had met goedkope e-boeken een nieuwe markt aangeboord en zou niet meer verdwijnen. Amerikanen keken minder televisie omdat ze zich meer gingen vermaken met video's op YouTube en andere videosites. Als ze al tv keken, dan stelden TiVo-apparaten (digitale videorecorders) hen in staat – moedigden hen bijna aan – om de reclames over te slaan. En films, die gisteren nog winst betekenden voor de studio's, werden nu bij Netflix besteld en als dvd via de post verzonden of online gestreamd.

Scott Dadich, hoofredacteur van *Wired*, vertelde dat hij erover had nagedacht hoe *Wired* eruit zou zien op een tablet vanaf het moment dat hij de iPhone zag – hij had zelfs een presentatie in elkaar gedraaid over hoe *Wired* er op de nog niet bestaande tablet van Apple uit zou zien – maar 'om het heel bot te zeggen, de werkelijke motivatie was dat we [in 2009] bang waren dat *Wired* zou verdwijnen [vanwege de recessie en de verschuiving in hoe media worden geconsumeerd]. *Portfolio* [een zusterblad, inmiddels verdwenen] was begonnen met 102 bladzijden. *Wired* was niet veel dikker. We moesten iets opvallends doen waardoor *Wired* zich onderscheidde.'

Apple's ecosysteem van iPods, iPhones en iPads, die allemaal zijn verbonden met de makkelijk te gebruiken iTunes Store, leek een reddingsboei. Voor de mediabusiness was het woord *online* een vloek – synoniem met dalende winsten, piraterij en angst voor bankroet. Consumenten waren gewend geraakt aan het betalen voor content op Apple-apparaten en die niet gratis te krijgen, zoals via internet voor bepaalde content wel kon.

Jarenlang hadden uitgevers van kranten en tijdschriften geëxperimenteerd met het laten betalen door consumenten voor hun online content en het was allemaal op een ramp uitgelopen. Een van de dingen waar Jobs zelden de eer voor krijgt, is voor het opbouwen van het systeem achter iTunes dat dit mogelijk maakt. Mediabedrijven hadden niet gefaald omdat er iets mis was met het concept, maar omdat kopen en betalen zo moeizaam ging. Met iTunes zorgde Jobs ervoor dat dat vlekkeloos verliep. Het ligt niet voor de hand om consumenten 99 cent te laten betalen voor een lied of een app, de afhandeling veilig te laten verlopen en ervoor te zorgen dat het zo eenvoudig is als het aantikken van een icoon en het invoeren van een wachtwoord. Maar tegenwoordig verwerkt iTunes miljoenen transacties per dag en gebruikt daarbij een database met bijna 600 miljoen creditcardnummers.

Achteraf bezien is het moeilijk voorstelbaar hoe iemand in 2011 met Jobs had kunnen concurreren. Door met succes een vervolg te geven aan de revoluties die hij zelf in Silicon Valley en Hollywood had ontketend, waren Apple en Jobs toen hij in oktober 2011 overleed, het machtigste bedrijf en de machtigste zakenman ter wereld. Ze verkochten de populairste smartphone en de populairste tablet, apparaten waarvan er in het jaar waarin Jobs overleed 134 miljoen werden verkocht.[19] Dat was 37 procent van de omvang van de hele PC-industrie wereldwijd. Het belangrijkste was dat ze – net als Gates en Windows in de jaren negentig – alle software beheersten die op die apparaten draaide en hoe iedere applicatie op dat platform opereerde.

En ze gebruikten die macht om vrienden te belonen en tegenstanders te straffen. Toen Facebook te harde eisen stelde in de onderhandelingen met Apple over integratie in de iPhone iOS 5, sloot Apple een deal met Twitter. Tijdens de volgende onderhandelingsronde blies Facebook aanmerkelijk minder hoog van de toren. 'Ze bleven het maar hebben over hoe ze te pakken waren genomen door Google om Maps en dat ze dat nooit meer zouden laten gebeuren,' zei iemand die bij de gesprekken betrokken was. Softwareontwikkelaars houden niet zo van Apple's harde benadering. Ze vinden het niet leuk dat Apple 30 procent neemt van de opbrengst in ruil voor het toestaan van hun app in de App Store, maar ze weten heel goed dat ze er anders helemaal niets mee kunnen verdienen. En samen hebben zij heel veel geld verdiend. Eind 2011 hadden die ontwikkelaars, nadat Apple zijn deel had ingehouden, ruim 4 miljard verdiend aan de Apple App Store.[20] En Apple haalde in 2011 aan verkoop van uitsluitend content/apps alleen al meer binnen dan het hele bedrijf in 2003 had omgezet: 6 miljard dollar.

De meest in het oog springende poging van Google om met Apple te concurreren, was eind 2011 de beslissing om voor 12,5 miljard dollar Motorola te kopen. De officiële reden voor die aankoop is dat Google Motorola's portfolio aan octrooien wilde hebben. Dat is ongetwijfeld waar. Het bezit van voldoende octrooien om de argumenten van concurrenten in de rechtszaal te weerleggen, weerhoudt hen er gewoonlijk van tegen *jou* een octrooizaak te beginnen. Motorola heeft de mobiel uitgevonden. Daarom bezit het enkele van de belangrijkste en waardevolste octrooien ter wereld. Zo goed als ieder draadloos apparaat heeft ermee te maken. Maar slechts weinigen geloven dat Google Motorola *alleen* voor de octrooien kocht. Motorola is een van de grootste producenten van smartphones en tablets ter wereld. Dat is voor Google een waardevolle verzekering als bijvoorbeeld Apple's rechtszaken tot gevolg hebben dat de verkoop van smartphones met Android ergens verboden wordt – of zelfs als Google moet gaan concurreren met een lid van zijn eigen Android-ecosysteem. Terwijl Rubin erop stond dat het zelfmoord zou zijn om Motorola te gebruiken om te concurreren met andere producenten die Android gebruiken, biedt het Google wel degelijk meer macht als die dynamiek in tegengestelde richting gaat werken – als een van de producenten die Android gebruikt, met Android wil gaan concurreren.[21]

Deze zogenaamde *forking* van Android, de twee kanten die het heeft, is zonder meer Google's grootste probleem in de strijd met Apple. Het mooie van Android is dat het gratis is en open en telefoonproducenten en providers heel veel ruimte geeft om uiterlijk en gevoel zelf te bepalen. PC-makers hadden deze flexibiliteit met Windows nooit. Microsoft was eigenaar en producenten hadden zeer beperkte mogelijkheden om het naar eigen inzicht aan te passen. Maar Androids openheid is tevens het grootste potentiële probleem. Het staat producenten ook toe het hele ecosysteem te verlaten. Het staat een fabriek als Samsung toe om Google's software te nemen, naar believen aan te passen en eigen end-to-end oplossingen te maken zoals Apple altijd heeft gedaan, waardoor content en apps die voor smartphones en tablets van Samsung worden gekocht, alleen op Samsung-apparaten draaien. Terwijl Samsungs Galaxy smartphones en tablets in 2013 de overheersende apparaten met Android waren geworden, werd duidelijk dat Samsung precies zoiets aan het overwegen was. Het had toen zijn eigen apps ontwikkeld voor e-mail en adresboek, kalender en notities. En het had de vrijheid genomen om een concurrerende app store, de Samsung Media Hub, te openen naast die van Google.[22]

Google heeft altijd volgehouden dat het beheersen van de eigen applicaties en de Google Play store een dergelijk soort afvalligheid wel zou voorkomen, alsof Google alle kaarten in handen had. Google's positie was: hoe denk jij je mobiel of tablet te gaan verkopen als YouTube, Google Search en Google Maps er niet op zitten? Een tijdlang had het bedrijf daar gelijk in. Maar nu niet meer. De iPhone 5 verkocht weer beter dan enige vorige iPhone, ook al zat er geen YouTube op en wel Apple Maps – dat vreselijk slecht bleek – in plaats van Google Maps. Google maakte die apps gewoon beschikbaar in Apple's App Store en klanten downloadden ze daar.

Reken erop dat Samsung hetzelfde zal gaan proberen. Het bezit nu de best verkochte smartphone en de best verkocht tablet ter wereld. De topmannen vragen zich nu hetzelfde af als die van Apple deden: zullen klanten echt minder van onze smartphones en tablets kopen omdat we Google's software er niet op hebben zitten en ze geen toegang hebben tot Google's app store?

Het antwoord is waarschijnlijk nee. Amazon heeft een app store die net zo goed is. Microsoft heeft een zoekmachine die net zo goed is. Er is wel een half dozijn goede kaartenapps. Google heeft Samsung nu harder nodig dan Samsung Google nodig heeft. Zonder Google-apps op Samsung-smartphones, die nu al de helft van alle apparaten met Android beslaan, verdwijnt de helft van Google's basis in advertenties op mobiel.

Andy Rubin staat niet langer aan het hoofd van Android en hoeft zich over de toekomst van het programma geen zorgen meer te maken. Begin 2013 heeft hij de Android-teugels overgedragen aan Sundar Pichai, die daarvoor Google Chrome leidde. Pichai is al lang een oogappel van Page en wordt beschouwd als een ervaren manager. Dat is iemand die Android nodig heeft, nu wereldwijd honderden Googlers aan het programma werken. En volgens vrienden vond Rubin, meer ondernemer dan executive, dit niet de leukste kant van de baan. Toen Pichai in juni 2013 werd gevraagd naar de verschuivingen in de overeenkomst tussen Google en Samsung, liet hij zien hoe gladjes hij met dergelijke moeilijke vragen om wist te gaan. Hij zei dat je het beste over de relatie Google-Samsung kon denken als die tussen Microsoft en Intel in hun gezamenlijke inspanning om de PC-wereld te beheersen: ze zeiden niet altijd aardige dingen over elkaar en soms concurreerden ze met elkaar, maar meestal werkten ze samen omdat ze allebei wisten dat dat de manier was om het meeste geld te verdienen. 'Samsung is een heel nauwe partner en een groot deel van het succes van Android hebben we te danken aan wat zij hebben gepresteerd. Maar het is wel zo eerlijk om erbij te zeggen dat Samsung zo enorm succesvol heeft kunnen worden in mobiel dankzij Android. Wij zien een weg waarlangs wij succesvol kunnen zijn en Samsung ook. We beschouwen dit niet als een situatie met winnaars en verliezers.'[23]

De reactie was vriendelijk, maar niet verzoenend. Het is toevallig nog waar ook. Samsung concurreert met Google maar, zoals Pichai een maand eerder aankondigde, de twee bedrijven vinden ook nieuwe wegen om samen te werken. Samsungs mobiele vlaggenschip, de Galaxy S4, kan nu op twee manieren worden aangeschaft: met of zonder Samsungs toevoegingen aan Android. Dit is niet niks. Veel klanten houden van de S4, maar haten Samsungs dingen. Nu kunnen klanten een Samsung S4 kopen met een aangepaste versie van Android, dat wil zeggen met in feite dezelfde software die in de Nexus-smartphones zit en de tablets die onder Google's vleugels worden gemaakt. Dat is niet het soort overeenkomst dat door twee partijen wordt gesloten die op het punt staan tegen elkaar ten strijde te trekken.

10

De wereld veranderen, scherm voor scherm

De consternatie in media en technologie die de iPhone begon, die door de Android-beweging in een stroomversnelling werd gebracht en die door de iPad naar een complete revolutie werd gevoerd, heeft sinds de dood van Jobs een turbulentie tot gevolg gehad die weinigen in Silicon Valley, New York of Hollywood in hun hele carrière hebben meegemaakt. Het gaat er niet alleen om dat twee van de grootste en invloedrijkste bedrijven ter wereld, Apple en Google, elkaar op leven en dood bestrijden. Het gaat erom dat de mobiele revolutie die zij begonnen zijn, plotseling bijna 250 miljard dollar aan omzet heeft gegenereerd voor een half dozijn bedrijfstakken.

Voor hen die aan de verkeerde kant van deze ontwikkelingen hebben gestaan, waren de afgelopen vijf jaar ronduit onaangenaam. Kranten- en tijdschriftenuitgevers hebben de advertentie-inkomsten in en de verkoop van gedrukte exemplaren zien dalen tot cijfers van twintig jaar geleden. De werkgelegenheid voor journalisten bij kranten is de afgelopen vijf jaar bijna gehalveerd. Boekuitgevers zijn bang dat het met hen dezelfde kant op gaat. Amazon drukt niet alleen de prijs van boeken zover dat er geen winst meer op te behalen valt, maar probeert ook de auteurs weg te lokken die de meeste winst genereren. Studiobazen wankelen al omdat ze hun dvd-verkopen hebben zien verdampen. En nu kunnen ze niet eens meer bioscooppubliek vinden omdat de bezoekers hun mening, zeker over een slechte film, nog in de bioscoop via Facebook en Twitter rondbazuinen. De tv-industrie maakt zich zorgen omdat hightechbedrijven als Netflix en Google's YouTube met hen om het publiek strijden met hun eigen content, waardoor ze de prijzen van maandabonnementen onder druk zetten.[1]

Maar de mobiele revolutie heeft ook tientallen nieuwe mogelijkheden geschapen om geld te verdienen, vooral bij tv, en maakt partnerschappen tussen bedrijven mogelijk die eerder onmogelijk leken. Hightechbedrijven gaan steeds meer samenwerken met de beste regisseurs en producenten uit de amusementsindustrie, iets waar zij eerder geen enkele belangstelling voor of affiniteit mee vertoonden. Grote namen uit New York en Hollywood bouwen nu mooie apps voor mobiel en worden partners van softwareontwikkelaars, die ze eerder misdadigers noemden omdat ze diefstal van hun content zouden aanmoedigen. New York en Los Angeles hebben nu zelfs bloeiende gemeenschappen van start-ups. Los Angeles nadert snel de duizend nieuwe technologische bedrijfjes en New York heeft er nu al zo'n zevenduizend. Topagenten en producers, die tot voor kort in het noorden van Californië weinig te zoeken hadden, maken de tocht nu bijna wekelijks.[2]

'We hebben nu vijf verschillende start-ups [voor vaste cliënten en anderen] gelanceerd,' vertelde Michael Yanover, hoofd afdeling bedrijfsontwikkeling van Creative Artists Agency (CAA) in Hollywood. 'Iedere keer als we een start-up lanceren, moet er geld komen. Dus zitten we constant bij geldschieters om geld en om informatie en om toegang. Wij komen dus bij alle interessante start-ups en de grotere, gevestigde bedrijven. Zo werken we bijvoorbeeld veel met Amazon en ook met YouTube. Weet je, wat er maar verschijnt. Of het nu Pinterest is of IntoNow of Shazam. We willen daar allemaal wel bij zijn.'

Yanover, die in de veertig lijkt, maar zijn leeftijd niet wil vertellen, denkt al vijftien jaar na over de as Silicon Valley-Hollywood. Hij had zijn eigen start-up in Los Angeles toen Macromedia in San Francisco hem in dienst nam om te helpen met het uitbouwen van hun webcontent tijdens de eerste internetbubbel.

> We deden echt pionierswerk met Matt Stone en Trey Parker, de mannen achter *South Park*, en Tim Burton en James L. Brooks om content te maken voor onze site in ruil voor aandelen. Het was geen tv, maar het waren wel afleveringen achter elkaar, net als bij tv. We kochten Atom Films en uiteindelijk kwam ik aan het hoofd van alle content behalve spelletjes, dus animaties, muziek, video's en zelfs elektronische felicitatiekaarten.
> Bij Macromedia werkte ik onder meer aan ingebouwd Flash. En op Flash draaide toentertijd alle *rich media* [video] op internet. De natuurlijke ontwikkeling van Flash [nu eigendom van Adobe] was volgens ons dat het zou worden ingebouwd in mobiele apparaten, in decoders, in gameconsoles enzovoorts. We ontwikkelden dus een initiatief, dat we de codenaam Columbus gaven omdat het de nieuwe wereld was, nietwaar? Columbus ging om het overal inbouwen van Flash, ook in de mobiele telefoon.
> Apps voor mobiel waren in 2002 nog heel primitief. Maar voor mij is altijd duidelijk geweest dat alles naar de mo-

> biele telefoon zou gaan. In opkomende markten sloegen ze de PC al over en gingen ze direct over op de mobiel. En ze sloegen kabels over en gingen direct draadloos. Dus die twee factoren vertelden apart en samen dat, o mijn god, de mobiele telefoon het apparaat zou worden waarop content te zien en te beluisteren zou zijn.

Maar het grootste deel van zijn werk als bouwer van webcontent moest nog enige tijd wachten omdat de technologie er niet rijp voor was. De meeste woningen hadden nog geen breedband en al helemaal geen draadloze verbindingen en apparaten die snel genoeg waren voor video. In 2003 kwam hij bij CAA en stond hij voor alles wat maar mobiel was. 'En toen kwam Steve Jobs met zijn iPhone voorbij,' zegt hij,

> en plotseling ging er een wereld open en bevrijdde al die softwareontwikkelaars en al die creatieve mensen uit de klauwen van de providers en van het gebrek aan flexibiliteit en van het kloteplatform dat in de traditionele telefonie bestond. Dus toen de iPhone verscheen, was het alsof Mozes het volk uit de woestijn het Heilige Land binnenleidde. Het was een moment van verbijstering. En het bevrijdde iedereen. Natuurlijk maakte het Apple veel sterker. Maar het was een bevrijdend moment. Tegenwoordig is het veel makkelijker. Je hebt iOS en je hebt Android en het is allemaal erg eenvoudig, dat is alles.

Experimenteel – zo noemen hightechbedrijven hun toenemende belangstelling voor media graag. Als dat zo is, is het wel een heel groot experiment. Netflix heeft zojuist in twee jaar 100 miljoen dollar uitgegeven aan hun hitserie *House of*

Cards met Kevin Spacey. Netflix heeft ook *Arrested Development* nieuw leven ingeblazen, de serie van Mitchell Hurwitz die drie jaar lang op FOX werd vertoond, maar daar zeven jaar geleden is beëindigd. De plannen zijn om nog twintig oude series nieuw leven in te blazen. Google geeft meer dan 100 miljoen dollar uit om producties te maken voor tientallen kanalen van YouTube, waardoor dat in feite het eerste kabeltelevisienetwerk op internet wordt. En Facebook, waarvan de leden *de helft* van internet vertegenwoordigen, is een belangrijke factor aan het worden in het proces van het ophalen van geld voor films en het distribueren ervan. Je kunt via Facebook geen Hollywoodhit scoren, maar dat kun je wel met onafhankelijke films met budgetten van een paar miljoen dollar. Amazon, Hulu en Microsoft bevinden zich inmiddels ook in het eerste stadium van professionele financiering en uitzending van content.[3]

De meeste mensen denken dat het slechts een kwestie van tijd is voordat Apple ook iets groots gaat doen in tv – of met een nieuw revolutionair apparaat, of door het inzetten van de enorme hoeveelheid geld waarover het beschikt om van iTunes de actueelste en meest omvattende bron van content te maken die er maar kan bestaan. Vlak voordat hij overleed, vertelde Jobs zijn biograaf Isaacson dat hij eindelijk een manier had bedacht waarop Apple dat zou kunnen doen.[4] Er is nog geen grote spetterende aankondiging geweest, maar nu al maakt Apple TV met Airplay van de iPhone en de iPad gepersonaliseerde afstandsbedieningen voor tv. Je kunt een film bekijken op je iPhone of iPad terwijl je de keuken schoonmaakt en als je klaar bent, verder kijken op de televisie in je woonkamer. En als je houdt van kijken op twee schermen tegelijk, dan kun je de film op je tv zien en er tegelijkertijd met je iPhone of iPad via Twitter of Facebook met vrienden over 'praten' – of de iPhone of iPad voor heel andere dingen gebruiken.

Intussen zullen de bekende Hollywood-agentschappen als CAA en William Morris Endeavor (WME) hun cliënten niet alleen proberen onder te brengen bij een van de grote studio's, maar ook bij app-ontwikkelaars. In 2012 richtte Yanover Moonshark op, een bedrijf binnen CAA met investeringen van chipfabrikant Qualcomm, dat apps voor mobiele apparaten produceert terwijl CAA schrijvers, acteurs en producenten als team voor filmproducties of tv-series levert. Volgens Yanover zijn alle apps voor ontspanning die er nu zijn geweldig, maar zouden ze nog veel beter kunnen zijn als ze gebruik konden maken van de verhalen en productiemachinerie die Hollywood bezit. Zo zouden schrijvers figuren uit games namen en ontstaansgeschiedenissen mee kunnen geven. '*Angry Birds* was fantastisch, maar het is nog maar het topje van de ijsberg. Het is nog maar het begin van wat er echt te gebeuren staat,' aldus Yanover. In een poging om te profiteren van de nieuwe mogelijkheden om geld te verdienen aan het samengaan van technologie en content kocht Silverlake Capital, een grote investeerder in technologie, in 2012 voor een onbekend bedrag een derde van WME. En TPG kocht intussen een deel van CAA. 'Het enige wat een agent deed toen ik begon, was tv, films, boeken en toneel,' aldus CEO van WME Ari Emanuel tijdens een podiuminterview in 2012. 'Nu zijn er veel meer verschillende manieren en plaatsen waarop artiesten content kunnen maken. Cliënten maken nu spelletjes, maken er een boek van en dan een film. Het agentschap heeft een nieuwe afdeling media, er worden apps ontwikkeld, het is heel dynamisch allemaal.'[5]

Zo verschijnt het album *ArtPop* van Lady Gaga in eerste instantie niet als cd of download, maar als app voor mobiel.

Haar manager, Troy Carter, heeft veel meer gemeen met Facebook-oprichter Mark Zuckerberg dan met traditionele managers van popsterren. Hij is een van de eersten die sociale media gebruikt als het primaire marketingmedium voor zijn cliënt. Bovendien is hij snel bekend aan het worden als een van de slimste financiers/investeerders van hightech en heeft hij al vroeg geïnvesteerd in apps als de muziekdienst Spotify, taxibedrijf Uber (waar je via hun app een taxi kunt huren) en nieuwsdienst Summly (zojuist gekocht door Yahoo!). 'De muziekindustrie is gezonder dan die ooit is geweest,' aldus Carter eind 2012 in *The Guardian*. Wanneer was de laatste keer dat iemand *dat* zei over de muziekindustrie?[6]

Volgens Emanuel zijn de veranderingen vanuit het gezichtspunt van hem en zijn cliënten niet alleen goed, ze hebben ook een weelde aan keuzemogelijkheden geschapen: net als tv-zenders en kabelbedrijven nu om werk van zijn cliënten vragen, doen ook nog eens een half dozijn hightechbedrijven dat – en die hebben voldoende cash om iedere tv-zender en ieder kabelbedrijf te overbieden. Als je al het geld op de balansen van Apple, Google, Amazon, Microsoft, Facebook en Netflix bij elkaar optelt, dan kom je bijna aan 300 miljard dollar, voldoende om alle grote tv-maatschappijen en kabelbedrijven op te kopen. Emanuel heeft kritiek op het gebrek aan respect in Silicon Valley voor auteursrechten. Maar met name Google zou op dit gebied intussen verbetering aanbrengen. En de grote bedragen die ze bieden voor de diensten van zijn cliënten, zijn moeilijk te negeren. Volgens Emanuel werden er in 2009 39 tv-series gemaakt; in 2011 waren dat er 139. En toch zijn de kwaliteit van de programma's, de vergoeding voor talent en de distributie tegelijkertijd gestegen. Algemeen wordt aanvaard dat de kwaliteit van tv-programma's nu beter is dan ooit tevoren. Emanuel heeft de reputatie dat hij een van de hardste onderhandelaars is in Hollywood, een man die ervan is beschuldigd dat hij nooit een aardig woordje overheeft voor wie dan ook. Maar over de investeerders uit Silicon Valley die hun geld Hollywood laten binnenstromen, zegt hij: 'Het is geweldig, ik hou van ze.'

Als Emanuel het vervagen van de grenzen tussen Hollywood/New York en Silicon Valley 'dynamisch' noemt, dan kan dat weleens een understatement zijn. Vijf jaar geleden hadden de woorden 'televisie' en 'tv-serie' een ondubbelzinnige betekenis. Maar nu zijn ze te veelomvattend geworden om ze nog achteloos in een gesprek te gebruiken. Kijk je tv als je via Netflix uitsluitend op je iPhone of iPad naar *House of Cards* kijkt? Het lijkt er wel op, maar je kijkt naar iets dat gemaakt en uitgezonden wordt door een hightechbedrijf in San Jose, niet Hollywood. En je kijkt naar iets dat niet via een kabelbedrijf of tv-zender wordt verspreid. De enige manier om *House of Cards* binnen te krijgen, is met een internetverbinding en een abonnement op Netflix.

Hoe zit het dan met het verschil tussen webcontent en professioneel geproduceerde content? Ook dat onderscheid was heel duidelijk. Nu is het niet langer ongebruikelijk dat een hitserie begonnen is op YouTube, waar het door een van de grote tv-maatschappijen of kabelbedrijven is opgepikt en voor een enorme hoeveelheid geld gekocht, zoals dat gebeurd is met *Burning Love* en *Web Therapy*. En het is ook niet langer ongebruikelijk voor de grote tv-maatschappijen om het grote bereik van internet te gebruiken om dat spelletje ook andersom te spelen. In het najaar van 2012 zond NBC een deel van de pilot van *Go On* uit op YouTube om op die wijze, zes weken voor het begin van de serie, geruchten de wereld in te krijgen en alvast een publiek te creëren. FOX heeft hetzelfde gedaan met *Homeland* en *New Girl*.

Het vervagen van de grens tussen media en technologie verandert ook de manier waarop tv-series geproduceerd worden, aldus Michael Lynton, Sony's hoogste man in de VS, in een interview tijdens een congres van de website AllThingsD.com.

> In het verleden was het echt veel werk om een langlopende dramaserie te maken. Je moest iedere aflevering netjes samenvatten en die samenvatting vooraf laten gaan aan de volgende zodat de kijker, als die er nooit naar had gekeken, de draad toch kon oppikken. Dat kwam doordat mensen nu eenmaal gewend waren om op die manier tv te kijken, en het kwam doordat series in hun geheel of in delen, afhankelijk van hun budget, aan tv- of kabelstations werden verkocht. Toen eens uitgezocht werd of dat inderdaad zo ging, zeiden mensen: 'Ik heb twee of drie afleveringen gemist, nu is het zonde van de tijd en de moeite.'
>
> En toen verschenen de PVR [de harddiskrecorder] en Netflix en nu zeggen mensen: 'O, ik kan wel een paar afleveringen missen, ik haal ze wel in.'
>
> Persoonlijk geloof ik dat een van de oorzaken van de explosie in creativiteit die je nu ziet, of het nu *Mad Men* is of *Breaking Bad* of *House of Cards* of *Justified* of *Sons of Anarchy*, is dat je een verhaal van dertien afleveringen kunt vertellen waarin de karakters zich in dertien uur kunnen ontwikkelen. Betere schrijvers komen hierop af omdat zij zeggen: 'Jeetje, ik krijg dat in de twee uur van een film niet voor elkaar.' Betere regisseurs komen erop af. Lange tijd

> hebben mensen zich afgevraagd wanneer al die nieuwe technologie effect zou gaan hebben op de creatieve kant van de media. Dit is het eerste gevolg dat ik zie. En in het algemeen zullen mensen het iets goeds vinden.[7]

Dit alles is mogelijk gemaakt of versneld door de explosieve groei van mobiele apparaten de afgelopen vijf jaar. Met 4 miljard is het aantal tv-toestellen ter wereld nog altijd twee keer zo groot als het totaal aantal smartphones en tablets: ongeveer 2 miljard. Met de huidige groeisnelheid zal het binnen drie tot vijf jaar andersom zijn. De verkoop van smartphones neemt jaarlijks met meer dan 25 procent toe en die van tablets met 100. Intussen neemt de verkoop van televisies wereldwijd af. Dat komt deels door de economische recessie. Maar het komt ook doordat meer en meer jonge gezinnen van net afgestudeerden er helemaal geen meer kopen.[8]

Volgens investeerder Marc Andreessen is het niet alleen het feit dat smartphones en tablets het aantal mensen in de wereld dat media kan consumeren, exponentieel heeft laten toenemen, maar ook omdat de momenten waarop en de plaatsen waar mensen kunnen kijken, exponentieel zijn toegenomen. 'Je hebt je telefoon en je kunt ieder moment van de dag tv of film kijken. Hetzelfde geldt voor tablets. Met een tv moet je thuis zijn en stilzitten om het te kunnen zien.'

Het duizelt je als Andreessen het hierover heeft. Hij denkt al meer dan twintig jaar na over dit soort zaken en ziet al die ontwikkelingen, maar hij bevindt zich dan ook in een van de beste posities ter wereld – met toegang tot mensen en informatie die alleen beschikbaar zijn voor een select groepjes insiders uit Silicon Valley zoals hij. Hij en zijn partner Ben Horowitz staan bekend als topdurfkapitalisten in de technologie. Maar velen weten niet dat hij ook een van de scheppers was van de eerste internetbrowser, Mosaic in 1994. In 1995 was hij medeoprichter van Netscape Communications en hij hielp het in 1999 te verkopen aan America Online voor 4 miljard dollar, hoewel de browseroorlog met Microsoft verloren werd. In 2000 was hij medeoprichter van een van de eerste bedrijven in cloud computing, Loudcloud. Bijna ging dat ten onder toen de internetbubbel uit elkaar spatte. Maar de naam werd veranderd in Opsware en het werd vernieuwd, waarna het in 2007 voor 1,6 miljard dollar aan Hewlett-Packard werd verkocht. De meesten van de bekende durfkapitalisten hebben een decennium of meer nodig gehad voordat ze zo'n klapper maakten. Andreessen en Horowitz deden er vier jaar over.

Andreessen zegt hierover:

> In 1993 was het al heel duidelijk hoe de wereld eruit zou zien als iedereen een snelle internetverbinding en een groot scherm bezat, omdat de University of Illinois [waar ik studeerde] die dingen had. Maar wij hadden die dingen alleen maar omdat de overheid ervoor betaalde, en zij betaalden ze op slechts vier universiteiten. Onze eerste demo van Netscape liet zien dat je *Melrose Place* [de hotste tv-serie in die tijd] via de browser kon bekijken.
> Volgens mij is mobiel het belangrijkste wat onze industrietak ooit heeft uitgevonden. Onze industrietak is feitelijk ontstaan na afloop van de Tweede Wereldoorlog, zo rond 1950 [nadat William Shockley in 1947 met anderen de al langer bestaande transistor bruikbaar had gemaakt]. En de daaropvolgende zestig jaar was eigenlijk het voorspel voordat iedereen een computer in de hand geduwd kon krijgen. We hebben als industrie nooit het vermogen

gehad om vijf miljard mensen [het aantal mensen dat op dit moment een mobiel bezit] een computer te geven en dat is precies wat er nu aan het gebeuren is.

Niets illustreert de macht van de mobiele revolutie beter dan haar invloed op de Amerikaanse tv-industrie. Vijf jaar geleden was het een belachelijk idee dat iemand zijn kabelabonnement zou opzeggen. Consumenten ergerden zich wel aan de stijgende abonnementsprijzen, maar op internet was toen nog niet veel te zien. Toch gaat er geen maand voorbij waarin niet een of andere ondernemer of tv-baas wordt geïnterviewd over de vraag of het op de lange duur levensvatbaar is om per maand meer dan 100 dollar in rekening te brengen voor het gebruik van kabel-tv. Dit zijn geen theoretische conversaties. Dat de financiële stabiliteit van de kabelbedrijven – en in het verlengde daarvan die van de tv-zenders – onder druk staat, is reëel en die druk neemt met de dag toe.

De oplossing voor de problemen van kabel-tv is complex, maar de oorsprong van die problemen is zo eenvoudig als maar kan: de industrie gaat ten onder aan haar eigen succes. Met televisie-uitzendingen is in de jaren vijftig serieus begonnen, maar het duurde tot in de jaren zeventig en tachtig – toen bijna iedereen in de VS al kabel-tv kon krijgen – voordat de industrie echt van de grond kwam. Ondanks alle aandacht die tv-zenders op zich gericht wisten te krijgen, waren ze technisch hopeloos inferieur aan kabel-tv. Consumenten konden met hun antenne gewoonlijk niet meer dan een stuk of zes kanalen ontvangen en veel Amerikanen woonden in gebieden waar de ontvangst zo slecht was dat ze er met geluk één konden binnenhalen. De inzet van de kabel-tv-industrie was dat ze, door tv-signalen via een kabel door te geven, de consument veel meer kanalen kon bieden, een feilloze ontvangst en onbeperkte mogelijkheden om zelf te programmeren waarnaar werd gekeken. Kabelbazen vonden het verschil in kwaliteit zo groot dat consumenten alleen al hiervoor bereid zouden zijn te *betalen*. Intussen zou het medialandschap worden getransformeerd. De verkoop van tv's zou toenemen, het kijken naar tv zou toenemen en er zouden nieuwe programma's kunnen worden gemaakt.

Het grootste deel van wat de kabelmaatschappijen voorspelden, kwam uit, waardoor firma's als familiebedrijf Comcast uit konden groeien tot de grootste corporaties ter wereld en waardoor kanalen als ESPN, FOX en HBO miljarden dollars per jaar konden opstrijken voor hun content. Ongeveer een decennium terug begonnen de kabelmaatschappijen met het aanbieden van een pakket met tv, breedbandinternet en telefonie. Ook dat was profetisch. Nu konden de kabelbedrijven met de telefoonmaatschappijen concurreren om klandizie. Niet alleen kreeg de kabelindustrie zo meer klanten, ze gingen ook meer voor haar diensten betalen.

Maar nu is breedbandinternet over de kabel zo snel dat ook concurrerende aanbieders van content er gebruik van kunnen maken. De kabelindustrie is gebouwd op de veronderstelling dat de consument een theoretische keuze had om te betalen voor tv of deze gratis in huis te halen met een antenne op het dak. Praktisch was dit echter geen keus. Kijken naar films op internet op een tablet, smartphone of zelfs een televisietoestel met behulp van een gameconsole of andere elektronica, zoals de Apple TV of die van Roku, *is* echter een reëel alternatief en wordt iedere dag aantrekkelijker. De ironie ligt voor de hand. Zeker, meer en meer van de content die we in huis tot ons nemen, zien we op een mobiel apparaat. Maar dat apparaat is verbonden met een wifinetwerk dat gewoonlijk verbonden is met breedbandkabel. De kabelindustrie moet over haar model gaan nadenken vanwege films en muziek van Netflix, YouTube, Apple iTunes, Amazon en vanwege Facebook. Maar het is de bandbreedte van de kabel zelf die ervoor heeft gezorgd dat zij kunnen bestaan.

Het verschil tussen wat op internet te zien is en wat via de kabel, is nog steeds groot. Maar terwijl het kleiner wordt, wordt het verschil tussen een maandabonnement op de kabel – meestal ruim 100 dollar voor een gezin – en een abonnement op bijvoorbeeld Netflix – minder dan 10 dollar – dat niet. Babyboomers hebben het er weleens over hoe belangrijk het is om met het hele gezin tv te kijken. De volgende generatie vindt dat slechts een rationalisatie van wat iedereen wil: naar bepaalde tv-programma's kijken wanneer men dat wil. Het is waar dat het aantal mensen dat zich niet meer abonneert op kabel-tv, de zogenaamde *cord cutters*, om alleen van internet-tv via breedband gebruik te maken, niet zo snel is toegenomen als verwacht, maar ook is het waar dat het aantal abonnementen op kabel-tv niet langer toeneemt en dat *nieuwe* huishoudens – van mensen die rechtstreeks van de universiteit komen – zich in kleinere aantallen op kabel abonneren dan ooit tevoren. Deze groep heeft van de kabelaars zelfs een naam gekregen: *cable nevers*.

Dit alles zet zo veel spanning op de relatie tussen kabelbedrijven en contentleveranciers dat die op springen staat. Aan de ene kant zijn de kabelbedrijven nog steeds de hoogste bieders voor content en proberen de scheppers van content ervoor te zorgen dat dat zo blijft. Ongeveer 4,50 dollar van iedere rekening voor kabel-tv gaat alleen al naar ESPN, een sportzender op satelliet en kabel, voor programma's over sport. Dat is bijna 3 miljard dollar per jaar. Daarom kon ESPN 15,2 miljard dollar betalen aan de National Football League voor het uitzenden van *Monday Night Football* tot 2021. Het is niet alleen sport dat afhankelijk is van abonnementsgeld. Iedere aflevering van een topserie als *Game of Thrones* van HBO zou 6 miljoen dollar aan productiekosten met zich meebrengen.[9]

Aan de andere kant zorgen internet-medianetwerken ervoor dat het geld niet langer *moet* komen van de kabelabonnees. Netflix is niet de schepper van *House of Cards*. De onafhankelijke studio Media Rights Capital heeft biedingen gekregen van een handvol netwerken, waaronder HBO, Showtime en AMC (dat *Mad Men* uitzendt), maar Netflix bood meer.[10] Google betaalt regisseurs als Anthony Zuiker, schepper van *CSI*, geen miljoenen om programma's voor YouTube te maken uit weldadigheid. Google denkt dat YouTube's publiek zo groot is dat een goed programma zichzelf zal terugbetalen uit advertentie-inkomsten. YouTube's baas Salar Kamangar zei in een interview tijdens een congres van All Things D in 2012 dat je bij de traditionele YouTube-ervaring 'moet besluiten wat je bezighoudt en wat je iedere drie minuten wilt zien'. De nieuwe content zal interactiever zijn en meer gericht op specifieke niches. 'Volgens ons zal daardoor het aantal minuten dat gekeken wordt, toenemen, en volgens ons zal dat de ervaring verbeteren,' zei hij.[11]

Een van de smerigste zaken die zich momenteel afspelen, is het gevecht om het recht van bestaan van een bedrijf genaamd Aereo. In 2012 is Aereo begonnen consumenten in de stad New York aan te bieden om hun lokale zenderkanalen live op ieder apparaat in huis te kunnen ontvangen voor tussen de 8 en 12 dollar per maand. Aereo betaalt de tv- of de kabelmaatschappijen hiervoor niets, maar abonnees kunnen toch live kijken naar lokale televisie-uitzendingen of deze automatisch opnemen op hun smartphone of tablet, als er maar internetverbinding is, draadloos of niet. Toen Aereo gelanceerd werd, mocht je van de meeste tv-maatschappijen op die manier wel naar de uitzending van gisteren kijken, maar niet naar die van vandaag. Midden 2013 zag het er echter naar uit dat die houding snel aan het veranderen was. ABC zei dat het zou beginnen met live streamen op dezelfde dag als de uitzending in sommige steden met Aereo, zoals New York – al was nog niet ieder programma beschikbaar, maar konden kijkers er alleen gebruik van maken als ze een kabelabonnement hadden. Misschien hebben inmiddels alle andere tv-maatschappijen hetzelfde gedaan.

Wat Aereo doet, klinkt alsof het illegaal moet zijn. Kabelbedrijven betalen de tv-maatschappijen honderden miljoenen dollars per jaar om hun signalen over hun kabels te mogen verzenden. Toch hoeft Aereo geen cent te betalen. De rechters hebben beslist dat het, dankzij een gat in de wet, volkomen legaal is wat Aereo doet. Zodra Aereo werd gelanceerd, werd er door kabel- en tv-bedrijven een rechtszaak aangespannen om Aereo ogenblikkelijk te verbieden. Maar ze verloren. Als je je bij Aereo abonneert, krijgt je huis een specifieke antenne toegewezen in Aereo's serverloods. Zolang ieder huis het zendsignaal ontvangt via een aparte antenne binnen het lokale gebied, is de ontvangst legaal. De wet vereist niet dat die antenne op jouw dak staat.

Dit is voor kabel- en televisiemaatschappijen natuurlijk zeer bedreigend en ze zijn dan ook van plan zo veel geld aan de strijd uit te geven tot ze blut zijn. De opbrengst uit het doorzenden vormt een enorme inkomstenbron voor de tv-maatschappijen. Intussen is Aereo, samen met Netflix en Hulu met hun abonnementen van zo'n 20 dollar per maand, een aantrekkelijk alternatief aan het worden voor de kabelbedrijven die 100 dollar willen hebben. Het enige wat kabelklanten tot nu toe heeft weerhouden van het doorsnijden van de kabel, is het niet kunnen ontvangen van live-uitzendingen, en dan vooral van sport.

Het gaat een geweldige strijd worden, want Aereo is niet zomaar een halfbakken start-up met bange investeerders. Barry Diller, die in Hollywood carrière heeft gemaakt bij ABC, Paramount en FOX Television, zit erachter. Hij kent en heeft gewerkt met de meeste bazen van de tv-maatschappijen. Maar vanaf de begindagen van zijn carrière is hij ook altijd meer geïnteresseerd geweest in het verstoren van de status quo dan ervoor te zorgen dat mensen hem mochten. 'Ik wist dat er een controverse zou ontstaan, maar ik kon geen enkele zwakke plek ontdekken omdat ik het idee had dat de bestaande wetgeving helemaal aan de kant stond van wat Aereo aan het doen was, en dat intrigeerde me,' vertelde Diller tegen David Carr in *The New York Times* van maart 2013. Die opmerking leidde tot een bondige reactie van Les Moonves, de baas van CBS: 'Het is duidelijk dat het hele idee achter Aereo geld verdienen is door mee te liften met de honderden miljoenen dollars kostende programma's die wij maken,' zei hij. 'Wij betalen de NFL [National Football League] een miljard per jaar. Op dit moment hebben we een heleboel correspondenten in Rome. Volgens ons is het ronduit onwettig om ons signaal en dat van andere tv-maatschappijen op te vangen en door te verkopen zonder ons ervoor te betalen. Dat is zo verkeerd op zo veel verschillende niveaus.'[12]

De toekomst van HBO zal ook een goede indicator zijn voor de verdere ontwikkeling van de revolutie van mobiel. De laatste jaren heeft dit tv-bedrijf met succes op twee paarden gewed door de technologische verandering te omhelzen met een enorm populaire HBO GO-app, maar tegelijkertijd loyaliteit te betuigen aan de kabelmaatschappijen die nog steeds het doorgeefluik zijn van HBO's prachtige programma's. Het is een begrijpelijke positie. Want ondanks de groeiende populariteit als merknaam heeft HBO nog nooit banden met klanten hoeven aan te gaan of te onderhouden. Het bedrijf moet de relatie met de kabelmaatschappijen goed zien te houden, en die zorgen dan voor de rest. Dit heeft HBO al het geld opgeleverd dat het nodig heeft om de topprogramma's te kopen of te produceren waar het om bekend is.

HBO's probleem is dat het steeds onduidelijker wordt hoe lang die opstelling nog standhoudt. Netflix heeft met het succes van *House of Cards* en zijn andere originele programma's bewezen dat je geen kabelnetwerk nodig hebt om consumenten topprogramma's aan te kunnen bieden. HBO kent Netflix' model goed. Het lijkt op dat wat het zelf heeft gebruikt om het dominantste amusements-tv-bedrijf ter wereld te worden: gebruik films om een abonneebasis te leggen. Gebruik die abonneebasis dan om je eigen content te maken. Het verschil is natuurlijk dat je alleen een internetaansluiting en 8 dollar per maand nodig hebt om Netflix te krijgen. Om HBO binnen te krijgen, heb je een kabelabonnement nodig uit het hoogste tarief van meer dan 100 dollar per maand.

HBO weet dit maar al te goed en in een interview in februari 2012 zei bestuursvoorzitter Eric Kessler dat de zender een partnerschap had gesloten met Tivili, een pas drie jaar oud bedrijf dat is opgezet door twee studenten van Harvard, om HBO GO op de campus van een handvol colleges uit te gaan zenden. Studenten hebben dan niet het kabelabonnement van hun ouders nodig, maar krijgen een eigen abonnement. En ze krijgen dat gratis met hun wachtwoord voor Facebook. Volgens Kessler wil HBO nooit de naam krijgen dat de zender er alleen is voor volwassenen van middelbare leeftijd – zoals het inmiddels verdwenen automerk Oldsmobile overkomen is – en hij zei dat hij aannam dat veel van de huidige studenten de meeste HBO-programma's via HBO GO binnenhaalden. Maar hij zei ook dat hij dacht dat ze toch nog lange tijd de meeste tv-programma's via een kabelabonnement zouden bekijken.[13]

Deze zaken liggen binnen HBO blijkbaar nog lang niet vast. Slechts zes weken later, tijdens de première van *Game of Thrones* in San Francisco, 80 kilometer van Netflix' hoofdkwartier in San Jose, leek het alsof HBO precies de tegengestelde koers wilde gaan varen. CEO Richard Plepler zei bij die gelegenheid dat HBO er hard aan dacht om mensen zonder kabelabonnement toch HBO te laten ontvangen. Klanten konden 50 dollar per maand betalen voor breedbandinternet en voor nog eens 10 of 15 dollar kregen ze daar dan HBO bij, dus in totaal voor 60 of 65 dollar, legde Plepler uit. 'Het sommetje moet wel kloppen,' voegde hij eraan toe.

De vijandige impasse tussen de amusementsindustrie en Silicon Valley uit de tijd van Napster, zo rond 2000, is ook nog niet helemaal opgelost. Begin 2012 dacht de amusementsindustrie dat ze de macht van haar lobby in Washington kon gebruiken om twee wetsontwerpen zonder veel ophef door het Congres te loodsen waardoor zij meer macht kreeg over de uitzendingen van websites die hun auteursrechten schonden. Maar beide wetsvoorstellen leken eerder ingegeven door een schofterig machtsspelletje van Hollywood dan dat ze onwettige activiteiten moesten stoppen. Grote technologische bedrijven als Google maakten de namen van hun websites onleesbaar uit protest tegen deze twee zogenaamde SOPA/PIPA-wetten. Sommige, zoals Wikipedia en Reddit, gingen helemaal op zwart – de wetsvoorstellen werden snel ingetrokken.

Maar wat er na dat SOPA/PIPA-fiasco gebeurde, was net zo interessant. In plaats van zich dieper in te graven, zoals ze eerder altijd hadden gedaan, bedachten de bazen van Hollywood en Silicon Valley een manier om er samen uit te komen. Hollywood-topmannen als Chase Carey, de COO van News Corp., toonden berouw en gaven openlijk toe dat de industrie wat al te tactloos was geweest. Intussen kwamen bedrijven als Google overeen om nieuwe manieren te gaan zoeken om het illegaal uitzenden van content te stoppen. Ari Emanuel, die hierover midden 2012 openlijk kritiek geleverd had op de hightechindustrie – met name op Google – had het er aan het einde van het jaar over hoeveel vooruitgang er niet was geboekt. Volgens hem had Google hem laten zien dat het sites die verdacht werden van piraterij, naar beneden duwde op de lijst van zoekresultaten. En als je een site uit de top tien laat zakken, betekent dat in de praktijk dat hij verdwenen is. 'Dus werken Silicon Valley en Hollywood goed samen aan alle aspecten van content en uitzending in nieuwe media,' zei hij.

'Het is nog steeds niet makkelijk,' aldus Michael Yanover. 'Maar de kloof is smaller dan ooit tevoren. Volgens mij hebben we geweldige vorderingen gemaakt sinds ik me in deze wereld begaf. Er heerst nu wederzijds respect. Hollywood-mensen moeten de technologie wel omarmen, het is omarmen of het einde. En volgens mij zijn de Silicon Valley-mensen eindelijk Hollywood wat meer gaan respecteren en begrijpen. Dankzij Netflix en Hulu en YouTube en zo respecteren ze content nu en behandelen ze het niet meer alsof het allemaal een pot nat is, zoals ze vroeger deden. Dus volgens mij komen ze eindelijk steeds nader tot elkaar.'

Andreessen is het hiermee eens. 'De afgelopen twintig jaar hebben CEO's van mediabedrijven me ieder jaar weer gezegd dat "jullie daar in Silicon Valley er wel achter zullen komen dat jullie ons echt nodig hebben, en op een dag gaan jullie ons daarvoor betalen". En dat klopte niet van jaar 1 tot en met 19. Maar het is zojuist letterlijk waar geworden. En volgens mij ligt hier een heel grote kans. Volgens mij gaan deze bedrijfstakken elkaar de komende jaren veel meer overlappen dan tot nu toe het geval is geweest.'

Iedereen is het erover eens dat het grootste probleem van de overgang van media naar internet toch zal blijven hoe voldoende betaald zal gaan worden voor content. Iedereen in Hollywood is hier bijzonder nerveus om. Hollywood bestaat niet alleen omdat het films en tv-series maakt die mensen willen zien, maar ook omdat de topmannen op slinkse wijze hebben uitgeknobbeld hoe ze de wereld konden verdelen in submarkten, waardoor ze de toevoer van content konden beheersen en keer op keer tegen hoge prijzen konden verkopen. Iedereen maakt zich zorgen dat zonder die mogelijkheid de opbrengst van content onvoldoende zal zijn om de productiekosten ervan te dekken. Wat nu echter anders is, is dat bedrijven in Silicon Valley zijn gaan meebetalen – en bewijzen dat er dankzij hun uitvindingen nieuwe methoden van financieren, produceren en verspreiden van content zijn gekomen. Dat is geen uitdaging die Hollywood kan negeren of kan verdrijven met rechtszaken, zoals het eerder heeft gedaan.

Midden mei 2013, aan het einde van de langdurige openingspresentatie van Google's congres voor softwareontwikkelaars, had de organisatie een verrassing voor de uitgeputte toehoorders. Om precies drie uur verscheen Larry Page, de publiciteitsschuwe CEO van het bedrijf, om een paar dingen te zeggen en vragen uit het publiek te beantwoorden.[14]

Page is geen rockster zoals Steve Jobs en Bill Gates ooit waren of zoals Mark Zuckerberg van Facebook en Larry Ellison van Oracle nog steeds zijn. Page's optreden was zelfs bijzonder om precies de tegenovergestelde reden: weinigen konden zich herinneren wanneer ze hem voor het laatst in het middelpunt van de belangstelling hadden zien staan. Hij was een van de oprichters en nu al twee jaar Google's CEO. Maar in die hele vijftien jaar – Google is in 1998 opgericht – deed hij zijn uiterste best buiten de schijnwerpers te blijven. Hij geeft zelden interviews en houdt nauwelijks toespraken zoals Google's vorige CEO, Eric Schmidt. Velen denken dat Schmidt precies daarom eigenlijk *nog steeds* Google's CEO is. Page was vooral het voorgaande jaar buiten de publiciteit gebleven omdat hij, zoals hij de dag daarvoor had onthuld, aan iets had geleden waardoor zijn stembanden beide deels verlamd zijn.

Het effect was magisch. Page is in het openbaar vaak op zijn hoede en stijf. Maar door het gebrek aan kracht in zijn stem werd hij menselijker en wat hij zei intiemer. De zesduizend man publiek en de pakweg miljoen mensen die wereldwijd naar de livestream keken, waren verrukt toen Page zijn visie op de wereld ontvouwde waarin technologie veel van de grootste problemen oploste – van forenzen via onderwijs tot de honger in de wereld. Ook deed hij iets wat hij zelden doet: hij praatte over zichzelf. Hij vertelde zijn toehoorders hoe gelukkig hij was geweest met een vader die net zo'n nerd was geweest als hij. 'Hij reed echt met mij en ons hele gezin door het hele land om naar een congres over robotica te gaan,' vertelde Page. Maar Larry was jonger dan de leeftijdsgrens van het congres toeliet en hij werd weggestuurd. De oude Page was razend. 'Hij vond het zo belangrijk dat zijn zoontje het congres mocht bezoeken, het is een van de weinige keren geweest dat ik hem echt ruzie heb zien maken met iemand.' Zijn vader, die al een jaar of tien geleden is overleden, wist de organisatoren van het congres over te halen een uitzondering te maken.

> Pak je smartphone, hou hem voor je, hij lijkt nu bijna net zo groot als de tv of een scherm waar je naar kijkt. Ook heeft hij dezelfde resolutie. Dus als je bijziend bent, dan zijn een smartphone en een groot scherm eigenlijk min of meer hetzelfde. En dat is verbazingwekkend. Absoluut verbazingwekkend... We hebben een dergelijke mate van verandering in computers lang niet gezien – vermoedelijk niet sinds de geboorte van de personal computer. Maar als ik erover nadenk, denk ik dat we allemaal hier zijn omdat we een diepgaand gevoel van optimisme delen over de mogelijkheden van de technologie om het leven van mensen te verbeteren, en van de wereld, als deel daarvan.

Zo ging hij nog tien minuten door en beantwoordde aansluitend nog tien minuten lang vragen uit het publiek. In die korte tijdsspanne was hij afwisselend optimistisch en idealistisch, en arrogant en hypocriet. Over de strijd van Google met Apple en andere concurrenten zei hij:

> Weet je, ieder artikel dat ik lees over Google is een soort verhaal van ons tegen een ander bedrijf of een ander dom ding. En ik vind dat niet heel erg interessant. Wij

> zouden dingen moeten maken die nog niet bestaan, nietwaar? Met negativiteit boeken we geen vooruitgang. En de meeste belangrijke dingen zijn niet een zaak van winst of verlies. Er is nog heel veel mogelijk. En wij kunnen technologie gebruiken om echt nieuwe en echt belangrijke dingen te maken om het leven van mensen te verbeteren.

Dit was meer dan een première voor Page. Alleen executives aan de top van bedrijven die het voor de wind gaat, houden dit soort toespraken. En Page, zo leek het, wilde dat de wereld wist dat hij zich precies zo voelde. De cynicus zou dit Page's 'Wat goed is voor de wereld is goed voor Google'-speech hebben kunnen noemen – een verwijzing naar een opmerking uit de jaren vijftig van Charles Wilson, president-directeur van General Motors, over zijn automerk. Het is immers moeilijk voorstelbaar dat Page, of wie ook bij Google, het gevecht met Apple in 2011, toen de iPad de hele markt voor tablets domineerde, oninteressant zou noemen of Google's pogingen in 2007 om Android van de grond te krijgen – of toen Apple en Jobs Google ervan gingen beschuldigen dat ze hun werk illegaal hadden gekopieerd. Page weet dat Google's vijf jaar durende strijd met Apple geen van beide bedrijven kwaad heeft gedaan. Beide bedrijven zijn er beter van geworden. Apple had misschien wel geen app store gehad als Google er niet al eerder een had gepland. Smartphones met Android zagen er misschien nog steeds uit alsof ze waren ontworpen voor softwareontwikkelaars, niet voor consumenten, als Google niet gedwongen was geweest om met Apple te concurreren. De lijst is nog veel langer.

Maar het momentum in de platformoorlog tussen Google

en Apple was halverwege 2013 beslist in Google's voordeel. Google leek nu net zo bovenliggend in het gevecht als Apple in 2011 en in de drie jaar na de onthulling van de iPhone. Androids aandeel in de markt voor mobiele telefoons was nu 75 procent en in die voor tablets 50 procent.[15] Bovendien waren Apple's prijzen voor sommige apparaten gedaald en dat was ten koste gegaan van de ooit onaantastbare winstmarges van het bedrijf. De koers van een aandeel Apple, dat in het jaar na Jobs' dood verdubbeld was tot 700 dollar, was het jaar daarna bijna net zo hard weer gedaald. Voorjaar 2013 was Apple niet meer het waardevolste bedrijf op de aandelenmarkt. Terwijl Google's koers hoger stond dan ooit.

Dat Apple niet meer het waardevolste bedrijf ter wereld was, was natuurlijk slechts een symbolische verandering. Wat niet symbolisch was, was het vertrek van tientallen boze investeerders na het inzakken van de aandelenkoers. Vier jaar lang hadden aandelen Apple tot de best presterende aller tijden behoord en waren ze gestegen van 80 dollar tot het tienvoudige in 2008. Maar investeerders die in de herfst van 2012 aandelen kochten – in de veronderstelling, zoals zovelen, dat de koers op weg was naar 1000 dollar – zagen hun investering met veertig procent dalen terwijl het gemiddelde van de koersen vijftien procent steeg. Jobs sprak nooit met investeerders over aandelenkoersen. Hij vergaderde ook zelden met hen. Maar begin 2013 wilden de investeerders niet langer genegeerd worden en dwongen ze CEO Tim Cook om meer dan 100 miljard dollar te besteden aan het inkopen van eigen aandelen en het uitkeren van dividend.

Toen Page zijn opmerkingen maakte, was de kloof tussen Apple en Google om dominantie op mobiel internet breed en diep. In het najaar van 2012 had Apple de iPhone 5 onthuld, de best verkochte smartphone tot nu toe, en de iPad mini, die ook een succes was ondanks de smallere winstmarge. Maar de laatste echte doorbraak, de iPad, was al drie jaar daarvoor. En van het tv-apparaat dat Jobs noemt in Isaacsons biografie en waar ook Cook naar heeft verwezen, is nog niets bekend.

Intussen heeft Google een hele massa nieuwe en verbeterde software op de markt gebracht die in breedte en diepte ronduit verbazingwekkend is. Google onthulde Google Now, een mobiele applicatie die heel slim inspeelt op informatie die reizigers zouden kunnen gebruiken, zoals restaurant- en reisreserveringen en hun verwachte overstaptijd. Het lanceerde een streaming muziekservice om te concurreren met Spotify, waarbij velen zich afvroegen hoe Google daar eerder mee op de markt heeft kunnen komen dan Apple, de uitvinder van iTunes. Het trok aandacht met een opmerkelijke automatische fotoverbeterfunctie voor Google Plus. Met gebruikmaking van de paardenkrachten van Google's miljoenen servers gaat de functie door al je foto's en selecteert en edit zelf het beste uit al je fotobestanden. En het demonstreerde voorgenomen verbeteringen van Google's stemherkenning, zodat die functie eindelijk bruikbaar is voor alledaagse taken – net als de met de stem geactiveerde computers in *Star Trek* en andere sciencefictionfilms. Als je de functie eenmaal hebt, dan zul je, volgens Google, je laptop, smartphone of tablet zo ongeveer alles kunnen vragen – en hij zal er correct op antwoorden. Door die verbeteringen ziet Siri, Apple's stemherkenningstechnologie in de iPhone, er klunzig uit. En in augustus 2013 werd de eerste smartphone van Motorola gelanceerd.

Zelfs de producten die Google niet onmiddellijk op de markt wilde brengen, zorgden voor veel rumoer. Zo liet het bedrijf zien dat software die de bestuurder in een auto vervangt, echt werkt. En het demonstreerde dat Google Glass – een computer in brillenglazen – mens en machine één kan laten worden.

Het is verleidelijk om te voorspellen dat het slechts een kwestie van tijd is voordat Apple terugslaat met een nieuw revolutionair apparaat. Zo is de competitie tussen de twee tot nu toe tenminste geweest. Onduidelijk is of Apple dat kan blijven doen nu Steve Jobs niet meer aan het roer staat. Apple liet de aandeelhouders in ieder geval denken dat dat wel degelijk het geval was toen de koersen en de winst na Jobs' dood steil omhoog gingen. Maar een jaar later, in het najaar van 2012, werd Jobs' afwezigheid meer en meer voelbaar.

Neem bijvoorbeeld Apple's reclamecampagnes. Die sprankelen niet langer. Jobs had persoonlijk toezicht gehouden op Apple's reclames en de tv-spots uit die tijd zijn iconisch geworden. Maar de tv-reclames die werden uitgezonden tijdens de Olympische Spelen van 2012 in Londen – die met de medewerker van de Genius Bar, de balie in Apple Stores waar je je apparaat kunt laten repareren, uitbreiden en dergelijke – waren zo slecht dat er krantenkoppen aan werden gewijd. De beste reclames voor smartphones kwamen in 2012 en 2013 zelfs van Samsung, Google's grootste producent van mobiele apparaten met Android. Nadat Apple de iPhone 5 had gelanceerd, liet Samsung een lawine van tv-spotjes los die op grappige wijze iPhone-gebruikers uitbeeldden als misleide figuren die in een rij stonden te wachten op een smartphone die op alle mogelijke manieren inferieur was aan de Galaxy S III.

Apple kreeg ook zware kritiek voor de manier waarop het zijn smartphones liet maken. *The New York Times* kwam in een reeks artikelen over de 'iEconomie' met aanwijzingen dat Apple zijn iPhones en iPads liet fabriceren in Aziatische *sweat-*

shops, fabrieken waar werknemers als slaven werden behandeld. CEO Tim Cook werd gedwongen te erkennen dat Apple meer zou kunnen doen om ervoor te zorgen dat de werkplaatsen van die onderaannemers veiliger werden. Zes maanden later moest hij openlijk excuses aanbieden aan Chinese klanten omdat de klantenservice en de technische ondersteuning onvoldoende waren.[16]

Maar misschien wel het opmerkelijkste voorbeeld van Jobs' afwezigheid was de pr-ramp rond Apple's nieuwe kaartenapp. Apple had met veel bombarie bekendgemaakt dat Google en Apple op het gebied van kaarten uit elkaar gingen, met als reden dat Google zijn controle over de technologie in onderhandelingen gebruikte om de ander onder druk te zetten. Maar toen Apple tegelijk met de iPhone 5 de eigen kaartenapp onthulde, bleek die vol bugs te zitten. Bijna een maand lang wemelde het in de chat boards en op de sociale media van voorbeelden van afschuwelijke missers – het Washington Monument op de verkeerde plaats, Brooklyn Bridge die in het water eindigde, richtingaanwijzingen waardoor chauffeurs de verkeerde kant op reden.[17] Het maakte de app feitelijk onbruikbaar en dwong Cook verontschuldigingen aan te bieden aan de klanten, om daarna veel van de verantwoordelijke managers, onder wie het hoofd van de iPhone-software Scott Forstall, de laan uit te sturen. Velen vroegen zich af of Jobs een dergelijke miskleun niet had weten te voorkomen.

Door het kaartenfiasco ging niet alleen Apple af, Google kwam er des te beter uit. Het herschreef snel zijn kaartenapplicatie en bracht talloze verbeteringen aan. En toen Google de applicatie drie maanden later updatete, verschenen wereldwijd koppen met complimenten over hoeveel beter die was in vergelijking met Apple. Binnen 48 uur werd de applicatie van Google door tien miljoen gebruikers gedownload.

Tim Cook weet voor welke uitdagingen hij staat en zegt dat hij alle antwoorden heeft. 'Wij zijn nog steeds het bedrijf dat [voor doorbraken] gaat zorgen. We hebben een paar ongelooflijke plannen waar we al een tijdje aan werken. De cultuur is er nog steeds helemaal en veel van de mensen zijn er ook nog. We hebben nog een paar doorbraken in het vooruitzicht,' zei hij tijdens een podiumoptreden eind mei 2013. Er werd al langere tijd aangenomen dat Apple bezig was met een complete herziening van de software van de iPhone en iPad. Cook ontkende dit in het interview niet. En Cook had het nog steeds in algemene termen over Apple's belangstelling voor het verbeteren van het tv-kijken.[18]

Maar veel meer hielden Cooks opmerkingen niet in. In plaats van het podium te gebruiken, zoals Google's Larry Page had gedaan, om een brede visie op de toekomst te ontvouwen, leek het eerder Cooks doel om zo min mogelijk substantieels te zeggen. Vaak zei hij: 'Ik wil daar niet in detail op ingaan.' Dat is kenmerkend voor de meeste CEO's in zo'n situatie. Tim Cooks probleem is dat hij niet vergeleken wordt met de meeste CEO's. Hij wordt vergeleken met Google's medeoprichter Larry Page en natuurlijk met zijn voorganger Steve Jobs.

Jobs was een meester op momenten als deze. In 2010 antwoordde hij op de vraag waarom de iPad belangrijk was: 'Toen we nog een landbouwnatie waren, waren alle auto's vrachtauto's, want die had je nodig op een boerderij. Maar toen voertuigen in een stedelijke omgeving gebruikt gingen worden, werden personenauto's populairder. Innovaties als de automatische versnelling en stuurbekrachtiging en andere dingen die je in een vrachtauto niets kunnen schelen, worden in personenauto's van het grootste belang... PC's zullen als die vrachtauto's zijn. Ze zullen blijven, ze zullen nog steeds van grote waarde zijn, maar ze zullen gebruikt worden door niet meer dan een op de zoveel mensen.' Jobs was net zo ontwijkend over toekomstige producten, maar zijn visie was zo helder en overtuigend dat dat er niet toe leek te doen.[19]

Wie dan ook vergelijken met Steve Jobs is niet eerlijk. Gedurende de twee jaar dat Tim Cook CEO van Apple is, heeft hij zich ingespannen om erop te wijzen dat Jobs zelf hem heeft verteld dat hij niet wilde dat Cook Apple leidde op de manier waarvan hij dacht dat Jobs dat zou hebben gewild, maar op de manier waarop Cook dacht dat het gedaan moest worden. Het is vriendelijk dat Jobs Cook een dergelijke eis niet stelde. Maar het is onduidelijk hoeveel betekenis aan zo'n gebaar moet worden gehecht. Jobs is weg en Apple's klanten, verkopers, investeerders, medewerkers en fans willen nu juist *wel* dat Cook precies op hem lijkt – zelfs als ze het niet willen toegeven. Zij zullen hem waarschijnlijk niet weg laten komen met deze tekortkoming, totdat Cook de wereld zijn eigen revolutionaire product kan laten zien. In het vragengedeelte van Cooks podiumoptreden formuleerde de bekende durfkapitalist in technologische bedrijven Dan Benton deze zorgen heel duidelijk: 'Waarom geef je ons niet een visie op de toekomst?' – waarmee hij leek te suggereren dat Google beter was geworden in het schilderen van een plaatje van dingen die gaan komen. Cooks reactie luidde: 'Wij geloven in het verrassingselement.' Misschien dat dat, tegen de tijd dat je dit leest, van Apple weer als iets goeds wordt beschouwd.

Opmerking over mijn verslaggeving

Dit boek vloeit voort uit twee, zeven of zestien jaar werk, afhankelijk van hoe je telt. Ik schrijf nu zestien jaar lang over technologie en media, eerst voor *US News & World Report* en voor *Fortune Magazine*, en sinds 2006 voor *Wired*. Ik schrijf over de revolutie van mobiel sinds de onthulling van de iPhone in 2007. En journalistiek onderzoek over en het schrijven aan dit project is sinds 2011 mijn fulltimebaan. Dit is het resultaat van meer dan honderd interviews, gecombineerd met mijn eerdere verslaggeving. Dat heb ik aangevuld met het lezen van duizenden bladzijden in boeken, kranten en tijdschriften, transcripties van rechtszaken en bekijken van bewijsmateriaal. Dat heb ik nog eens aangevuld door aanwezig te zijn bij tientallen publieke presentaties van Apple en Google, congressen en de octrooirechtszaak Apple vs. Samsung in 2012. Wanneer ik niet in staat was presentaties en congressen bij te wonen, heb ik gebruikgemaakt van officiële opnames, gecontroleerd aan de hand van amateurbeelden en andere verslaggeving. Ik heb de transcripties van zowel de rechtszaak Apple vs. Samsung als die van Google vs. Oracle – beide in 2012 – gebruikt voor de dagen dat ik er niet bij kon zijn. Waar ik van boeken, artikelen, transcripties en video gebruik heb gemaakt, heb ik dat in een voetnoot aangegeven. Dat heb ik niet gedaan waar de informatie uit interviews afkomstig was.

Voor de geschiedenis van het octrooirecht, ongeveer een derde van hoofdstuk acht, heb ik vertrouwd op het onderzoek en de schriftelijke weergave daarvan van Erin Biba, een journaliste met wie ik bij *Wired* heb samengewerkt en die nu columnist is bij *Popular Science*. Hulp bij het checken van de informatie kreeg ik van Bryan Lufkin, Katie M. Palmer, Elise Craig en Jason Kehe. Bryan vond ik via mijn contacten bij *Wired* en hij vond Katie, Elise en Jason. Ik neem zelf de volledige verantwoordelijkheid op me voor alle vergissingen en tekortkomingen.

Schrijven over een bedrijf is moeilijk. Net als wij allemaal wil een bedrijf de wereld alleen de triomfen laten zien, niet de zorgen, ruzies en mislukkingen. Het is dus de taak van de journalist om achter die façade te kijken en uit te zoeken wat er in werkelijkheid aan de hand is. Schrijven over Apple is een nog grotere uitdaging omdat het, meer dan enig ander bedrijf, het zo moeilijk mogelijk probeert te maken achter de façade te kijken. Er is een zestal journalisten waar het voorafgaand aan de presentatie van een nieuw product af en toe mee samenwerkt. Het bedrijf werkte samen met mijn vriend Steven Levy voor een boek over de iPod, dat in 2006 is verschenen. En Jobs zelf vroeg Walter Isaacson om zijn bejubelde biografie te schrijven, die eind 2011 verscheen. Ieder ander boek dat de afgelopen twintig jaar is verschenen over Jobs of Apple, heeft het zonder zijn of Apple's medewerking moeten doen. Dat geldt ook voor dit boek. Ik heb Apple aan het begin van dit project geïnformeerd en de media-executives verteld over de laatste versie van het manuscript. Maar ze wilden niemand van het bedrijf aanwijzen voor een interview. Google werkte een klein beetje mee – Larry Page en Sergey Brin waren dan wel niet beschikbaar, maar in de loop der jaren zijn andere executives aangewezen om mee te werken aan dit boek en/of aan artikelen die ik heb geschreven, waaronder de voormalige CEO Eric Schmidt en de voormalige Android-baas Andy Rubin.

De belangrijkste bronnen voor dit boek waren hoe dan ook niet de officieel gesanctioneerde interviews. Dat waren gesprekken met talloze softwareontwikkelaars en executives die echt aan deze projecten hebben gewerkt, maar sindsdien op andere dingen zijn overgestapt. Allemaal waren ze trots op het werk dat ze hebben gedaan en ze waren zo aardig om uren met me te praten, zodat ik nauwkeurig kon opschrijven wat er precies was gebeurd – sommigen van hen met naam en toenaam. Hoewel Steve Jobs alle eer krijgt voor het maken van de iPhone en de iPad, en Google-executives als Eric Schmidt, Larry Page, Sergey Brin en Andy Rubin de eer krijgen voor wat uit het Android-project is voortgekomen, zijn deze mensen de echte helden van Silicon Valley. Zij wisten, net als ik, dat ze een belangrijk deel van de geschiedenis hebben geschreven en wilden niet dat hun werk vergeten werd. Ik vond dan ook dat het verhaal van hun kant verteld moest worden.

Noten

Inleiding

1 Apple's financiële verklaringen en presentaties.
2 Philip Elmer-DeWitt, 'Chart of the Day: Apple as the World's No. 1 PC Maker,' *CNN Money*, 7 februari 2013; Apple's financiële verklaringen; Andrea Chang, 'Global TV Shipments Fall in 2012, Recovery Not Expected Until 2015,' *Los Angeles Times*, 2 april 2013; John Sousanis, 'World Vehicle Sales Surpass 80 Million in 2012,' *WardsAuto*, 1 februari 2013.
3 Killian Bell, 'Android Powers Almost 60% of All Mobile Devices Sold, iOS Just 19.3%,' CultofAndroid.com, 10 mei 2013; Jon Fingas, 'Apple Counts 400 Million iOS Devices Sold as of June,' Engadget.com, 12 september 2012.
4 Philip Elmer-DeWitt, 'Chart of the Day: Apple iPhone vs. Samsung Galaxy Sales,' *CNN Money*, 16 maart 2013.
5 Shira Ovide, 'Apple Boots Google for Microsoft in Siri,' *The Wall Street Journal*, Digits blog, 10 juni 2013.
6 'Worldwide Mobile Phone Sales Fell in 2012: Gartner,' Reuters, 13 februari 2013; Mary Meeker en Liang Wu, 'Internet Trends: D11 Conference, www.kpcb.com/insights/2013-internet-trends, 29 mei 2013.
7 'iTunes Continues to Dominate Music Retailing, but Nearly 60 Percent of iTunes Music Buyers Also Use Pandora,' NPD Group persverklaring, 18 september 2012; 'As Digital Video Gets Increa-

sing Attention, DVD and Blu-ray Earn the Lion's Share of Revenue,' NPD Group persverklaring, 30 januari 2013; Colin Dixon, 'How Valuable Is Apple to the Movie Business? Not So much!,' NScreenMedia, 25 april 2013; Horace Dediu, 'Measuring the iTunes Video Store,' Horace Dediu, ASYMCO.com, 19 juni 2013; Brian X. Chen, 'Apple and Netflix Dominate Online Video' (Bits blog), *New York Times*, 19 juni 2013.

Hoofdstuk een: Maanmissie

1 Wikipedia, nagegaan aan de hand van Apple's financiële verklaringen; Buster Heine, '15 Years of Macworld History in Just 10 Minutes,' CultofMac.com, 29 januari 2013.
2 Fred Vogelstein, 'The Untold Story: How the iPhone Blew Up the Wireless Industry,' *Wired*, 9 januari 2008.
3 Ibid.
4 Kara Swisher, 'Blast from D Past Video: Apple's Steve Jobs at D1 in 2003,' AllThingsD.com, 3 mei 2010.
5 'iPhone,' Wikipedia, nagegaan aan de hand van Apple's financiele verklaringen.
6 Kara Swisher, 'Blast from D Past: Apple's Steve Jobs at D2 in 2004,' AllThingsD.com, 10 mei 2010.
7 Frank Rose, 'Battle for the Soul of the MP3 Phone,' *Wired*, november 2005.
8 'iPod Sales per Quarter,' Wikipedia, nagegaan aan de hand van Apple's financiële verklaringen; Peter Burrows, 'Working with Steve Jobs,' *Bloomberg Businessweek*, 12 oktober 2011.
9 'Disney Teams with Sprint to Offer National Wireless Service for Families,' Disney persbericht, 6 juli 2005.
10 'iPod Sales per Quarter,' Wikipedia, nagegaan aan de hand van Apple's financiële verklaringen.
11 Christine Erickson, 'The Touching History of Touchscreen Tech,' Mashable.com, 9 november 2012; Andrew Cunningham, 'How today's touchscreen tech put the world at our fingertips,' *Ars Technica*, 17 april 2013; Bent Stumpe en Christine Sutton, 'The first capacitative touch screens at CERN,' *CERN Courier*, 31 maart 2010; 'Touchscreen articles in phones,' phoneArena.com,

26 augustus 2008; Bill Buxton, 'Multi-Touch Systems That I Have Known and Loved,' BillBuxton.com, 12 januari 2007.

12 Vogelstein, 'Untold Story.'

13 Getuigenverklaring van Scott Forstall, Apple's toenmalige directeur voor iPhone software, voor de rechtszaak *Apple vs. Samsung,* 3 augustus 2012.

14 Walter Isaacson, *Steve Jobs. De biografie,* in de Nederlandse versie blz. 566.

15 Getuigenverklaring van Scott Forstall voor de rechtszaak *Apple vs Samsung.*

16 Steve Jobs' iPhone keynote address, 9 januari 2007, beschikbaar op www.youtube.com/watch?v=t4OEsI0Sc_s.

Hoofdstuk twee: De iPhone is goed. Android wordt beter

1 Deze samenvatting is gebaseerd op Google's financiële overzichten en mijn eigen bezoeken aan de campus, en geverifieerd bij leidinggevende persvoorlichters van Google. Zie ook Paul Goldberger, 'Exclusive Preview: Google's New Built-from-Scratch Google-plex,' *Vanity Fair,* VF Daily, 22 februari 2013.

2 Fred Vogelstein, 'Google @ $165: Are These Guys for Real?,' *Fortune,* 13 december 2004.

3 Ari Levy, 'Benchmark to join Twitter in S.F.'s Mid-Market,' *San Francisco Gate,* 25 mei 2012.

4 Adam Lashinsky, 'Chaos by design,' *Fortune,* 2 oktober 2006.

5 Google Investor Relations, '2012 Update from the CEO,' beschikbaar op http://investor.google.com/corporate/2012/ceo-letter.html.

6 Fred Vogelstein, 'Search and Destroy,' *Fortune,* 2 mei 2005.

7 Getuigenverklaring van Eric Schmidt in de rechtszaak *Oracle vs. Google* aangaande auteursrechten, 24 april 2012.

8 Daniel Roth, 'Google's Open Source Android OS Will Free the Wireless Web,' *Wired,* 23 juni 2008; Vogelstein, 'GOOGLE @ $165.'

9 Roth, 'Google's Open Source'; Steven Levy, *In the Plex: How Google Thinks, Works, and Shapes Our Lives* (New York: Simon & Schuster, 2011), blz. 214.

10 Fred Vogelstein, 'Can Google Grow Up?,' *Fortune,* 8 december 2003.
11 Bronnen: de transcripties van de rechtszaak en persverslagen van de *Oracle vs. Google* rechtszaak aangaande auteursrechten in 2012.
12 John Battelle, *The Search: How Google and Its Rivals Rewrote the Rules of Business and Transformed Our Culture* (New York: Portfolio, 2005), e-book location 1881–1921.
13 Google's financiële jaarverslagen, mijn eigen interviews en verschillende nieuwsverslagen.
14 Matt Rosoff, 'Other Than Facebook, Microsoft's Investments Haven't Worked Out So Well,' *Business Insider,* 8 mei 2012.
15 Ken Auletta, *Googled. The End of the World As We Know It* (New York: Penguin Press, 2009).
16 Getuigenverklaring van Andy Rubin in de rechtszaak *Oracle vs. Google,* 23 maart 2012.
17 Steve Jobs' iPhone keynote address, 9 januari 2007, beschikbaar op www.youtube.com/watch?v=t4OEsI0Sc_s.
18 John Markoff, 'I, Robot: The Man Behind the Google Phone,' *New York Times,* 4 november 2007.

Hoofdstuk drie: Vierentwintig weken, drie dagen en drie uur tot de lancering

1 Adam Satariano, Peter Burrows en Brad Stone, 'Scott Forstall, the Sorcerer's Apprentice at Apple,' *Bloomberg Businessweek,* 12 november 2011; Jessica Lessin, 'An Apple Exit over Maps,' *Wall Street Journal,* 29 oktober 2012.
2 Leo Kelion, 'Tony Fadell: From iPod father to thermostat start-up,' BBC News, 29 november 2012.
3 Steven Levy, *The Perfect Thing: How the iPod Shuffles Commerce, Culture, and Coolness* (New York: Simon & Schuster, 2006), blz. 54–74.
4 Satariano et al., 'Scott Forstall.'
5 Christina Kinon, 'Say What? Mike stolen during live Q&A on FOX,' *New York Daily News,* 30 juni 2007; Steven Levy's interview op FOX News, bereikbaar op www.youtube.com/watch?v=uayBcHDxfww.

6 Steven Levy, 'A Hungry Crowd Smells iPhone, and Pounces,' *Newsweek*, 22 december 2007.
7 De laatste twee alinea's zijn afkomstig uit Apple's financiële verslagen en verschillende nieuwsberichten en productbeoordelingen, die in die tijd ruim voorhanden waren.
8 'Apple's CEO Discusses F2Q13 Results—Earnings Call Transcript,' SeekingAlpha.com, 23 april 2013.
9 John Markoff, 'Steve Jobs Walks the Tightrope Again,' *The New York Times*, 12 januari 2007.
10 Dit is afkomstig uit de getuigenverklaring van Phil Schiller, Apple directeur marketing, tijdens de rechtszaak *Apple vs. Samsung*, 3 augustus 2012.
11 De nieuwe Apple Store in Palo Alto staat aan Florence Street en University Avenue.

Hoofdstuk vier: Ik dacht dat we vrienden waren

1 De informatie voor deze en de volgende alinea is afkomstig uit getuigenverklaringen en de in de rechtszaak *Oracle vs. Google* aangedragen bewijzen; Steven Levy, *In the Plex: How Google Thinks, Works, and Shapes Our Lives* (New York: Simon & Schuster, 2011), blz. 215–239, en mijn eigen verslaggeving.
2 Brad Stone, 'Larry Page's Google 3.0,' *Bloomberg Businessweek*, 26 januari 2011, www.businessweek.com/magazine/content/11_06b4214050441614.htm.
3 Levy, *In the Plex*, blz. 219.
4 Levy, *In the Plex*, blz. 218.
5 John Markoff, 'I, Robot: The Man Behind the Google Phone,' *The New York Times*, 4 november 2007.
6 Ryan Block, 'Live coverage of Google's Android Gphone mobile OS announcement,' Engadget.com, 5 november 2007; Danny Sullivan, 'Gphone? The Google Phone Timeline,' SearchEngineLand.com, 18 april 2007; Miguel Helft en John Markoff, 'Google Enters the Wireless World,' *The New York Times*, 5 november 2007.
7 Zie de introductie en demo voor Android door Sergey Brin en Steve Horowitz op www.youtube.com/watch?v=egxNkU5__hU.

8 Ken Auletta, *Googled: The End of the World as We Know It* (New York: Penguin Press, 2009).
9 Levy, *In the Plex,* blz. 213–237; Auletta, *Googled,* e-book locatie 118–1132; Brad Stone en Miguel Helft, 'Apple's Spat with Google Is Getting Personal,' *The New York Times,* 13 maart 2010; en mijn verslaggeving.
10 Uit Vic Gundotra's Google Plus-profiel, https://plus.google.com/+VicGundotra/posts/gcSStkKxXTw.
11 Dit is een combinatie van mijn verslaggeving en Steven Levy's *In the Plex.*
12 Voor een demonstratie van de Star7, zie www.youtube.com / watch?v=1CsTH9S79qI.

Hoofdstuk vijf: De gevolgen van verraad

1 David A. Vise en Mark Malseed, *The Google Story* (New York: Delacorte, 2005) e-book locatie 1593–1594.
2 Beëdigde verklaring van Lukovsky in de zaak *Microsoft vs. Kai Fu Lee,* 2005. Klacht van Viacom, ingediend in 2007, https://docs.google.com/viewer?url=http%3A %2F%2Fonline.wsj.com%2Fpublic%2Fresources%2Fdocuments%2FVia com031207.pdf; Saul Hansell, 'Google and Yahoo Settle Dispute over Search Patent,' *The New York Times,* 10 augustus 2004; zie ook Google's documenten voor de beursgang (voor de schikking met Yahoo!).
3 Steven Levy, *In the Plex: How Google Thinks, Works, and Shapes Our Lives* (New York: Simon & Schuster, 2011), 213–237.
4 Walt Mossberg, 'Google Answers the iPhone,' AllThingsD.Com, 15 oktober 2008.
5 Mijn verslaggeving en Levy, *In the Plex,* blz. 227.
6 Isaacson wist in zijn biografie als eerste te vertellen dat Jobs al sinds zijn eerste operatie in 2005 tegen kanker vocht. Jobs hield echter tot zijn dood in het openbaar vol dat hij van kanker genezen was.
7 Deze drie alinea's zijn samengesteld uit Steven Levy's *In the Plex,* blz. 215-239 en mijn verslaggeving.
8 Deze alinea is gebaseerd op openbare documenten die door nieuwsorganisaties zijn verkregen na een beroep op de Freedom

of Information Act (te vergelijken met de Nederlandse Wet openbaarheid van bestuur.)

9 Fred Vogelstein, 'How the Android Ecosystem Threatens the iPhone,' *Wired*, 14 april 2011.

10 Walter Isaacson, *Steve Jobs. De biografie,* in de Nederlandse vertaling blz. 611.

11 Ibid, in de Nederlandse vertaling blz. 613.

12 Jessica E. Lessin, 'Google's Explainer-in-Chief Can't Explain Apple,' *Wall Street Journal*, 4 december 2012.

13 Wayne Rash, 'Microsoft, New York City Ink Deal for Cloud Application Licenses, eWeek.com, 20 oktober 2010.

14 Steven Levy, 'Inside Chrome: The Secret Project to Crush IE and Remake the Web', *Wired,* 2 september 2008.

Hoofdstuk zes: Overal Android

1 Brad Stone, 'Google's Andy Rubin on Everything Android' (*Bits* blog), *The New York Times*, 27 april 2010.

2 Deze gegevens zijn afkomstig uit Google's financiële verklaringen en uit jaaroverzichten van Mary Meeker, voormalig technologieanalist van Wall Street, op dit moment partner in participatiemaatschappij Kleiner Perkins Caulfield & Byers.

3 Ik was aanwezig bij deze opiniepeiling tijdens de *Fortune* Brainstorm Conference in Aspen, juli 2010.

4 Dit citaat is afkomstig uit een voordracht die ik Schmidt hoorde geven tijdens het jaarlijkse DLD (Digital-Life-Design) technologiecongres in München in januari 2011.

5 'Customer Backlash Forces Vodafone to Renege on Software Update,' *Guardian*, Technology blog, 12 augustus 2010.

6 Stone, 'Google's Andy Rubin'; Jesus Diaz, 'This Is Apple's Next iPhone,' *Gizmodo*, 19 april 2010; Rosa Golijan, 'The Tale of Apple's Next iPhone,' *Gizmodo*, 4 juni 2010; Miguel Helft en Nick Bilton, 'For Apple, Lost iPhone Is a Big Deal.' (*Bits* blog), *The New York Times*, 19 april 2010; David Carr, 'Monetizing an iPhone Spectacle,' *The New York Times*, 25 april 2010; Jeff Bertolucci, 'Gizmodo-iPhone Saga: Court Documents Reveal Fascinating Details,' *PC World*, 15 mei 2010.

7 Brainstorm, Aspen, 2010; Matt Buchanan, 'Apple, Antennagate, and Why It's Time to Move On,' *Gizmodo*, 19 juli 2010; Nick Bilton, 'Fallout from the iPhone 4 Press Conference' (*Bits* blog), *The New York Times*, 19 juli 2010.
8 'AT&T Declares Cold War on Verizon,' *The New York Times*, 3 november 2009.
9 Fred Vogelstein, 'Bad Connection: Inside the iPhone Network Meltdown,' *Wired*, 19 juli 2010.
10 Jason Snell, 'Jobs Speaks: The Complete Transcript,' *Macworld*, 18 oktober 2010.
11 Apple persverklaring, 9 april 2007.
12 Kara Swisher, 'Full D8 Interview Video: Apple CEO Steve Jobs,' Steve Jobs geïnterviewd door Kara Swisher en Walt Mossberg (video), AllThingsD.com, 7 juni 2010, www.allthingsd.com/20100607/full-d8-video-apple-ceo-steve-jobs.
13 'Apple Says App Store Has Made Developers over $1 Billion,' AppleInsider.com, 10 juni 2010.

Hoofdstuk zeven: De iPad verandert alles – opnieuw

1 'Apple's Diabolical Plan to Screw Your iPhone,' iFixIt.com, 20 januari 2011.
2 Beth Callaghan, 'Steve Jobs's Appearances at D, the Full Video Sessions,' AllThingsD.com, 5 oktober 2011.
3 Zie Steve Jobs' iPad keynote address, 27 januari 2010.
4 Catharine Smith, 'History of Tablet PCs,' *Huffington Post*, 15 juni 2010; Jenny Davis, 'The Tablet's Long History' (*Geekdad* blog), *Wired*, 29 oktober 2011; 'Tablet Timeline,' *PCMag*; Jerry Kaplan, *Startup: A Silicon Valley Adventure* (New York: Penguin, 1996), blz. 1-36.
5 Zie Jobs' iPad keynote address.
6 'The Book of Jobs,' *Economist*, 28 januari 2010; 'Apple's Hard-to-Swallow Tablet,' *The Wall Street Journal*, 30 december 2009; Claire Cain Miller, 'The iPad's Name Makes Some Women Cringe' (*Bits* blog), *The New York Times*, 27 januari 2010.
7 Schmidt maakte deze opmerkingen tijdens een persbijeenkomst op de Davos Conference, 28 januari 2010. Brent Schendler, 'Bill

Gates Joins the iPad's Army of Critics,' *CBS MoneyWatch*, 10 februari 2010; John McKinley, 'Apple's iPad Is This Decade's Newton,' *Business Insider*, 27 januari 2010; Arnold Kim, 'Apple Gives a Nod to Newton with New "What is iPad?" Ad,' *MacRumors*, 12 mei 2010.

8 Walter Isaacson, *Steve Jobs. De biografie,* in de Nederlandse vertaling blz. 592.

9 Joe Hewitt, 'iPad,' JoeHewitt.com, 28 januari 2010.

10 Walter Isaacson, *Steve Jobs. De biografie,* in de Nederlandse vertaling blz. 560-561.

11 John Paczkowski, 'The Apple iBooks Origin Story,' AllThingsD.com, 14 juni 2013.

12 Peter Kafka, 'Steve Jobs, Winnie the Pooh and the iBook Launch,' AllThingsD.com, 17 juni 2013.

13 John Paczkowski, 'The Apple iBooks Origin Story.'

14 Financiële verslagen van Apple (10-Q) voor april 2010, juli 2010, januari 2011 en april 2011; Apple financieel jaarverslag (10-K) voor oktober 2010.

Hoofdstuk acht: 'Mr. Quinn, alstublieft, laat me u niet bestraffen'

1 Het eerste deel van dit hoofdstuk bevat getuigenverklaringen en beschrijvingen van scènes uit het octrooiproces van Apple vs. Samsung in de zomer van 2012. Ik was bij het grootste deel van het proces aanwezig en heb mijn aantekeningen aangevuld met en gecontroleerd aan de hand van de procesverslagen.

2 Paul F. Morgan, 'Guest Post: Microsoft v.i4i — Is the Sky Really Falling?,' PatentlyO.com, 9 januari 2011.

3 Mark Gurman, 'Tim Cook tells Apple employees that today's victory "is about values",' 9to5Mac.com, 24 augustus 2012.

4 Walter Isaacson, *Steve Jobs. De biografie,* in de Nederlandse vertaling blz. 220.

5 Charles Duhigg en Steve Lohr, 'The Patent, Used as a Sword,' *The New York Times*, 7 oktober 2012; ik vulde dit aan met en controleerde dit aan de hand van mijn eigen verslaggeving.

6 Steve Jobs iPhone keynote address, 9 januari 2007, beschikbaar

ste van bovenstaande historische gevallen komen van de
he site BitLaw, waar ook een geweldige tijdbalk op staat en
uitgelegd hoe alles met alles samenhangt. Zie ook het inter-
van Erin Biba met een jurist van de EFF, de Electronic Frontier
dation (november 2012).

s Development Corporation v. Borland International, Inc., U.S.
urt of Appeals, First Circuit, 6 oktober 1994, https://bulk.re-
urce.org/courts.gov/c/F3/49/49.F3d.807.93-2214.html.

esentatie op Solutions to the Software Patent Problem, a con-
rence at Santa Clara University, 16 november 2012; Jason
Mick, 'Analysis: Neonode Patented Swipe-to-Unlock 3 Years Before Apple,' DailyTech.com, 20 februari 2012; Liam Tung, 'Apple Secures Patent on iPhone's Slide-to-Unlock Feature,' ZDNet.com, 6 februari 2013.

7 Presentatie op Solutions to the Software Patent Problem; Lemley e-mail, 12 november 2012.

Hoofdstuk negen: Weet je nog, samenvoegen? Het gebeurt nu

1 Apple, Google en Microsoft financiële verklaringen voor 2010 en 2011.

2 National Cable and Telecommunications Association data; Television Bureau of Advertising data; en Jack W. Plunkett, *Plunkett's Entertainment & Media Industry Almanac 2012* (Houston, TX: Plunkett Research, 2012).

3 'Gartner Says Worldwide Mobile Device Sales to End Users Reached 1.6 Billion Units in 2010,' Gartner persverklaring, 9 februari 2011; 'Gartner Says Worldwide PC, Tablet and Mobile Phone Combined Shipments to Reach 2.4 Billion Units in 2013,' Gartner persverklaring, 4 april 2013; Louis Columbus, '2013 Roundup of Smartphone and Tablet Forecasts & Market Estimates,' *Forbes,* 17 januari 2013.

4 Fred Vogelstein, 'It's Not an Entertainment Gadget, It's Google's Bid to Control the Future,' *Wired,* 27 juni 2012; Florence Ion, 'Google Finally Lists Nexus Q as Not for Sale on Google Play,' ArsTechnica.com, 17 januari 2013.

5 David Pogue, 'What Is the Point of Google's Chrome-book Pixel?' (Pogue's Posts blog), *The New York Times,* 28 februari 2013.
6 Rüdiger Wischenbart et al., *The Global eBook Market 2011* (Sebastopol, CA: O'Reilly Media, 2011).
7 Eriq Gardner, 'Viacom Sues Cablevision over iPad Streaming,' *Hollywood Reporter,* 23 juni 2011.
8 David Carr, 'Long-Form Journalism Finds a Home,' *The New York Times,* 27 maart 2011; David Carr, 'Maturing as Publisher and Platform,' *The New York Times,* 20 mei 2012; David Carr, 'Media Chiefs Form Venture to E-publish,' *The New York Times,* 18 september 2012.
9 'FAA Approves iPad for Pilots' Flight Planning,' *iPadNewsDaily,* 14 februari 2011; Nick Bilton, 'United Pilots Get iPad Flight Manuals' (*Bits* blog), *The New York Times,* 23 augustus 2011; Christina Bonnington, 'Can the iPad Rescue a Struggling American Education System?,' *Wired,* 6 maart 2013; Katie Hafner, 'Redefining Medicine with Apps and iPads,' *The New York Times,* 8 oktober 2012.
10 Brian Stelter, 'Pitching Movies or Filming Shows, Hollywood Is Hooked on iPads,' *The New York Times,* 24 oktober 2010.
11 Nick Wingfield, 'Once Wary, Apple Warms Up to Business Market,' *The New York Times,* 15 november 2011.
12 'Bowman Says at Bat Application Sales May Triple on iPad,' Bloomberg, 23 maart 2012.
13 Online Publishers Association, 'A Portrait of Today's Tablet User: Wave II,' studie uitgevoerd in samenwerking met Frank N. Magid Associates, juni 2012.
14 Michael Kanellos, 'Gates taking a seat in your den,' CNET News, 5 januari 2005; Matt Rosoff, 'Other Than Facebook, Microsoft's Investments Haven't Worked Out So Well,' *Business Insider,* 8 mei 2012.
15 Edmund L. Andrews, 'Time Warner's "Time Machine" for Future Video,' *The New York Times,* 12 december 1994; Ken Auletta, 'The Cowboy,' *The New Yorker,* 7 februari1994; Mark Robichaux, *Cable Cowboy: John Malone and the Rise of the Modern Cable Business* (Hoboken, NJ: Wiley, 2002), e-book locatie 1796–2053.

16 Rosoff, 'Other Than Facebook.'
17 Evelyn Nussenbaum, 'Technology and Show Business Kiss and Make Up,' *The New York Times,* 26 april 2004.
18 Eric Pfanner, 'Music Industry Sales Rise and Digital Revenue Gets the Credit,' *The New York Times,* 26 februari 2013.
19 'Gartner Says Worldwide PC Shipments in the Fourth Quarter 2011 Declined 1.4 Percent,' Gartner persverklaring, 11 januari 2012; 'Smartphones Overtake Client PCs in 2011,' Canalys persverklaring, 4 april 2013.
20 Daniel Eran Dilger, 'Apple Has Now Paid $4 Billion to App Store Developers,' AppleInsider.com, 24 januari 2012.
21 Nilay Patel, 'Google Building 'Firewall' Between Android and Motorola After Acquisition,' *The Verge,* 27 februari 2012.
22 Michael Lev Ram, 'Samsung's Road to Global Domination,' *Fortune,* 22 januari 2013.
23 Mike Isaac, 'Google's Sundar Pichai Is Cool with Samsung's Android Dominance,' Sundar Pichai geïnterviewd door Walt Mossberg (video), AllThingsD.com, 30 mei 2013, beschikbaar op www.allthingsd.com/20130530/googles-sundar-pichai-is-cool-with-samsungs-android-dominance-video.

Hoofdstuk tien: De wereld veranderen, scherm voor scherm

1 The Pew Research Center's Project for Excellence in Journalism, 'The State of the News Media 2013,' jaaroverzicht van de Amerikaanse journalistiek, 18 maart 2013, beschikbaar op www.stateofthemedia.org.
2 *But the mobile revolution*: Nadja Brandt, 'Silicon Beach Draws Startups,' *Bloomberg Businessweek,* 16 oktober 2012; Leslie Gersing, 'Tech Start-Ups Choosing New York City Over Silicon Valley,' CNBC, 22 februari 2012.
3 Julianne Pepitone, 'Netflix's $100 Million Bet on Must See TV,' CNNMoney.com, 1 februari 2013.
4 Walter Isaacson, *Steve Jobs. De biografie.*
5 Ari Emanuel geïnterviewd door Conor Dignam tijdens de Abu Dhabi Media Summit, 10 oktober 2012, beschikbaar op www.youtube.com/watch ?v=AjMST1m3DVc.

6 Lisa O'Carroll, 'Troy Carter Interview: Lady Gaga's Manager on the Future of Social Media,' *Guardian*, 4 november 2012.
7 John Paczkowski, 'Sony's Michael Lynton on How the Net and Social Media Are Changing the Movie Business,' AllThingsD.com, 12 februari 2013; Peter Kafka, 'Hollywood Goes Digital—but Not Too Digital: Sony Boss Michael Lynton's Candid Dive into Media Interview,' Michael Lynton geïnterviewd door Peter Kafka (video), AllThingsD.com, 26 februari 2013, beschikbaar op www.allthingsd.com/20130226/hollywood-goes-digital-but-not-too-digital-sony-boss-michael-lyntons-candid-dive-into-media-interview.
8 De aantallen tv' en smartphones zijn schattingen. Op basis van de laatste gegevens van Display Search aangaande tv-verkopen wereldwijd ben ik uitgegaan van een gemiddelde levensduur van tv's van twintig jaar en dat er per jaar 200 miljoen verkocht worden. En ik ben uitgegaan van een gemiddelde levensduur van de smartphone van twee jaar. Volgens Gartner zijn er de afgelopen twee jaar 2 miljard verkocht.
9 Richard Sandomir, 'ESPN Extends Deal with N.F.L. for $15 Billion,' *The New York Times*, 8 september 2011; Matthew Futterman, Sam Schechner en Suzanne Vranica, 'NFL: The League That Runs TV,' *The Wall Street Journal*, 15 december 2011.
10 Brian Stelter, 'A Drama's Streaming Premier,' *The New York Times*, 18 januari 2013; 'YouTube Now Serving Videos to 1 Billion People,' Associated Press, 21 maart 2013
11 Peter Kafka, 'YouTube Boss Salar Kamangar Takes On TV: The Full Dive into Media Interview,' Salar Kamangar geïnterviewd door Peter Kafka (video), AllThingsD.com, 27 februari 2013, beschikbaar op www .allthingsd.com/20120227/youtube-boss-salar-kamangar-takes-on-tv-the-full -dive-into-media-interview.
12 David Carr, 'Spreading Disruption, Shaking Up Cable TV,' *The New York Times*, 17 maart 2013; Jeff John Roberts, 'The genie is out of the bottle: Aereo's court victory and what it means for the TV business,' *GigaOM*, 1 april 2013; Peter Kafka, 'Wall Street to the TV Guys: Please Bail on Broadcast for Cable!,' AllThingsD.com, 8 april 2013.

13 'HBO's Eric Kessler at D: Dive into Media,' Eric Kessler geïnterviewd door Kara Swisher (video), AllThingsD.com, 2/28/2013, beschikbaar op www.allthingsd.com/video/hbos-eric-kessler-at-d-dive-into-media; Alistair Barr en Liana Baker, 'HBO CEO Mulls Teaming with Broadband Partners for HBOGO,' Reuters, 21 maart 2013; Peter Kafka, 'HBO Explains Why It Isn't Going a la Carte Anytime Soon,' AllThingsD.com, 3/22/2013.

14 Larry Page's Google I/O 2013 keynote address, 15 mei 2013, beschikbaar op www.youtube.com/watch?v=Zf2Ct8-nd9w; Q&A with Page at Google I/O 2013, 15 mei 2013, beschikbaar op www.youtube.com/watch?v=AfK8h73bb-o.

15 'Android Captures Record 80 Percent Share of Global Smartphone Shipments in Q2 2013,' Strategy Analytics press release, 1 augustus 2013; 'Small Tablets Drive Big Share Gains for Android,' Canalys persverklaring, 1 augustus 2013.

16 Charles Duhigg en Keith Bradsher, 'How the US Lost Out on iPhone Work,' *The New York Times,* 21 januari 2012; Duhigg en Bradsher, 'In China, Human Costs Are Built into an iPad,' *The New York Times,* 25 januari 2012; Mark Gurman, 'Tim Cook Responds to Claims of Factory Worker Mistreatment: "We Care About Every Worker in Our Supply Chain",' 9to5mac.com, 26 januari 2012; 'Here's Apple CEO Tim Cook's Apology Letter in China' (Digits blog), *The Wall Street Journal,* 1 april 2013.

17 Jessica Lessin, 'An Apple Exit over Maps,' *The Wall Street Journal,* 29 oktober 2012; Liz Gannes, 'Google Maps for iPhone Had 10 Million Downloads in 48 Hours,' AllThingsD.com, 17 december 2012.

18 Ina Fried, 'Apple's Tim Cook: The Full D11 Interview,' Tim Cook geïnterviewd door Walt Mossberg en Kara Swisher (video), AllThingsD.com, 29 mei 2013, beschikbaar op www.allthingsd.com/20130529/apples-tim-cook-the-full-d11-interview-video.

19 Peter Kafka, 'Apple CEO Steve Jobs at D8: The Full, Uncut Interview,' Steve Jobs geïnterviewd door Walt Mossberg en Kara Swisher (video), AllThingsD.com, 7 juni 2010, beschikbaar op www.allthingsd.com/20100607/steve-jobs-at-d8-the-full-uncut-interview.

Dankbetuiging

Schrijven is gewoonlijk een eenzame activiteit. Maar het schrijven van een boek als dit is helemaal geen eenzame daad geweest. Bij deze jaren durende reis waren tientallen mensen betrokken. Ik ben daarom blij dat ik de ruimte heb om hen te bedanken.

Dit boek zou nooit zijn ontstaan zonder de vele huidige en voormalige redacteuren, designers en medewerkers van *Wired*. Daar schreef ik de artikelen die de basis zouden vormen van dit project. Ik wil voormalig hoofdredacteur Chris Anderson bedanken, de voormalige uitvoerend redacteuren Bob Cohn en Tom Goetz, de huidige hoofdredacteur Scott Dadich, de huidige uitvoerend redacteur Jason Tanz, de huidige redactiemanager Jake Young en themaredacteur Mark Robinson. Voordat Jason hoofdredacteur werd, was hij mijn redacteur, wat wil zeggen dat hij al mijn artikelen het tijdschrift in loodste.

Ik wil de Writers' Grotto in San Francisco bedanken voor het verschaffen van kantoorruimte en voor het voeden van mijn geest overdag. De Grotto is negentien jaar geleden opgericht door Po Bronson, Ethan Watters, Todd Oppenheimer en anderen als een plaats waar een wonderlijke verzameling van zo'n zestig schrijvers van fictie en non-fictie kunnen werken en een gemeenschap vormen. Was ik daar niet beland, dan zou ik hebben geprobeerd dit boek thuis of in een of ander kantoor in mijn eentje te schrijven, en dat was me nooit gelukt.

Ik dank ook Erin Biba, die onderzoek heeft gedaan naar de octrooien en een derde van dat hoofdstuk heeft geschreven. Ik ontmoette haar toen ze journalist was bij *Wired*; nu is ze columnist bij *Popular Science*. De eerste vijfentwintig jaar van mijn carrière heb ik de feiten in mijn artikelen allemaal zelf gecontroleerd. Maar in mijn tijd bij *Wired* kwam ik erachter dat bij de afdeling *fact-checking* onder leiding van Joanna Pearlstein de slimste en betrouwbaarste aankomend journalisten werken. Een van hen, Bryan Lufkin, wil ik in het bijzonder bedanken; hij deed de fact-checking van het manuscript en bedacht op tijd dat hij hulp moest vragen aan zijn collega's Katie M. Palmer, Elise Craig en Jason Kehe.

Ik zou dit project nooit van de grond hebben gekregen zonder adviezen over het proces van het schrijven van een boek en de genereuze aanbevelingen aan een agent van mijn vrienden Joe Nocera en Steven Levy. Mijn vriend Jim Impoco las het manuscript en leverde commentaar. Met Jim heb ik vijftien jaar samengewerkt – hij is een van de beste redacteuren die je je kunt voorstellen. Yukari Kane, die in de Writers' Grotto aan een boek over Apple werkt, zorgde dagelijks voor therapie en snoepjes. Onze boeken verschillen voldoende van elkaar om elkaar te kunnen steunen zonder dat concurrentie tussen ons in kwam te staan.

Ik bedank ook mijn vader John, die me onophoudelijk heeft aangemoedigd. Ik was misschien nooit journalist geworden als hij niet tijdens het avondeten bleef hameren op hoe belangrijk het geschreven woord is. Dank ook aan zijn vrouw Barbara en aan mijn broer Andrew en zijn vrouw Monica, die drie jaar lang al mijn gezeur hebben moeten aanhoren. Ik wilde dat mijn moeder nog in leven was om haar te kunnen bedanken; de meesten van ons in die positie kennen dat gevoel. Dank aan mijn vriend Eric Snoey voor al die ochtendkoffie; hij zorgde er ook voor dat ik mezelf niet vergat.

Een betere agent is niet denkbaar dan Liz Darhansoff, die me wilde vertegenwoordigen toen het idee voor dit boek nog nauwelijks gevormd was. Ze was hard tegen me toen dat nodig was, ze was mijn therapeut toen dat nodig was, en ze zat me altijd achter de vodden.

Het is net zo moeilijk om je een betere uitgever/redacteur voor te stellen dan Sarah Crichton, die bij Farrar, Straus and Giroux haar eigen imprint heeft. Voordat ik aan dit project begon, had ik tientallen horrorverhalen over uitgevers/redacteuren gehoord. Ze vertonen grote overeenkomsten met verhalen over aannemers – over beloften die gedaan worden en niet nagekomen. Dat is in het geheel niet mijn ervaring. Alles wat Sarah zei dat ze zou doen, deed ze – en meer. Ik voel me bevoorrecht haar te hebben ontmoet en met haar te hebben gewerkt. Mijn dank gaat ook uit naar haar assistent Dan Piepenbring, naar productieredacteur Mareike Grover en naar de rest van de redactie en de pr-mensen van FSG. We sloten dit boek snel af en een heleboel mensen die ik nooit heb ontmoet, moeten overwerken om het op tijd klaar te krijgen.

En ten slotte wil ik Evelyn Nussenbaum bedanken, al drie-entwintig jaar mijn vrouw. Toen ik aan dit project begon dacht ik, zoals ongetwijfeld zoveel schrijvers, dat ik degene zou zijn die niet al te zwaar leunde op zijn partner. Dat had ik verkeerd. Ik leunde heel zwaar op Evelyn. En niet alleen kon zij dat aan, ze was ook een bron van eindeloze aanmoediging. Ze zorgde twee keer voor de vakantie van het gezin zonder dat ik erbij was en ook de meeste zondagen moest ze me missen. Ze wist de epilepsieaanvallen van onze zoon en problemen in haar familie zonder mij te doorstaan. En ze wist ook geduldig de emotionele achtbaan te doorstaan waar iedere auteur van zijn eerste boek doorheen gaat – en misschien wel iedere auteur bij ieder boek. Ze is zelf twintig jaar lang een geweldige journalist geweest en begrijpt dus het proces van schrijven en verslaan. Maar dat helpt iemand slechts een beetje bij de uitputting als je een gezin in je eentje draaiende moet houden. Ze is een bron van inspiratie voor mij.

Over de auteur

Fred Vogelstein is journalist en redacteur van het tijdschrift *Wired,* waarvoor hij over de hightechindustrie schrijft. Artikelen van zijn hand verschenen ook in *Fortune, The New York Times Magazine, The Wall Street Journal, U.S. News & World Report* en elders.